아비투어

철학 논술

자기주도학습

아비투어
철학 논술 자기주도학습 10

2판 2쇄 발행일 | 2020년 6월 22일

지은이 | 이봉선, 박기호, 조훈성, 김병준
펴낸이 | 정은영
펴낸곳 | (주)자음과모음

출판등록 | 2001년 11월 28일 제2001−000259호
주　　소 | 04047 서울시 마포구 양화로6길 49
전　　화 | 편집부 (02)324−2347, 경영지원부 (02)325−6047
팩　　스 | 편집부 (02)324−2348, 경영지원부 (02)2648−1311
e−mail | jamoteen@jamobook.com

ISBN | 978−89−544−3772−1 (03100)

• 잘못된 책은 교환해 드립니다.

아비투어

철학 논술 자기주도학습

철학자가 들려주는 철학이야기 091~100

10

|주|자음과모음

차례

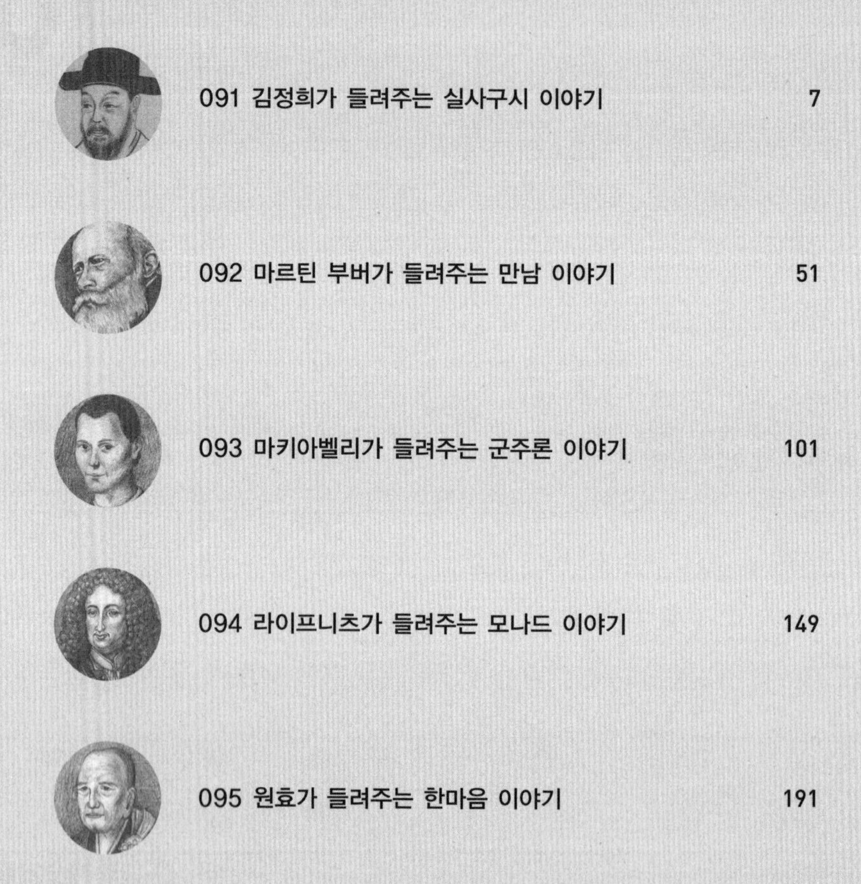

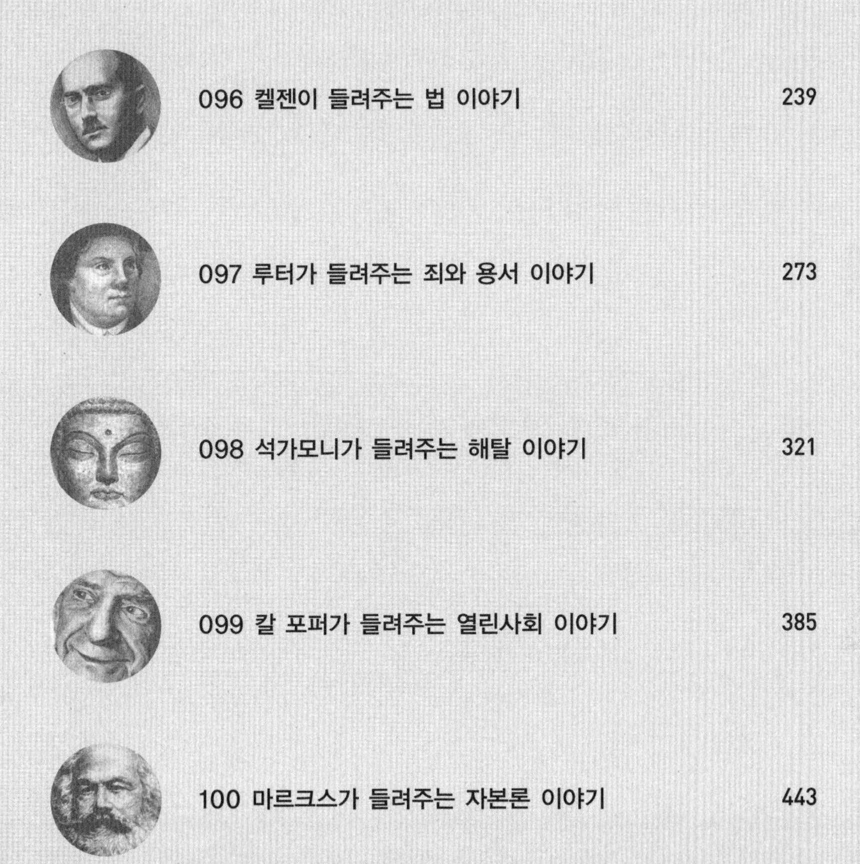

Abitur

철학자가 들려주는 철학이야기 091

김정희가 들려주는 실사구시 이야기

저자_**이봉선**
중앙대에서 문예창작을 전공했습니다. 1998년과 2004년에 신춘문예 단편소설로 등단하였습니다. 현재 대학에서 소설 창작을 강의하며 소설을 쓰고 있습니다. 효원이, 태준이의 아빠로서 아이들에게 좋은 책을 많이 읽어 주기 위해 노력하고 있습니다. 학생들에게 국어와 논술을 가르치면서 가장 소중한 삶의 가치가 무엇인지 늘 고민하고 있습니다.

배경 지식 넓히기

金正喜

김정희와 '실사구시'

김정희 주요 개념

1. 김정희를 만나다

1) 김정희는 누구인가 — 시대와 생애

김정희(金正喜, 1786~1856)는 1786년 6월 3일에 충청남도 예산에서 출생하였습니다. 1809년 생원이 되었고, 1816년에는 〈실사구시설〉을 펴내는데, 이것이 김정희의 전 생애에 걸쳐 가장 근간이 되는 학문적, 사상적 핵심이라고 할 수 있습니다.

그리고 같은 해에 북한산에 있는 비석이 신라 진흥왕순수비라는 것을 밝혀 냈습니다. 이 비석은 당시까지만 해도 조선 개국 당시 태조 이성계의 스승이었던 무학대사가 세운 것으로 알려져 있었으나, 김정희에 의해 진흥왕비로 증명되었습니다. 이것은 돌이나 금속에 쓰인 글자를 연구하여 그 의미를 탐색하는 금석학 분야에서 매우 큰 업적이 되었습니다. 또, 객관적인 근거를 통해 학문을 연구하겠다는 그의 '실사구시' 사상이 실제 학문적 성과로 연계된 의미 있는 일이었습니다.

김정희는 1819년 문과에 급제하여, 충청우도 암행어사, 성균관 대사성,

이조참판 등을 역임하였습니다. 24세 때에는 중국 연경에 가서 중국 학자와 가까이 하면서 금석학과 서화로부터 많은 영향을 받았습니다. 이후 보다 더 깊이 있고 다양하게 변한 그의 예술은 시와 글씨, 그림이 함께 조화를 이루게 되었습니다.

1840년에 김정희의 제주도 유배 생활이 시작됩니다. 유배 생활 동안 1844년에는 그 유명한 〈세한도〉를 그려 그의 선비 정신을 그림에 나타냈습니다. 김정희는 1848년에 유배에서 풀려났으나, 1851년 다시 북청으로 귀양을 가게 됩니다.

김정희가 살았던 시대는 왕권이 약하고, 신하들의 권력 싸움으로 인해 당쟁이 이어지던 시기였습니다. 물론 시대와 민족을 막론하고 권력을 차지하기 위한 싸움은 계속되었지만, 이 시기에는 세력 다툼이 매우 심각했습니다. 유배지로 쫓겨난 김정희의 삶은 매우 비참하고 힘들었습니다. 그러나 유배 생활을 통해 김정희는 학문적으로, 예술적으로 큰 뜻을 이루었습니다. 고향에서 먼 제주도나 함경도 북청은 한적하고 쓸쓸한 곳이었지만 김정희는 이곳에서 어려움을 극복해 나가면서 그림을 그리며 학문 연구에 게을리 하지 않았던 것입니다.

1852년 67세에 힘들었던 김정희의 유배 생활은 겨우 끝이 나게 됩니다. 그리고 1856년 10월 10일 많은 제자들과 사람들의 안타까움을 뒤로 한 채 김정희는 71세의 나이로 세상을 떠나게 됩니다.

김정희는 조선 후기 실학의 3기에 해당하는 실사구시학파의 핵심 인물로서, 주관을 배제한 객관적인 태도로 학문을 연구하였고, 서예에서는 추사체라는 독자적인 예술적 성과를 이루었습니다. 또, 종교에 대한 관심과 애정이 커서 중국에서 돌아오는 길에 불경 400여 권과 불상 등을 가져오기도 하고, 화암사, 은해사, 봉은사 등의 현판 글을 쓰기도 하였습니다.

김정희 사후에 발간된 책으로는 서간문 모음집《완당척독》, 시집《담연재시고》, 문집《완당집》,《완당선생전집》등이 있습니다.

작품으로는 추사체를 바탕으로 한 여러 현판과 〈침계〉, 〈유애도서〉등의 글씨와 〈묵죽도〉, 〈묵란도〉, 〈난맹첩〉, 〈세한도〉 등의 그림이 있습니다.

2.김정희의 예술과 사상

1) 김정희의 예술

김정희의 그림 중에 가장 널리 알려진 〈세한도〉입니다.

이 작품은 제주도에 유배 중에 있던 김정희가 1844년 제자 이상적에게 그려 준 서화로 국보 제180호로 지정된 작품입니다. 얼핏 보면 먹 선으로 단순하게 그린 그림이라서 크게 띄지 않습니다. 하지만 사람들은 무엇 때문에 이 작품을 그렇게 높이 평가하는 것일까요?

이 그림의 이름인 '세한도'는 '날이 차가워진 다음에야 소나무, 잣나무가 늦게 시듦을 안다(歲寒然後 知松柏之後凋).'는 《논어》의 구절에서 따온 말입니다. 아직 여러분은 이 그림이 마음에 와 닿지 않을 수도 있습니다. 그렇다면 이렇게 한번 생각해 볼까요?

'나는 지금 그렇게 큰 잘못을 하지도 않았는데도 담임선생님에게 꾸중을 듣고 교실에서 쫓겨나 복도에 무릎을 꿇고 앉아 있습니다. 밖의 날씨는 정말 추워서 잠시 앉아 있는데도 턱이 덜덜 떨리고 너무도 쓸쓸합니다. 그 때 창밖을 바라보니 소나무에 싸락눈이 내리고 있습니다. 그 소나무가 너무 춥고 불쌍해 보입니다. 그런데 또 다르게 생각을 해 보면 추운 날씨에도 불구하고 소나무는 푸른 잎을 그대로 간직한 채 군세게 겨울을 이겨내고 있습니다.'

어떤가요? 〈세한도〉의 의미가 조금은 특별하게 와 닿지 않나요? 지금 별다른 느낌이 오지 않는다 해도 분명 언젠가 〈세한도〉의 깊은 뜻을 이해할 수 있을 때가 올 겁니다. 그 때가 바로 여러분이 이 세상을 한 단계 더 깊고 넓게 바라보는 안목을 가지게 되는 때일 것입니다.

눈에 보이는 대로 따라 그리는 것은 어려운 일이 아닙니다. 체계적인 교육을 받고 꾸준히 연습한다면 가을 설악산의 멋진 단풍이나 친구의 얼굴을 있는 그대로 그리기는 어렵지 않겠지요. 그런데 여러분에게 만약 '고독' 을 그리라거나 '자유' 를 그리라고 한다면 그릴 수 있을까요?

김정희의 〈세한도〉는 바로 눈에 보이는 풍경의 아름다움 때문이 아니라, 그 안에 선비의 뜻을 담았기 때문에 높이 평가를 받고 있는 것입니다. 〈세한도〉에는 '선비의 지조' 와 '어떤 시련에도 꺾이지 않는 굳센 의지' 와 같은 의미가 담겨 있기 때문에 100년이 지난 오늘날에도 사람들에게 감동을 주는 것입니다.

이처럼 김정희의 곧은 선비 정신은 난초 그림에서도 나타나고 있습니다. 김정희의 난초 그림은 매우 단순합니다. 짙은 먹 선이 가늘면서도 힘차게 한 번 지나간 뒤 그 아래에 다른 각도로 두어 번 스치듯이 지나가고, 난초꽃은 뒤꿈치를 살짝 들고 춤을 추는 소녀의 발자국처럼 옅은 색으로 나타내고 있습니다. 그리고 그 옆으로 함부로 흘려 놓은 듯 한 추사체의 힘찬 필체는 강약의 조화와 부드러움 속에 담긴 강인함의 모습이 어떤 것인지를 선명하게 보여 주고 있습니다. 또, 여기에서 일생의 많은 부분을 유배지에서 살았던 김정희의 곧은 지조와 단아한 선비 정신을 찾아볼 수 있습니다.

세한고절(歲寒孤節)

세한고절은 아주 추운 겨울에 눈이 내려 쌓여도 꺾이지 않는 대나무의 푸른 절개를 의미합니다. 여기에서 대나무는 아무리 어려워도 자신의 뜻을 끝까지 지키는 사람을 의미하는 것이지요. 김정희가 제주도에 유배되었을 때 그렸던 〈세한도〉는 바로 이러한 세한고절의 정신을 의미하는 것입니다. 비슷한 말로는 오상고절(傲霜孤節)이 있는데, 오상고절은 서리가 내려도 꺾이지 않는 국화의 강인함과 절개를 의미합니다.

그럼 대나무와 국화에는 어떤 연관성이 있을까요? 그렇습니다. 이 둘은 선비들이 사랑했던 사군자-매화, 난초, 국화, 대나무 중에서 바로 국(菊)과 죽(竹)에 해당합니다. 매화는 세한고절과 오상고절처럼 아치고절(雅致高節)이라고 하여 우아한 풍치와 고상한 절개를 의미합니다. 그런데 난초는 그냥 외유내강(外柔內剛)이란 말만 있을 뿐입니다. 난초의 특성을 생각하면서 여러분이 한번 이름을 지어 보면 어떨까요?

2) 김정희의 사상 — 실학의 배경과 실사구시(實事求是)

김정희가 내세운 실사구시는 '인간이 실제로 생활하는 일에서 옳은 것을 구한다' 는 뜻입니다. 이것은 조선 후기 새로운 시대 정신에서 나온 실학(實學)의 실천적인 방법 중 하나입니다. 실학은 현실에 실질적인 도움을 주지 못한다는 뜻의 학문인 '허학' 의 상대적인 의미로 쓰입니다. 그런데 좀 더 구체적인 의미의 실학은, 조선 후기 급격하게 변화하는 시대 흐름에 따라 현실을 개혁하려고 했던 사상을 의미합니다.

조선 사회의 사상적 바탕이 되었던 성리학이 지나치게 인간의 도리와 같은 예의범절만 중요시하다 보니, 백성들의 삶은 점점 더 어려워지게 되었습니다. 이러한 현실의 문제점을 인식한 학자들은 성리학을 비판하고, 문제를 해결하는 데 도움을 줄 수 있다면 서양의 학문도 적극적으로 받아들여야 한다고 생각했습니다.

실학은 토지 제도 및 행정 기구와 제도를 바꾸는 데에 노력한 제1기 경세치용학파, 상공업 발달을 통해 백성들의 삶을 향상시키자는 제2기 이용후생학파, 객관적인 태도를 가지고 사실을 밝혀내는 제3기 실사구시학파로 이어지며, 김정희는 바로 제3기의 가장 대표적인 학자로 볼 수 있습니다.

'실사구시'는 '실제적인 일에서 진리를 구한다'는 의미입니다. 즉, 학문을 연구하고 자신의 주장이 맞는지를 확인하기 위해서는 객관적인 증거를 수집해서 증명해야 한다는 것입니다. 이러한 실사구시의 정신을 실제로 적용한 학문이 바로 고증학과 금석학입니다.

김정희는 청나라 학자들과 교류하며 금석문 연구에 자극을 받았습니다. 그리고 우리나라로 돌아온 후에 여러 곳의 비석을 찾아다니며 비문을 연구하기 시작하다가 마침내 1816년 북한산의 비석이 신라 진흥왕의 비라는 것을 밝혀내게 됩니다.

'천 2백 년이 지난 옛 유적이 하루 아침에 크게 밝혀져서, 무학대사의 비석이라고 하는 황당무계한 설의 잘못이 밝혀졌다. 금석학이 세상에 도움이 되는 것이 바로 이와 같은 것이다.'

1832년에는 황초령비를 연구하여 이것 역시 진흥왕의 비석이라는 것을 밝혀냅니다. 김정희는 이 비문의 내용을 근거로 김부식의 《삼국사기》에 있는 오류를 바로잡아 구체적이고 객관적인 증거를 통해 학문을 연구한다는 실사구시의 학문 탐구 자세를 실천하게 됩니다.

금석학(金石學)

금석학은 주로 금속이나 돌에 새겨진 문자를 연구하는 고증학의 한 분야입니다. 좀 더 넓게 보면 고분 벽화의 그림과 글씨, 칠기에 기록한 내용, 기와나 전돌(무덤이나 궁궐, 성곽, 탑 등에 이용된 벽돌)에 새겨진 그림과 글씨, 토기나 백자 등의 그릇에 새긴 묘지명 등을 모두 포함하여 우리가 흔히 유물로 생각하는 것에 남겨진 흔적을 찾아 그것의 역사적 의미를 탐구하는 학문입니다. 금석학에서 다루는 것은 그 내용뿐만 아니라 그 시대를 대표하는 문체와 서체, 시대를 읽을 수 있는 다양한 문양과 조각 등 문화의 전반적인 암호를 풀 수 있는 역사 탐구의 열쇠를 푸는 것이라고 할 수 있습니다.

우리나라에서 금석학이 본격적으로 발달한 것은 조선시대 후기, 청나라의 고증학에서 영향을 받으면서부터입니다. 앞서 살펴본 바와 같이 김정희가 북한산 비석을 신라 진흥왕순수비로 고증하면서 학문적인 수준의 금석학 연구가 시작되었다고 할 수 있습니다.

그렇다면 금석학은 왜 필요할까요? 문자로 기록된 서술 자료는 글을 쓰는 사람의 주관에 의해 왜곡되거나, 후대로 전해지면서 원래의 글씨가 훼손되거나 다르게 표기되어 본래의 뜻과 달라질 수 있습니다. 그러나 금석학에서 주로 다루는 자료들은 유물 형태로 남아 있어 일부러 바꾸기가 쉽지 않고, 상대적으로 원형 그대로 전해지기 때문에 그 유물이 원래 만들어진 때의 모습을 객관적으로 살펴볼 수가 있습니다. 김정희는 바로 이러한 금석학 장점을 바탕으로 실사구시의 학문적 신념을 실천한 것입니다.

2. 교과서에서 만난 실학 정신

① 사실에 토대를 둔 진리 탐구

실학은 자유로운 비판 정신을 바탕으로 하여 실증적인 방법으로 학문을 연구하고, 그 성과를 실생활에 응용하려는 학문이었다. 따라서, 실학자들은 모든 결론을 확실한 증거에 의해 내리려고 하였다. 이러한 자세가 이른바 실사구시의 학문 태도였다. 실사구시의 특색은 학문 연구에서 객관적으로 사실을 밝혀내는 것이었다.

실학은 민족적 성격을 띠고 있었다. 실학자들이 관심을 가진 현실이 바로 조선의 현실이었기 때문이다. 또, 실학은 근대 지향적인 성격을 가지고 있었다. 실학자들은 사회 모순을 개혁하고, 산업을 발달시켜 새로운 사회로 나아가기를 원하였다. 이러한 실학 정신은 개화 사상가들에게도 영향을 끼쳤다.

실학자들의 개혁안은 정책에 반영되지 못하였다. 실학자들은 대체로 일생을 학문에만 힘써 왔기 때문에 정치와는 거리가 멀어 그들의 주장과 생각을 국가 정책에 적극적으로 반영시키기가 어려웠다.

– 중학교, 《국사》

〈실학의 의의〉 중에서

김정희의 실사구시를 비롯한 실학사상은 교과과정에서 매우 중요하게 다뤄지고 있습니다. 이것은 단순히 '어떤 시기에 이러한 연구가 있었다' 는 사료적 성격만의 의미가 아닙니다. 조선 후기에서 개화기, 일제 강점기와 해방기의 과정은 우리 민족에게는 참으로 힘들고 어려운 시기였습니다. 개화를 시도했으나 외세의 손에 우리의 주권이 넘어갔고, 해방을 맞았으나 우리 민족의 독자적인 쟁취가 아니었습니다.

우리가 역사를 배우는 가장 큰 이유는 역사가 과거의 의미를 오늘에 되살려 앞으로 우리가 나아가야 할 방향을 제시하는 지표가 되기 때문입니다. 역사에 '만약 —했다면' 이라는 가정은 의미 없다고 하지만, 만약 김정희의 실사구시 같은 실학사상이 현실 정치에 받아들여졌다면 우리 민족의 역사는 어떻게 달라졌을까요? 실학사상이 현실 정치에 수용되었다면 우리의 근대화는 앞당겨지고 강한 국력을 바탕으로 자주적인 독립 국가를 건설했을 수도 있었을 것입니다. 그러나 안타깝게도 실사구시의 정신은 당시의 집권 세력에게 받아들여지지 않았고, 오히려 적대와 탄압의 대상이 되었습니다.

실사구시의 정신도 김정희의 생애처럼 많은 어려움을 겪었다고 볼 수 있습니다. 그러나 이러한 실학 정신은 우리 학문 탐구의 근대성을 확보한 획기적인 사건이라고 할 수 있으며, 오늘날 우리가 실사구시의 정신을 되새겨 보는 이유가 바로 여기에 있습니다.

② 생활에 도움이 되는 과수원과 밭 가꾸기

> 시골에 살면서 과수원이나 남새밭을 가꾸지 않는다면 세상에서 버림받는 일이 될 것이다. 나는 지난번 국상(國喪)이 난 바쁜 가운데도 만송(蔓松) 열 그루와 전나무 한두 그루를 심어 둔 적이 있다. 내가 지금까지 집에 있었다면 뽕나무는 수백 그루, 접붙인 배 몇 그루, 옮겨 심은 능금나무 몇 그루 정도는 됐을 것이고, 닥나무는 지금쯤 이미 밭을 이루었을 것이다. 옻나무도 다른 밭 언덕으로 뻗어 나갔을 것이고, 석류도 여러 나무, 포도도 군데군데 줄을 타고 덩굴이 뻗어 있을 것이다. 파초도 네댓 개는 족히 가꾸었을 것이다. 불모지에는 버드나무도 대여섯 그루 심었을 거고, 유산(酉山)의 소나무도 이미 여러 그루쯤 자랐을 거다. 너희는 이런 일을 하나라도 했는지 모르겠구나. 너희들이 국화를 심었다고 들었는데 국화 한 이랑은 가난한 선비에게 몇 달 동안의 식량이 될 수도 있는 것이니 한낱 꽃구경에만 그치는 것이 아니다. 생지황, 끼무릇, 천궁(川芎)과 같은 것이라든지 쪽나무나 꼭두서니 등에도 모두 마음을 기울여 잘 가꾸어 보도록 하여라.
>
> — 고등학교, 《국어 (상)》
>
> 정약용, 〈유배지에서 보낸 편지〉 중에서

김정희와 같은 시대에 살았으며, 김정희와 마찬가지로 끊임없는 유배 생활을 했던 사람이 정약용입니다. 정약용의 실학 정신은 엄밀하게 말하면 이용후생의 실천 방안입니다. 이용후생에서 이용이란 백성의 쓰임에 편리한 것으로 공작 기계나 유통 수단 등을 의미하며, 후생은 의, 식 등의 재물을 풍요하게 만드는 것입니다. 이것은 실생활에 의미가 되는 학문을 연구하고자 했던 김정희의 실사구시 정신과 같은 맥락에서 찾아볼 수 있을 것입니다.

정약용은 과학과 기술을 통해 농업, 방직, 군사, 의료 기술 등을 발전시켜 부국강병과 백성들의 생활 향상을 주장하였습니다. 그는 〈기예론〉에서 우수한 기술 방법을 습득하여 이것을 장려하고 행한다면 나라는 부유해지고, 군대는 강해질 것이며, 백성의 생활은 향상되고 건강은 증진될 것이라 했습니다.

정약용은 과학적 지식을 받아들여 이것을 실제 생활에 실천하였습니다. 그는 새로운 지식과 기술을 가지고 있었으며, 이를 한강교 가설 설계와 수원성의 축조에 이용하였으며, 기중기를 창제하기도 하였습니다.

정약용은 또한 선비들도 농·공상에 종사해야 한다고 주장하였습니다. 모든 국민이 생산에 참여하고 그 결과가 더 많은 사람들에게 평등하게 분배되어야 한다고 생각했습니다. 교과서에 실린 〈유배지에서 보낸 편지〉에서도 바로 이러한 정신과 실천적 자세가 잘 드러나고 있습니다.

경세치용(經世致用)과 이용후생(利用厚生)

① 경세치용(經世致用)

학문이란 것은 실제 우리 삶에 유용하여야 한다는 생각이다. 이것은 실사구시의 실학 정신과 같은 맥락으로 이해할 만하다. 청나라 고증학의 사상적 토대가 되었고, 우리나라에서는 유형원, 이익 등의 실학파에 의하여 현실 사회문제에 대한 실용적 관심을 가지는 학문으로 전개되었다. 이 말은 실학파의 학문적 연구 방법을 가리키는 용어로서 사용되고 있다.

② 이용후생(利用厚生)

이것은 실생활에 필요한 산업을 발달시켜 백성들의 생활을 풍요롭게 한다는 의미이다. 이용은 백성의 쓰임에 편리한 것을 의미하며, 후생은 백성들의 의식주를 풍요롭게 하는 것을 의미한다. 청나라의 앞선 문물을 통해 새로운 세계에 관심을 갖게 된 홍대용, 박지원 등의 북학파(北學派)는 이러한 이용후생을 직접적으로 실천하여 나라를 부강하게 하고, 백성을 편안하게 하고자 노력하였다.

3. 기출 문제에서 만난 김정희

서울대 법대 1999년 지필고사에서 김정희의 《완당전집》에 나오는 난초(蘭草)를 그리는 이치에 대한 문제가 출제되었습니다. 우리가 살아가는 현대 사회는 합리성을 가장 중요한 것으로 생각하는데, 이에 따른 문제점은 없는지 창의적으로 생각해 보라는 문제였습니다.

김정희는 난초를 그리는데 9,999가지를 잘 해도 마지막 한 가지를 그리는 것이 가장 어렵다고 했습니다. 이 말은 무슨 뜻일까요? 그 한 가지는 사람의 힘으로 가능한 것이 아니라고 합니다. 그러면서 그것이 또 사람의 능력 밖에 있는 것도 아니라고 합니다. 과연 무엇을 말하는 것일까요?

여기서 간단한 질문 하나를 하겠습니다. 여러분은 기술(技術)과 예술(藝術)의 차이를 무엇이라고 생각하나요? 석재 공장에서 아주 멋있게 깎아 놓은 부처님상은 그냥 기술이고, 보물로 지정된 천 년 전의 불상은 예술로 보아야 할까요? 시골에 사시는 할아버지가 돌과 흙으로 쌓아 올린 담장과 조형 예술가가 만들어 놓은 조각품은 어떤 차이가 있을까요? 한쪽은 물론 그냥 간단한 기술로 만든 작품이고, 한쪽은 순수한 예술품이라고 할 수도 있을 것이며, 그 차이는 없을 수도, 있을 수도 있을 것입니다.

기술은 과학 이론을 실제로 적용하여 자연의 사물을 인간 생활에 유용하도록 가공하는 수단이나, 사물을 잘 다룰 수 있는 방법, 능력 등을 말합니다. 예술은 특별한 재료, 기교, 양식 따위로 감상의 대상이 되는 아름다움을 표현하려는 인간의 활동 및 그 작품을 말합니다. 좀 더 쉽게 말하면 기술은 일상적인 생활에 필요한 것을 만드는 것이 목적이고, 예술은 아름다움을 추구하는 것이 목적입니다. 물론 우리가 사는 집을 아름답게 꾸미려면 기술이 필요하겠지요. 그러면 둘 사이에는 그다지 큰 차이가 없어 보이네요. 하지만 무엇인가 근본적인 차이점이 있지 않을까요? 그렇습니다. 기술에 의해 누군가 해 놓은 것을 비슷하게 따라하다가 일정한 경지에 이르면 자신의 솜씨를 부릴 수 있는 것입니다. 김정희가 말한 '만 가지 중에 9,999가지' 라고 하는 것은 남들이 한 것처럼 노력하면 얻을 수 있는 것들입니다. 그런데 나머지 한 가지라고 하는 것은 그냥 노력한다고 저절로 이루어지는 것이 아닙니다. 이 한 가지는 바로 창의성이라는 것입니다. 창의성은 일찍이 그 누구도 생각하지 못했던, 또한 그 누구도 만들지 못했던 것을 만들 수 있는 능력을 말합니다. 그래서 김정희는 그것은 사람의 힘으로 할 수 없는 것이라고 하면서도, 또 사람이 할 수 있는 것이라고 말합니다.

현대 사회는 합리적이라는 이유만으로 개성적인 생각이나 창의적인 생각을 재단하여 규격화하는 일에만 몰두해 왔습니다. 합리성을 바탕으로 한 현대 사회의 체계는 점점 더 대량화, 집단화되어 수많은 물건을 만들어내고, 이것은 또 대량 소비 시대를 만들어냈습니다. 어느 사람의 말처럼 현대 사회는 끊임없이 만들어내고, 끊임없이 쓰도록 강요하고, 또 끊임없이 버리고 있습니다. 오늘날 수많은 환경오염 문제의 바탕에는 대량 생산과 대량 소비가 깔려 있습니다. 합리성을 바탕으로 우리 삶을 합리화하려고 하지만 그 결과는 가장 합리적이지 못한 상황이 되어가고 있는 것입니다.

그러면 이 문제를 어떤 방법으로 창의성 측면에서 생각하고, 그 해결 방안을 찾아볼 수 있을까요? 창의성이 있다고 해서 당장 우리가 안고 있는 모든 문제를 근본적으로 해결할 수는 없습니다.

김정희의 〈자화상〉이라는 그림은 제목 그대로 김정희 자신의 얼굴을 그린 것입니다. 이 그림과 연관된 김정희의 글을 잠시 살펴볼까요?

이 사람을 나라고 할 수도 있고 내가 아니라고 할 수도 있다.
나라고 해도 나이고 내가 아니라고 해도 나이다.
나이고 나 아닌 사이에 나라고 할 것이 없다.

— 김정희, 《완당전집(阮堂全集)》 제6권
〈소조에 자제함〉 중에서

김정희 스스로 자신의 모습을 그리고 나서 여기에 그린 사람이 김정희 자신일 수도 있고, 아닐 수도 있다고 했습니다. 이 말은 그려진 그림 자체의 형상이 중요한 것이 아니라, 그 안에 담겨진 실제 의미가 중요하다는 말입니다. 겉으로 그려진 선과 색채는 기술이고, 그 안에 담겨진 진정한 의미는 김정희만의 창의성일 것입니다. 아주 그림을 잘 그리는 사람이 이 그림을 보고 그 선과 색을 모방하여 아주 비슷하게 그려낼 수도 있을 것입니다. 그러나 그것은 기술적으로 그린 것이지 예술적으로 창조한 것은 아닙니다.

기술의 합리성을 바탕으로 한 현대 사회는 표면적으로 보아서는 매우 풍족해 보입니다. 그러나 그 속에는 인간을 기계화하는 고달픈 노동이 숨어 있고, 소유한 자와 그렇지 못한 자의 갈등이 내재해 있으며, 우리 삶을 위협하는 환경오염의 문제가 도사리고 있습니다. 현대 사회는 합리성이라는 목적이 우선시되어, 목적이 인간의 삶 자체를 오히려 위협하고 있는 것입니다. 창의성은 바로 이러한 인간의 개성적인 삶 자체를 중시합니다. 다른 목적을 위해 우리의 삶이 희생되는 것이 아니라 우리의 삶 자체가 목적이고, 우리의 삶은 그 무엇에 의해서도 희생되어서는 안 될 가장 소중한 덕목인 것입니다. 또, 창의성을 중시한다는 것은 바로 인간 그 자체를 중시한다는 것입니다. 획일적이고 규격화된 삶이 아니라, 그 자체로 하나 하나가 각기 다른 모습으로서 소중한 것입니다. 이것이 개성을 존중하는 삶이고, 이러한 개성은 창의성을 존중할 때 자연스럽게 나타날 수 있는 것입니다.

실전 논술

논술 문제

case 1 제시문 (가)에서 실학이 성공하지 못한 이유를 설명하고, (나)를 참고하여 실사구시의 정신이 현대사회에서 어떤 의미를 갖고 있는지 논술하시오. (600자 내외, 제시문의 내용을 그대로 인용하지 말 것)

가 "아따 방금 실학이라고 그랬냐이? 할아버지는 개인적으로 실학이 조선시대에 뿌리를 내리지 못한 것에 대해 속이 쓰려분다. 실학이 조선시대에 제대로 자리를 잡았다면 우리나라는 좀 더 일찍 새로운 문물을 받아들였을 것이고, 발전을 앞당겼을 터인디……."

외할아버지의 얼굴에는 안타까운 기색이 역력했어요.

"예의와 명분, 유학의 이론을 중요시했던 성리학이 조선시대 선비들의 정신적 지주가 되었던 것은 사실이여. 그런디 성리학은 너무 이론적인 것에만 치우쳐 부렀어. 그러니께 임진왜란과 병자호란을 겪고 황폐해진 백성들의 삶에 별다른 도움을 주지 못했당께. 이런 상황에서 실학의 싹이 튼 것은 당연한 일이여."

그 때 아빠가 오랜만에 말문을 열었어요.

"맞습니다, 아버님. 실학자들은 현실의 어려운 상황을 해결할 수 있다면 서양의 문물이라도 받아들여야 한다고 주장했지요. 그 당시 조선은 세계의 정세가 달라지는 것에 순응하지 못하고 그저 명분에만 급급했지요. 병자호란이 일어난 것도 청나라와의 교류를 거절했기 때문이었잖습니까?"

"맞아부러. 폭군으로 알려진 광해군에 대해 재평가하는 사람들은 그 문제에 대해 말한당께. 광해군은 청나라와의 외교에 긍정적이었응께. 조선이 청나라와의 외교에 적극적으로 힘쓰고 서양의 문물을 좀 더 일찍 받아들였다면 조선의 역사는 달라졌을 텐데. 역사에는 '만약' 이라는 전제가 무의미하다고 하지만 말이여."

외할아버지와 아빠의 대화를 주의 깊게 듣던 승곤이가 물었어요.

"할아버지, 그러면 결국 실학이 성리학을 이기지 못한 건가요?"

"그렇다고 볼 수 있지."

"왜요? 왜 실학이 성리학을 이기지 못했어요?"

외할아버지는 잠시 하늘을 올려다보며 생각하다가 이렇게 대답했어요.

"글씨, 여러 가지 이유가 있었겄지. 하지만 가장 직접적인 원인은 실학자들 중에는 천주교인들이 더러 있었는디 정부에서 천주교인들을 못살게 괴롭혔다는구먼. 그래서 실학자들이 설 곳이 없어졌던 거지. 이것 말고도 여러 이유로 실학자들은 기존의 성리학자들에 의해 거부당하고 밀려 나갔자녀. 실학자들의 뜻을 이어갈 사람들이 줄어들면서 자연히 실학의 힘은 점점 줄어들 수밖에 없었던 거여."

"안타까운 일이네요. 그렇게 실용적인 학문인데 선비들의 지지를 받지 못했잖아요."

"역사의 흐름을 보면 늘 그랴. 개혁적인 사상이 보수적인 사상을 이기기란 여간 어려운 게 아니여. 더구나 성리학은 보수적이고 성리학 이외에 다른 학문을 받아들이지 않는 면이 특히 강했기에 실학이 자리 잡기에는 역부족이었당께. 그래도 실학의 뜻은 그 후로도 오랫동안 학자들의 이론과 사상에 영향을 미쳐부렀지. 비록 적극적으로 현실을 개혁시키지는 못했어도 현실을 바꿔야 한다는 필요성을 강조하기는 했어야. 그래서 조선 후기 일부 선비들의 개혁적인 행동에는 실학 정신이 밑바탕에 깔려 있다고 할 수 있당께."

—《김정희가 들려주는 실사구시 이야기》 중에서

나 민규 이모는 지난번에 다녀온 첨단 제품 박람회 사진을 보여 주었다. 민규는 그 중에서 컴퓨터 기능을 갖춘 냉장고가 특히 신기하였다. 그 냉장고는 문을 열지 않고도 안에 들어 있는 물건을 확인할 수 있을 뿐만 아니라, 인터넷이 연결되어 있어서 필요한 물건을 인터넷으로 구매할 수 있었다.

컴퓨터를 장착한 자동차는 더욱 신기했다. 인공위성과 연결되어 자동차가 있는 곳을 알려 줄 뿐만 아니라, 목적지까지 가는 가장 빠른 길을 알려 주고, 스스로 운전을 할 수 있는 기능도 있었다. 첨단 기술이 더욱 발달하면 머지않아 운전하는 사람이 없이도 스스로 운행되는 자동차가 나올 것이다.

이모는 신기해 하는 민규에게 장애인과 몸이 불편한 노인들을 위하여 개발된 첨단 기술 제품을 보여 주었다. 청각 장애인들을 위해서는 텔레비전 화면에 자막을 비추어 주는 기술이 개발되었고, 시각 장애인들을 위해서는 컴퓨터 화면을 읽어 주는 기술이 개발되었다.

또, 몸이 불편한 사람들이 보다 편리하게 사용할 수 있는 전동 휠체어가 개발되었다. 전기를 이용하여 움직이는 이 휠체어는 몸이 불편하여 제대로 움직일 수 없는 사람들에게 큰 도움을 주고 있다. 최근에는 음성 인식 기술을 이용하여 사람이

하는 말을 듣고 움직이는 휠체어를 개발하여 보다 편리하게 이용할 수 있도록 하고 있다.

— 초등학교 5-2, 《사회》

〈첨단기술과 생활의 변화〉 중에서

생각 쓰기

생각 쓰기

생각 쓰기

case 2 제시문 (가)와 (나)에 나타난 김정희의 삶이 우리에게 의미하는 것은 무엇인지 설명하고, 이러한 삶의 자세를 활용하여 제시문 (다)의 상황을 해결할 수 있는 방안은 무엇인지 논술하시오. (600자 내외)

가 어릴 적에 추사는 아버지를 따라 북한산에 올라 비석 하나를 본 적이 있었어요. 당시에 사람들은 그 비석을 고려의 건국을 예언했다는 도참설의 대가 도선국사의 비석으로 알고 있었어요. 또 어떤 사람들은 이성계가 수도를 개경(지금의 개성)에서 한양(지금의 서울)으로 옮기는 것을 도왔다는 무학대사의 비석으로 알고 있었어요.

추사는 이 비석을 다시 검토해 보기 위해 1816년 7월 친구인 김경연과 함께 북한산에 올랐어요. 비석에 이끼가 두껍게 끼어있어 얼핏 보면 글자를 찾을 수 없었어요. 추사는 이끼에 덮인 글자를 찾고 탁본을 했어요.

그 결과 비석의 몸체는 황초령비와 비슷하였고, 제1행 '진흥(眞興)'의 '진(眞)'자는 닳아서 약간 없어졌어요. 하지만 여러 차례 탁본을 해 보니, '진(眞)' 자임이 확실했죠. 그래서 마침내 이를 도선국사나 무학대사의 비석이 아니라 진흥왕의 옛 비석이라고 주장하였어요. 추사는 다음과 같이 그 심경을 썼어요.

'천 2백 년이 지난 옛 유적이 하루아침에 크게 밝혀져서 무학대사의 비석이라고 하는 황당무계한 설의 잘못이 밝혀졌다. 금석학이 세상에 도움이 되는 것이 바로 이와 같은 것이다. 그러나 이것이 어찌 우리들이 밝혀낸 일개 금석의 인연으로 그칠 일이겠는가!'

추사는 1832년에 친구인 권돈인을 통해 황초령비의 탁본을 받게 되었어요. 탁본을 받은 추사는 이를 연구하여 〈진흥왕이비고(眞興王二碑攷)〉와 〈예당금석과안록(禮堂金石過眼錄)〉이라고 불리는 불후의 논문을 썼어요. 또한 추사는 이 비문의 내용을 근거로 김부식의 《삼국사기》에 있는 오류도 바로잡았어요. 즉, 《삼국사기》에 의하면 지증마립간 15년 조에 '왕이 돌아가셨다. 시호를 지증이라고 하였으니, 신라의 시호법이 여기에서 시작되었다' 고 하였고, 또 〈진흥왕본기〉에도 37년 조에 '왕이 돌아가셨다. 시호를 진흥이라고 하였다' 고 했어요. 그러나 이 비석은 진흥왕이 스스로 만들어 세운 것인데도 엄연히 진흥대왕이라 칭하였고, 북한산의 비문에도 진흥이란 두 글자가 있으므로, 이것으로 본다면 법흥이니 진흥이니 하는 칭호는 죽은 뒤에 칭한 시호가 아니고, 살아 있을 때 부른 칭호였다는 것이에요.

또한 추사는 진흥왕이 연호를 쓰고 짐이라는 말을 쓴 것은 스스로 황제라는 의식을 가졌기 때문이라고 생각했어요. 당시 동양에서 연호나 짐이라는 말은 황제만이 쓸 수 있었기 때문이죠. 백제 무녕왕의 지석에서도 스스로 짐이라는 칭호를 쓰고 있는 것을 보면 백제도 마찬가지로 왕 스스로 황제라는 의식을 갖고 있었던 것으로 보여요.

— 《김정희가 들려주는 실사구시 이야기》 중에서

나 추사는 글씨를 많이 썼는데, 스스로 "나는 일흔 평생 동안 벼루 열 개를 밑바닥까지 뚫어지도록 먹을 갈았고, 붓 천 자루를 몽당 붓으로 만들었다" 고 했으니,

그가 글쓰기를 얼마나 많이 쓰고 연습했는지 알 수 있어요. 결국 천재란 노력으로 이루어지는 것을 알 수 있어요. 특히 추사는 제주도에 있으면서 한나라 초기의 비문 글씨를 많이 연습했어요. 이것은 추사가 붓글씨 모양이 나뉘기 이전의 본래 모양을 한나라 초기의 비문에서 찾을 수 있다고 생각했기 때문이에요. 그리고 이런 가운데 추사의 독창적인 글씨체가 만들어졌고, 이를 추사체라고 부른 거예요. 어쩌면 추사가 귀양을 가지 않고 계속 정치를 했다면 추사체라는 글씨가 나오지 않았을지도 모르겠네요. 귀양살이는 추사 개인으로 보면 불행한 일이었지만, 우리 문화를 발전시켰다는 측면에서 보면 다행한 일이에요. 이렇게 유배 생활을 하던 추사는 1848년, 64세에 귀양살이에서 풀려나 제주도를 떠납니다.

귀양살이에서 돌아온 추사는 지금의 제1한강교 북쪽 부근에 자리를 잡고 살았어요. 생활이 넉넉한 편은 아니었으나 제주도에서의 유배 생활과 비교할 수는 없었어요. 제주도에서 추사체를 완성한 추사는 이 시절에 많은 글씨와 명작으로 불리는 〈불이선란도〉를 남겼어요. 유배에서 돌아온 후에는 제자들을 가르치기도 하고 오랜 친구들과 다시 만나 즐거움을 나누었어요.

그러나 즐거움도 잠시, 이런 평온한 생활은 오래가지 못했어요. 제주도에서 돌아온 지 3년도 채 되지 않은 1851년 7월에 추사는 동생들, 제자들과 함께 함경도 북청으로 귀양을 가게 되었어요. 욕심 없이 살던 추사로서는 억울하고 원통한 일이어서 "하늘이시여, 나는 도대체 어떤 사람입니까?" 라고 부르짖었어요.

함경도 북청에 도착한 추사는 지붕이 나무 껍질로 된 집에서 귀양살이를 시작했어요. 추사는 그곳의 학자들과 어울리기도 하고 찾아오는 아이들을 가르치기도 했어요. 또 북청에서 발견된 돌화살촉을 연구하여 숙신 시대의 유물임을 고증하기도 하였어요. 북청에서의 귀양살이는 오래 가지 않았고 1년이 조금 지나 풀렸어요.

추사는 북청에서 돌아와서도 학문을 게을리 하지 않았어요. 후일 대원군이 된 석파 이하응도 추사로부터 난초 그림을 열심히 배웠어요. 또한 이상적을 통해서 계속 북경의 학자들과 교류하면서 열심히 공부하였어요.

70세가 된 추사는 "아직도 공부해서 학덕을 쌓고 싶은 지극한 소원을 끊어 버릴 수 없다"고 학문적 열정을 토로하였어요. 찾아오는 제자들을 가르치며 "천하의 뛰어난 사람들을 얻어 교육하는" 기쁨도 누렸어요.

— 《김정희가 들려주는 실사구시 이야기》 중에서

다 현대 사회를 정보화 사회라고 한다. 정보화 사회에서는 정보를 빠르고 정확하게 수용하는 것이 중요하다. 정보를 얻는 중요한 방법 중의 하나가 책을 읽는 것이다. 그런데 우리나라 성인의 평균 독서량은 1년에 9.6권이라고 한다. 한 달에 한 권의 책도 읽지 않는 셈이다.

책을 읽지 않는 현상을 어른에게만 나타나는 것이 아니다. 어린이는 어른에 비해 책을 많이 읽는 편이지만, 다른 나라 어린이에 비하면 우리나라 어린이의 독서량은 매우 적은 편이다. 이러한 문제를 해결하기 위해서는 어떻게 해야 할까?

— 초등학교 6-2, 《국어》 중에서

생각 쓰기

생각 쓰기

case 3 제시문 (가)와 (나)에서 공통적으로 주장하는 내용은 무엇인지 요약하고, 현대 사회에서 이와 같은 내용이 처한 위기의 원인과 해결 방안을 논술하시오. (1,000자 내외)

가 대팽두부과강채(大烹豆腐瓜薑菜)

고회부처아녀손(高會夫妻兒女孫)

최고의 요리는 두부, 오이, 생강나물이요

최고의 모임은 부부, 자녀, 손자, 손녀로다

승곤이가 그 주련을 뚫어지게 바라보고 있자 외할아버지가 다가서며 물었어요.

"그게 무슨 이야기인 것 같니?"

"글쎄요."

승곤이는 고개를 갸웃거리다가 이렇게 대답했어요.

"두부, 오이, 생강나물이 가장 맛있고, 부부, 자녀, 손자, 손녀가 모일 때 가장 즐겁다는 뜻 아닐까요?"

"오호, 비슷하게 맞았구먼."

외할아버지가 신통하다는 듯 승곤이를 바라보았어요.

"할아버지, 김정희는 채식주의였나 봐요. 이 세상에 맛있는 게 많은데 그 중 두부, 오이, 생강나물을 가장 맛있다고 한 걸 보면요."

"흠, 그것은 김정희가 세상을 떠나기 얼마 전에 쓴 글이여. 산해진미가 아니어도 가족이 모두 모여 먹는 음식이 가장 소중하게 여겨진다는 뜻 아니겠냐? 결국 인생에서 가장 소중한 것은 평범하고 소박한 것에 있다는 것이여. 이 할아버지도 이렇게 나이를 먹고 보니 김정희의 글이 마음으로 이해가 되는구먼. 자식들과 손자, 손녀들이 함께 모이면 세상에 부러울 게 없으니 말이여."

(나) 전통 사회에서 우리 조상들은 농촌을 중심으로 농사를 지으면서 자급자족적인 경제생활을 영위하였다. 농사를 짓는 데는 많은 일손을 필요로 하였기 때문에 옛날에는 여러 세대가 확대가족을 이루어 한 울타리 안에서 함께 모여 살았다. 확대가족 제도 아래에서 조상들은 가족 구성원 간의 두터운 가족애를 바탕으로 서로 아끼면서 살아왔다. 의식주의 해결에서부터 자녀 교육, 문화생활과 여가 활동에 이르기까지 대부분의 생활이 가정에서 이루어졌다. 또, 가정은 사회생활을 하는 중요한 바탕이 되기도 하였는데, 예를 들면 공직에 천거되거나 혼인을 하거나 하는 경우에는 집안이 어떠한지가 매우 중요한 관건이 되기도 하였다.

이처럼 확대 가족을 이루고 가정을 중심으로 생활한 우리 조상들은 가정의 질서와 화목을 유지하기 위해 인간관계에서의 기본 질서인 오륜(五輪)과 같은 유교 윤리를 따랐다. 그리하여 부모는 자녀를 사랑하고, 자녀는 부모에게 효도하며, 형제간에 우애 있게 지내고, 어른을 공경하는 도리를 강조하였다.

— 중학교 3, 《도덕》 중에서

생각 쓰기

생각 쓰기

실전 논술

예시 답안

case 1

실학사상이 현실적으로 크게 환영받지 못한 이유는 조선 후기의 폐쇄적인 사회 분위기에서 찾을 수 있다. 실학은 기존의 성리학이 갖는 관념적인 문제에서 벗어나 실제 우리의 생활과 밀접한 학문을 연구하자는 것이었다. 이를 위해 실학자들은 전통적인 가치뿐만 아니라, 서구의 새로운 사상도 적극 수용하려는 의식을 갖고 있었다. 그러나 서구 문명이 우리의 질서 체계를 위협하는 것으로 인식한 집권 세력은 실학자들의 이런 태도를 경계하였다. 특히 집권 세력은 서구에서 유입된 천주교는 조선 사회를 큰 혼란에 빠뜨릴 수 있는 위험한 것으로 인식하였다. 천주교의 탄압은 서구 외래문화의 탄압을 가져왔고, 이에 따라 실학자들의 활동도 위축될 수밖에 없었다. 또한 실학자들은 대체로 학문 연구에만 몰두하여 이들의 생각이 국가 정책에 적극적으로 반영되기도 어려웠다.

그러나 실학사상의 중요한 핵심인 실사구시의 정신이 완전히 실패한 것으로 볼 수는 없다. 현재 우리 사회는 눈부신 과학 기술의 발달로 편리한 생활을 누리고 있다. 실사구시는 실증적인 방법으로 학문을 연구하여 실제 우리 생활에 활용하려는 학문이었다. 비록 조선 후기 사회에서 받아들여지지는 않았지만, 실학자들의 이러한 정신은 개화사상, 독립운동 등으로 이어져 놀라운 과학 기술의 발전을 이루고 있는 것이다.

case 2

김정희는 실사구시의 학문적 태도를 이론으로만 내세운 것이 아니라, 실제 금석학 연구를 통해 실천하였다. 학문 연구에서 가장 중요한 것은 객관적인 사실을 바탕으로 명확하게 그 의미를 밝혀내는 데 있다. 자신의 생각이 아무리 높은 차원의 학문이라 해도 그 타당성을 증명할 수 없다면 그것은 함께 연구할 수 있는 학문이 아니라 개인의 신념에 불과할 것이다. 김정희는 고증학적 연구를 통해 자신의 주장을 객관적이며 사실적으로 증명하고 있다.

이러한 학문에 대한 성실성과 끊임없는 노력을 통해 이룩한 또 하나의 성과가 추사체이다. 자신만의 독창적인 글씨체인 추사체를 완성하기까지 김정희가 노력한 과정은 일반인들의 생각을 뛰어넘는 것이었다. 돌로 만든 벼루가 밑바닥까지 뚫어질 정도로 연습했다고 하니 그 노력이 어떠했을지 짐작할 만하다. 현실 정치에서는 제대로 뜻을 펼치지 못하고 많은 시간을 유배지에서 보냈으나 그 어려운 시기를 끊임없는 노력으로 극복하여 자신만의 독창적인 학문 세계와 예술 세계를 이룩한 것이다.

요즘 학생들은 책을 잘 읽지 않는다고 한다. 책을 읽는다는 것은 지금까지 인류가 이룬 지혜를 배운다는 의미이다. 그러나 단기간에 집중적으로 독서를 한다고 해서 자신이 원하는 것을 얻을 수 있는 것은 아니다. 독서는 매일매일 일상생활에서 꾸준히 해 나갈 때 그 진정한 의미를 찾을 수 있는 것이다. 김정희는 유배지에서의 고단하고 외로운 삶 속에서도 끊임없이 연구하고 노력하였다. 일상이 바로 학문 정진의 노력이었던 김정희의 모습을 통해 오늘날 학생들의 고민을 해결할 수 있을 것이다.

case 3 제시문 (가)와 (나)는 모두 가족의 의미를 강조하고 있다. 가족은 사회의 일부로서 우리 사회의 가장 근본이 되는 핵심이라고 할 수 있다. 가족 간의 긴밀한 유대 관계는 인성을 함양하는 바탕이 된다. 웃어른을 공경하고 아랫사람을 사랑으로 보살피는 것은 인간관계에서 가장 소중한 덕목을 키우는 것이며, 타인에 대한 배려와 공동체 의식을 형성하는 근본이 되는 것이다.

그러나 현대 사회는 전통적인 가족 관계가 해체되어 가고 있다. 도시화로 인해 가족의 형태가 핵가족 형태로 급속하게 바뀌어 가면서, 좀 더 폭 넓은 의미의 가족 관계와는 점차 거리가 멀어지고 있다. 부모와 자식 간의 1차적인 유대 관계는 현대 사회에서도 긴밀하게 유지되는 경우가 많지만 조부모와 손자, 손녀의 관계에서는 가족으로서의 친밀감이 멀어지고 있는 것이다.

남녀 간의 전통적인 역할이나 의식이 바뀌어 가면서 가부장 중심의 가족 관계가 변화되어 가는 것도 가족 해체의 중요한 원인이 된다. 물론 남성 중심의 전통적인 가족 관계는 여성의 일방적인 희생을 요구하는 경우가 많았다. 하지만 남녀 관계의 평등이나 성 역할 등이 정립되기 전에, 집안 어른으로서의 권위가 먼저 해체되면서 가족 구성원은 전통적인 역할과 변화된 사회의 역할 사이에서 혼란을 겪고 있는 것이다.

가족 해체의 가장 큰 원인은 가족 구성원에 대한 배려가 부족한 데서 찾을 수 있다. 각자 자신의 입장만 강조하게 되면서 다른 구성원들이 자신을 이해해 주기만을 바란다. 가족 간의 긴밀한 대화를 통해 상대방의 어려운 점은 무엇인지 관심을 갖고, 자신이 겪고 있는 어려움을 진지하게 풀어 나가야 한다.

각자의 역할에 대해서도 새로운 관계 정립이 필요하다. 예를 들어 의식주 문제와 관련한 집안일은 함께 나누어 분담해야 한다. 그리고 자녀들이 학업에 전념해야 한다는 이유로 부모가 일방적으로 희생할 것이 아니라, 핵가족 세대의 부모들이 겪고 있는 어려움에 대해서 충분한 소통이 이루어져야 한다. 또한 기성 세대의 기준에 따라 일방적인 훈계가 아닌 자녀 세대의 문화를 이해하기 위한 부모의 노력도 절실하다. 가족은 우리 사회를 건강하게 지켜나가는 가장 중요한 출발점이다. 따라서 가족 간의 유대 관계를 통해 함께 살아가는 삶의 의미를 만들어 가는 것은 건강한 사회를 이루는 가장 중요한 덕목인 것이다.

Abitur

철학자가 들려주는 철학이야기 092

마르틴 부버가 들려주는 만남 이야기

저자_**박기호**
고려대에서 교육학 석사를 받았다. 윤리학과 철학에 대해 고민하며 살아오다가 대입논술을 지도하게 되었다. 그 결과 부엉이 눈으로 논제 분석하기, 매트릭스법으로 제시문 읽기, 마인드맵으로 개요 짜기, 토피카로 차별화하기 등의 독특한 논술방법론으로 대입논술과 로스쿨 LEET 논술에서 마감강사가 되었다. 경향신문 대입논술 출제 집필진으로 활동한 바 있으며, 현재 유명 대입학원과 로스쿨 전문학원에서 논술을 지도하고 있다. 저서로는 《아비투어 철학논술 맥루한이 들려주는 미디어 이야기(초급)》, 《快(쾌) 논술 LEET 시리즈》 전4권, 《대학별논술 예상문제집》 전25권, 《4개년간 논술기출문제해설》, 《논술자세잡기》 등이 있다.

배경 지식 넓히기

Martin Buber

마르틴 부버와 '만남'

마르틴 부버 주요 개념

1. 마르틴 부버를 만나다

1) 마르틴 부버의 생애

부버는 1878년 2월 8일 오스트리아의 비엔나에서 태어났습니다. 그의 부모는 평범한 중산층의 유대인이었습니다. 세 살 때 부모의 이혼으로, 그는 할아버지 집에서 열네 살까지 살았습니다. 부버는 조부모 댁에서 열 살이 될 때까지 유대 고전뿐만 아니라 하이네, 쉴러 등과 같은 독일 작가의 시와 산문을 탐독했습니다. 또한 히브리어와 독일어, 프랑스어를 공부했습니다. 이처럼 유년 시절 부버는 조부모를 통하여 정신적 기반을 닦았습니다.

부버의 조부모는 부버의 삶에 큰 영향을 미쳤습니다. 부버의 할아버지는 부버를 데리고 산책을 나가곤 했는데, 이는 부버로 하여금 책뿐만 아니라 자연까지도 사랑하는 마음을 가질 수 있도록 하였습니다.

청소년 시절, 농장에서 여름을 보내곤 하던 부버는 종종 아버지와 함께 부코비나에 있는 조그만 하시딕 공동체의 안식일 행사에 참석했습니다. 그리고 그 공동체에서 느껴지는 정신적인 힘이 부버를 사로잡았습니다. 거기서 부버는 하시딤(Hasidim)을 보았습니다. 하시딤이란 하시디즘을 신봉하는 무리들로, 자애로써 세계와 삶에 접근하며 자기를 둘러싸고 있는 현실을 긍정하고 신성화할 뿐 아니라 나아가 현실과 자기 자신을 변화시키는 사람들입니다. 부버는 훗날 이들을 통해 휴머니티(인간성)와 진정한 공동체를 느꼈다고 회고했습니다.

성장하면서 부버는 다양한 지식을 접하게 되고 하시디즘을 멀리하게 됩니다. 하시디즘을 '미신적이고 퇴행적인 것' 정도로 생각하게 되었으며 유대교에 대한 회의까지 나타났습니다.

열일곱 살 때 부버는 철학과 예술사를 공부하기 위해 비엔나 대학에 입학한 후 베를린 대학, 라이프치히 대학, 쮸리히 대학 등을 거치면서 철학, 문학, 미술, 심리학 등을 공부하였습니다. 대학 시절 부버에게 영향을 준 두 스승은 베를린 대학의 짐멜Georg Simmel과 딜타이Wilhelm Dilthey입니다. 짐멜은 삶에서 종교의 역할을 탐구하였는데, 그의 사상은 부버로 하여금 신앙의 유형을 구별하게 해 주었습니다. 딜타이는 정신과학과 자연과학을 구분하여 정신과학에서 앎의 주체는 거리를 둔 관찰자가 될 수 없고 스스로 참여해야만 한다고 주장했는데, 이것이 부버의 학문적 방법론에 영향을 주었습니다.

대학 생활을 하는 동안 부버는 하시디즘에 관한 과거의 체험을 망각한 채 학문에 열중했는데, 시오니즘 운동(팔레스타인 지역에 새로운 국가를 건설

하려는 운동)에 참여하면서 수단보다 목적을 중요시했던 시오니즘에 실망하고는 유대교를 다시 연구하기로 마음먹습니다. 부버는 하시디즘과 하시딕 문헌을 5년 동안 집중적으로 연구하면서 자신이 하시디즘을 지향하고 있음을 알게 되었고, 결국 하시드의 삶과 사상에 대해 평생 과업으로 여기며 몰두하는 하는 계기가 되었습니다. 하시디즘은 부버를 변화시켰으며, 세계에서 사라진 하시디즘은 부버에 의해 재평가되었습니다.

이렇게 부버는 청소년기와 대학 시절을 거치는 동안 많은 철학 사상을 연구하였고 최초의 주요 철학서라고 볼 수 있는 《다니엘》을 출간하였습니다. 1916년에는 〈선민〉이라고 하는 잡지의 편집자가 되었습니다. 또 1923년에는 프랑크푸르트 대학교에서 교수로 있으면서 그의 가장 유명한 저서 《나와 너Ich und Du》를 출판하였습니다. 이 책은 유대인과 기독교인을 포함해서 서양 사상에 큰 영향을 미쳤습니다. 우리가 앞으로 다루게 될 이 책의 중요한 메시지는 "모든 참된 삶은 만남이다"라는 것입니다. 또 1957년 출간된 《길의 교시》는 1909년에서 1959년 사이에 쓴 자신의 에세이를 모은 것으로, 냉전을 포함한 정치, 사회적인 문제들을 다루었습니다. 이것은 이듬해 초 당시 유엔 사무총장인 함마슐드에게 큰 영감을 주었다고 합니다.

부버의 삶은 자신의 사상이었던 '나―너'의 관계를 회복하려는 노력의 연속이었습니다. 전 세계로 뿔뿔이 흩어진 유대인을 모아 이스라엘이란 '조국'을 만드는 데 힘을 쏟았던 부버는, 팔레스타인 땅에 살던 아랍 사람을 몰아내려 하지 않았습니다. 그리고 부버는 이스라엘이 '유대인—아랍 연맹 국가'가 되어야 한다고 주장했습니다. 나아가 부버는 자신의 민족에게 '영원자 너'로 향하는 유대교 본래의 정신을 회복시키려고 애썼습니다. 하지만 지금 유대인들은 팔레스타인 지방에 이스라엘이라는 국가를 만들고 그곳에 살던 사람들을 몰아내고 있습니다. 부버의 외침에도 불구하고 이스라엘은 '나—너'의 관계를 만들어가고 있지 못합니다.

1965년 부버는 세상을 떴습니다. 그러나 부버의 업적을 기리기 위한 부버 기념관이 히브리 대학에 설립되어 있을 정도로 그의 사상은 세계적으로 반향을 불러일으켰습니다. 부버는 팔레스타인인들은 물론이고 아랍인들 모두와 함께 공존하는 운동을 실천하고자 했습니다. 부버의 사상이 우리에게 진실하게 다가오는 것은, 유대인으로서의 그의 삶 자체가 진실했기 때문이기도 합니다.

하시디즘(Hasidism)

부버의 사상을 이해하는 데 필수적인 두 기둥은 하시디즘과 '만남'의 철학입니다. '만남'의 철학은 하시디즘을 발판으로 생성된 것이기 때문에 하시디즘을 모르고는 부버를 이해할 수 없다고 할 수 있습니다.

하시디즘은 18세기에 '바알 쉠 토브(Baal Shem Tov)'라고 불리는 이스라엘 벤 엘리에저(Israel ben Eliezer)에 의해 동유럽 폴란드에서 생겨난 유대교의 경건주의적 신비 운동입니다. 하시디즘은 히브리어의 하시드(hasid의 복수형 hasidim)에서 나온 말입니다. 성서에서 헤세드(hesed)는 하나님의 창조에 대한 하나님의 자애뿐만 아니라 하나님과 이웃에 대한 인간의 헌신적이고도 개방적인 사랑을 의미하는데, 하시드도 이러한 의미를 지닙니다.

거짓 메시아가 들끓는 시대적 상황 속에서 악마의 세계를 지배할 수 있는 힘을 지닌 정신적 지도자들 중의 한 사람으로 등장한 인물이 엘리에저, 곧 바알 쉠 토브였습니다. 그는 사람을 끄는 강력한 힘과 강렬한 종교적 열정, 그리고 슬기로운 인간적 통찰력을 지닌 자로서 특유의 온화한 성품과 다정함으로 유대인들의 마음을 사로잡았습니다. 하시디즘이 가르치는 바에 따르면, 구원은 현재 속에 있습니다. 하시디즘은 사색으로부터 개인의 영혼 및 정화를 중요하게 여겼습니다. 즉 일상생활의 매순간에 있어서 신에 대한 충실함과 선행이 중요하다는 것입니다.

2) 마르틴 부버의 사상

① '나—너' 와 '나—그것'

부버는 인간이 자신을 둘러싼 세계와 관계 맺는 방식에는 서로 다른 두 가지의 태도가 있다고 보았습니다. 인간이 세계에 대하여 가질 수 있는 두 가지의 주요한 태도(혹은 관계 맺기)는 '나—그것' 의 관계로 표현되는 사물의 세계와 '나—너' 의 관계로 표현되는 인격적 만남의 세계입니다. 이 중 어떤 관계를 형성하느냐에 따라 인간이 살아가는 방식이 달라집니다. 즉, 인간이 세계에 대하여 취하는 이중적 태도의 방식에 따라 세계도 인간에게 이중적으로 되는 것입니다.

예를 들어 친구는 휴대전화처럼 필요하면 쓰고 필요가 없으면 버리거나 교체 가능한 존재가 아닙니다. 우리는 친구를 대할 때, 한 사람의 인격체로 상대하지 물건처럼 다루지 않습니다. 친구와 나는 인격적인 만남의 관계이고 서로의 마음을 주고받는 사이입니다. 이러한 사이를 '나—너' 의 관계라고 합니다. 만약 우리가 어떤 친구를 대할 때 나에게 필요하면 사귀고 그렇지 않으면 멀리한다면, 그것은 친구를 한 사람의 인격체로 보는 게 아니라 휴대전화과 같은 물건으로 보는 것입니다.

'나—그것' 의 세계는 경험과 인식, 이용의 대상이 되는 세계입니다. 인간이 세계를 경험한다고 말할 때, 그것은 인간이 세계를 객체로서 소유하고 이용한다는 것을 의미합니다. 이때의 세계는 경험과 이용의 대상으로서 도구적 존재일 뿐 경험하는 주체와 적극적이고 직접적인 관계에 있지 않습니다. 이처럼 방관자, 관찰자, 조정자로서 세계와 관계하는 자는 '나—그것' 의 '나' 입니다.

그러나 '나—너' 의 세계는 경험의 대상이 아닙니다. 여기서의 '너' 는 다른 것으로 대체할 수 없는 인격적 존재입니다. 따라서 인간은 '나—너' 의 관계에서 서로 참된 인격으로 관계합니다. 이러한 관계는 직접적이며 상호적이요, 근원적이라고 말할 수 있습니다. '나—너' 의 관계가 근원적이라는 것은, 쉽게 말해 '나' 가 있기 이전에 '나—너' 라고 하는 관계가 먼저 있었다는 말입니다.

아마 여러분은 '나—너' 라든가 '나—그것' 이라고 하는 말을 처음 들어봤을 것입니다. 왜냐하면 이 단어들은 부버가 만들어낸 말이기 때문입니다. 그런데 가만히 생각해보면 '나—너' 라는 표현 자체가 생소해서 그렇지 그것이 의미하는 바가 그리 어려운 것은 아닙니다. 사전에서 '나'를 검색해 봅시다. '남이 아닌 자기 자신'이라고 정의하고 있습니다. '나'라는 존재는 그 자체로 설명할 수 없고, '남'과의 관계 속에서만 설명이 가능합니다. 내가 아닌 것이 '남'이고, 남이 아닌 자기 자신이 '나'인 것입니다.

이렇게 '나'란 존재는 홀로 존재하는 것이 아니라 '나'가 아닌 나의 밖에 있는 것 즉, 남과의 관계 속에서 존재합니다. 부버식으로 말하자면 '나'란 곧 '나—남'이라고 말할 수도 있을 것입니다. 그런데 특이한 점은, 부버가 나와 남의 관계를 두 가지로 나누어서 바라보았다는 것입니다. '나'와 '그것'의 관계와 '나'와 '너'의 관계로 말이지요. 다시 말해 내가 아닌 남은 나와의 관계에 있어 두 가지 서로 다른 방식으로 존재한다고 본 것입니다.

그런데 남이 나에게 있어 '그것'으로 존재할 것인지, 아니면 '너'로 존재할 것인지는 '나'의 태도에 따라 결정됩니다. 만약 우리가 어떤 상대를 경험과 이용의 대상으로 바라보고 비인간적이고 일방적인 관계를 맺는다면, 그때 그 대상은 '그것'이 됩니다. 반면에 우리가 상대를 경험과 이용의 대상으로서가 아니라 존재하는 그대로 바라보고 대화와 상호 만남을 통해 인간적으로 대한다면, 그때 그 상대는 '너'가 되는 것입니다.

내가 남을 어떻게 대하느냐에 따라 나와 남의 사이는 '나-너'의 인간적인 관계가 될 수도 있고 반대로 '나—그것' 의 비인간적인 관계가 될 수도 있다는 것입니다. 나아가 '나—그것' 의 관계가 아니라 '나—너' 의 진실한 만남을 추구하자는 주장을 하고 있는 것이지요. 물론 사람은 '그것' 없이는 살지 못합니다. 비인간적인 관계만이 난무한다면 이 세상은 서로가 서로를 이용하는 이기적인 사회가 될 것이기 때문이지요.

부버는 그 자신이 나치스에 의해 박해를 받았으며 제2차 세계대전 중 나치의 유대인 학살 즉, 홀로코스트를 보면서 인간과 인간의 관계가 어떠해야 하는지 고민했습니다. 부버가 보기에 인간과 인간의 사이가 '나—그것' 이 아닌 '나—너' 의 진정한 만남이 이루어진다면, 다시는 그런 참혹한 전쟁과 학살이 일어나지 않을 것이라고 생각했습니다.

홀로코스트(Holocaust)

나치스에 의한 유대인 대학살은 '홀로코스트' 혹은 '아우슈비츠' 라고 불립니다.
일반적으로 인간이나 동물을 대량으로 태워 죽이거나 대학살하는 행위를 홀로코스트라고 하는데, 고유명사로 쓰일 때는 제2차 세계대전 중 나치스 독일에 의해 자행된 유대인 대학살을 뜻합니다. 특히 1945년 1월 27일 폴란드 아우슈비츠의 유대인 포로수용소가 해방될 때까지 600만 명에 이르는 유대인이 인종 청소라는 명목 아래 나치스에 의해 학살되었는데, 인간의 폭력성, 잔인성, 배타성, 광기가 어디까지 갈 수 있는지를 극단적으로 보여 주었다는 점에서 20세기 인류 최대의 치욕적인 사건으로 꼽힙니다.
1940년 유대인 절멸을 위해 나치스 친위대는 아우슈비츠라는 곳에 첫 번째 수용소를 세웠으며, 그해 6월 이 아우슈비츠 1호에 최초로 폴란드 정치범들이 수용되었습니다. 그 뒤 히틀러의 명령으로 1941년 대량 살해 시설로 확대되어 아우슈비츠 2호와 3호가 세워졌고, 1945년 1월까지 나치스는 이곳에서 250만~400만 명의 유대인을 살해했습니다. 이로 인해 '아우슈비츠' 는 나치스의 유대인 대량 학살을 상징하는 말이 되었습니다.

② '나—너' 의 진정한 만남

부버는 진정한 만남은 행복을 가져다준다고 말합니다. 따라서 삶은 만남이라고 말합니다. '나—그것' 이 아닌 '나—너' 의 관계 맺기를 통해 우리는 행복을 느끼며 살아갈 수 있다는 이야기입니다. 이때 '너' 는 가족이나 친구를 생각할 수 있을 것입니다. 우리는 부모님이나 동생 혹은 친구를 대할 때 그 자체로 대하지 어떤 목적을 가지고 대하지는 않기 때문입니다. 부모님은 나에게 용돈을 주는 사람, 동생은 나의 심부름을 해 주는 사람, 친구는 내가 심심할 때 놀아 주는 사람으로 대하지 않는다는 말이지요.

그런데 부버가 말하는 '나—너' 혹은 '나—그것' 은 꼭 사람과의 관계만을 지칭하는 것은 아닙니다. 부버는 '나—너' 의 관계가 성립되는 영역을 세 가지로 나누는데, 첫째는 자연과 더불어 사는 삶이며, 둘째는 사람들과 더불어 사는 삶, 셋째는 정신적 존재와 더불어 사는 삶입니다. 우리는 이러한 삶의 영역을 통해 '나—너' 로서의 관계를 맺을 수 있다고 보았습니다.

자연, 사람, 정신적 존재 이 세 가지 영역과 우리는 관계를 형성하게 되며, 각각의 '너' 를 통해 '영원한 너' 의 옷자락에 접하게 된다고 합니다. 즉, 자연과 사람 그리고 정신적 존재와의 '나—너' 관계 형성을 통해 우리는 '영원한 너' 를 접하게 될 수 있다는 것입니다. 조금 어렵지요? 일단 자연부터 생각해 봅시다.

우리가 살면서 관계를 맺는 것은 사람과 사람 사이의 관계 뿐만은 아닙니다. 인간은 자연 속에서 자연과 더불어 살아가는 존재입니다. 우리 주변에 있는 꽃과 나무 그리고 대지 모두가 우리를 둘러싸고 있는 자연이라고 할 수 있습니다. 우리가 살아가는 터전이 바로 자연인 것입니다. 그런데 인간은 자연을 이용과 정복의 대상으로 여기고 있습니다. 그러다 보니 환경오염과 생태계 파괴가 일어나게 됩니다.

인간이 자연을 이용과 정복의 대상으로 보는 것은 서구의 근대 사상과 밀접한 관견을 맺고 있습니다. 베이컨은 "아는 것은 힘이다"라는 말을 통해 인간이 자연을 이해할 수 있다면 자연을 이용하고 정복할 수 있을 것이라고 말했습니다. 한편 데카르트는 "나는 생각한다. 고로 존재한다"고 했지요. 베이컨과 데카르트의 말은 인간이 가진 이성의 힘을 이용하여 자연을 지배할 수 있다고 본 서구의 자연관을 잘 보여 줍니다. 부버식으로 말하자면, 인간인 '나'가 자연을 '너'가 아닌 '그것'으로 바라보는 것이라고 할 수 있습니다.

그런데 자연은 살아 있는 인격체가 아니며 말을 할 수가 없습니다. 그러면 어떻게 인간과 자연이 '나—너'의 관계를 맺을 수가 있을까요?

몇 해 전 지율 스님과 환경단체에서 '도롱뇽의 친구들'이라는 이름으로 경남에 있는 천성산 구간 터널 굴착 공사를 반대해 공사 금지 가처분을 신청한 일이 있었습니다. 자연은 스스로를 변호할 수 없으므로 도롱뇽을 대신해서 공사 금지를 법적으로 요청한 것입니다. 이것은 스스로를 표현하고 인간과 소통하지 못하는 자연에게 먼저 말을 건네고 자연을 '나—너' 의 관계로써 대한 것이라고 할 수 있습니다. 지금까지 인간은 자연을 개발과 정복의 대상으로만 여기고 보호와 공존의 대상으로는 생각하지 않기 때문에 자연 또한 인간을 친구로 여기지 않게 되었습니다.

부버는 인간과 인간의 관계, 인간과 자연의 관계와 더불어 인간과 영적인 존재의 관계에서도 '나—너' 의 관계가 되어야 한다고 했습니다. 이는 종교 생활을 하는 것 역시 어떤 목적을 위해서가 아니라 일상생활을 통해 하느님의 뜻을 실천하는 것이어야 한다는 의미입니다. 즉, 일상생활에서 사랑을 실천해야 한다는 것이지요.

전체주의 (全體主義)

개인보다는 전체를 더 중시하는 이념으로써 일반적으로 개인주의와 대립되는 개념으로 쓰여 왔습니다. 이러한 일반적 의미에서의 전체주의는 부분보다 전체가 더 우선하고 우월하다는 주장을 극단적으로 펼치는 이론입니다. 즉, 전체주의란 개인의 이익보다 집단의 이익을 강조하여 권력자의 정치 권력이 국민의 정치생활은 물론, 경제 · 사회 · 문화의 모든 영역에 걸쳐 실질적인 통제를 가하는 것을 말합니다. 전체주의에는 파시즘과 공산주의를 포함하고 있지만, 이 양자를 일괄적으로 규정하기는 매우 곤란합니다.

전체주의라는 용어가 널리 쓰이기 시작한 것은 1930년대 후반부터인데, 당초에는 이탈리아의 파시즘, 독일의 나치즘, 일본의 군국주의 등을 가리키는 말로 사용되다가 제2차 세계대전 이후의 냉전 체제하에서는 공산주의를 지칭하는 말로 사용하기도 했습니다.

진정한 대화

부버에 따르면, 우리가 나누는 대화에는 세 가지가 있습니다. 첫째는 위장된 독백(monologue)입니다. 상대에게 진실로 말을 걸지 않은 채 이야기하는 것입니다. 형식적으로 대하는 것이지요. 예를 들어, 우리는 학교에서 선생님을 만났을 때 "안녕하세요?"라고 인사를 합니다. 그런데 상대방이 진짜 안녕한지 어떤지 궁금하기 보다는 형식적으로 인사말을 건네는 경우가 대부분입니다. 상대방에 대한 진정한 관계가 이루어지지 않기 때문이지요.

둘째, 실무적 대화(technical dialogue)가 있습니다. 이것은 필요에 의해서 이루어지는 대화입니다. 어른들의 대화를 들어 보면 사업적이거나 금전적인 필요에 의해 대화를 나누는 경우를 볼 수가 있습니다. 어떤 거래를 하기 위한 대화가 대부분이지요. 물건을 사러 상점에 갔을 때 우리는 상점의 주인과 진정한 대화를 나누지 않습니다. 상점 주인은 물건을 파는 것이 목적이지 나에 대해서는 아무런 관심이 없기 때문입니다.

부버가 말하는 '나—너'의 관계에서 이루어지는 대화는 진정한 대화(genuine dialogue)입니다. 이것은 타인을 진실로 책임진다는 것입니다. 자기의 정체성을 지닌 채 대화에 참여하며, 책임 있는 신념으로 응답을 합니다. 이때 서로는 상대편에 '동의'하는 것이 아니라 '응답'을 합니다. 그리고 상대에게 집중합니다. 이런 진정한 대화가 이루어지기 위해서는 나와 상대방의 관계에서 관심을 나에게 두는 것이 아니라 상대방에 두어야 합니다. 열린 마음으로 상대방을 받아들이는 것이지요.

진정한 만남

여러분은 진정한 대화를 나누어 본 경험이 있나요? 진정한 만남 속에서 행복을 느껴본 적이 있나요? 생텍쥐페리의 《어린왕자》는 진정한 대화가 무엇인지, 진정한 만남이 무엇인지 우리에게 잘 보여줍니다.

어느 작은 별에 홀로 살던 어린 왕자는 어느 날 어디에선가 날아와 싹을 틔운 꽃 한 송이를 정성을 다해 돌봐 주면서 사랑을 키워갑니다. 그러나 바람막이를 해 달라, 유리 덮개를 씌워 달라, 요구하는 것도 많고 불평 또한 많은 꽃에게 실망하고 속상한 마음을 달래고자 다른 별로 여행을 떠납니다. 여행 중에 어린 왕자는 5천 송이가 넘는 장미가 피어 있는 정원을 방문하게 됩니다. 그리고 자신의 별에 두고 온 꽃이 수많은 장미꽃들 가운데 하나라는 생각에 슬퍼져 울음을 터트리고 맙니다. 이때 여우 한 마리가 나타나 '길들이기' 에 대해 알려 줍니다.

"네가 오후 4시에 온다면 나는 3시부터 행복해지기 시작할거야. 시간이 갈수록 난 점점 더 행복해지겠지. 4시에는 흥분해서 안절부절 못할 거야.

그래서 행복이 얼마나 값진 것인지를 알게 되겠지!"

여우가 말하는 '길들이기' 란 다름 아닌 '관계 맺기' 와 '사랑' 입니다. 부버 식으로 말하자면, '나—너' 의 관계를 맺는 진정한 만남인 것이지요. 길들인다는 것은 수많은 사람 가운데 오직 한 사람, 수많은 여우 가운데 오직 한 여우가 되는 것이라는 사실을 어린 왕자는 깨닫게 됩니다. 어떤 대상과 사랑하는 관계를 맺는다는 것은 서로에게 특별한 존재가 되는 것이라는 점을 말이지요. 그런 만남과 관계 속에서 비로소 기쁨과 행복을 느끼며 서로의 존재를 직접적으로 마주하게 되는 것이지요.

《어린 왕자》

《어린 왕자》는 프랑스의 비행사이자 작가인 앙투안 드 생텍쥐페리가 1943년 발표한 소설입니다. 현재까지 180여개 언어로 번역된 동화입니다. 누구나 한 번쯤은 읽어 보았을 이 책에는 어린 왕자와 여우가 대화하는 장면이 나오는데, 이 대목은 부버가 말하는 '나-너'의 관계를 잘 보여 줍니다. 여우는 어린 왕자에게 본질적인 것은 눈에 보이지 않는다는 것과 다른 존재를 길들여 인연을 맺는 일이 중요하다는 것을 가르칩니다. 왕자는 이 세계 속에서 자신이 책임을 져야만 하는 장미꽃이 존재한다는 사실에 깊은 뜻이 있음을 깨닫게 됩니다.

인간은 홀로 살아가는 존재가 아닙니다. 한자 '사람 인(人)' 은 인간이 다른 이와의 관계와 만남 속에서 살아가는 존재라는 점을 보여 줍니다. 다만 그 관계와 만남이 어떤 만남이 될는지는 우리가 어떤 태도를 가지고 대하는가에 따라 달라집니다. '나—너' 의 진정한 만남이냐, 아니면 '나—그것' 의 이기적 만남이냐? 어린 왕자에게 정원에 피어 있는 수많은 꽃들은 그저 널려 있는 사물(그것)에 불과합니다. 하지만 자신의 별에 두고 온 한 송이 꽃은 어린 왕자에게 의미와 가치의 세계이자 진정한 관계(너)입니다. 그 이유는 꽃을 정성과 사랑으로 길들였기 때문이지요. 중요한 것은 그러한 관계가 눈으로는 보이지 않는다는 것입니다. 즉, 상대를 소중하게 여기고 아끼는 마음은 마음으로만 통하기 때문입니다.

③ '만남' 의 교육

부버의 '만남' 은 인간을 인간으로 대하라는 뜻을 담고 있기 때문에 특히 교육 분야에 많은 영향을 주었습니다. 즉, 선생님과 학생의 만남은 어떠해야 하는지를 부버의 사상을 통해 생각해 볼 수 있습니다. 부버의 교육 사상은 실존주의를 배경으로 하여 형성되었기 때문에 실존적 교육관과 전통적 교육관을 비교하면서 살펴보아야 합니다. 여기서 전통적 교육관과 실존적 교육관은 인간 형성의 과정을 '지속성(持續性)' 으로 보느냐 아니면 '단속성(斷續性)' 으로 보느냐에 따라 구분됩니다.

전통적 교육관은 다시 기계적 교육관과 유기적 교육관으로 나뉘는데, 둘 다 인간이 인간답게 성장하는 것을 지속적인 과정으로 본다는 점에서 일치합니다. 먼저 기계적 교육관에 따르면 교육은 일종의 '만드는 작용' 입니다. 인간은 태어날 때 백지 상태이고 따라서 교육 내용과 방향에 따라서 훌륭한 인간을 만들어낼 수 있다고 보는 것이지요. 반면에 유기적 교육관에서 교육은 일종의 '기르는 작용'으로 볼 수 있습니다. 인간은 나름의 본성을 가지고 태어나므로 나무에 물을 주듯이 잘 키우면서 본성이 발휘되도록 교육을 해야 한다는 것입니다.

이처럼 교육을 적극적 형성 작용으로 보는가 아니면 자연적 성장 과정의 소극적 보호 작용으로 보느냐에 따라 달라지지만, 이 두 교육관은 인간이 지속적이고 계획적으로 성장한다는 연속적 형성 가능성을 전제로 하고 있습니다. 그러나 인간은 반드시 계획하고 목적한 대로 성장하는 것은 아닙니다. 우연한 경험이나 뜻하지 않은 만남에 의해 질적인 성장을 하고 의식의 도약을 하기도 합니다. 이것을 연속성이 아닌 단속성이라고 하는데, 부버는 이러한 교육의 단속적 성격과 함께 교사나 학생간의 '상호관계 형성'을 중시했습니다.

주체적이고 전인적인 인간

부버는 '나―너'의 관계 속에 있는 사람만이 자유인이라고 보았습니다. 그런데 우리 모두가 자유롭게 사는 것은 아닙니다. 물질이 중심이 되고 이기주의가 만연한 세상에서, '나―너'의 관계는 얼마든지 '나―그것'의 관계로 변할 수 있고 마찬가지로 '나―그것'의 관계는 '나―너'의 관계로 짧은 순간에 변할 수가 있습니다. 어느 것도 지속성이 보장되지 않으며, 모든 것은 단속성을 본질로 합니다. 왜냐하면 인간은 이 두 세계를 동시에 살아가고 있기 때문입니다.

따라서 인간은 선택을 해야 합니다. 인간은 '나―너'의 관계를 통해 다른 사람과 만날 때 가능하며 나는 당신에 대한 관계를 통해서 진정한 내가 된다고 했습니다. 참다운 인간이란 상대를 있는 그대로 바라보면서 진정한 만남을 통해 자신의 실존을 형성해 나가는 창조자가 되는 것입니다. 진정한 삶은 만남이고, 교육은 이러한 만남을 가능하게 하는 관계인 것입니다.

이처럼 부버의 실존적 교육 사상 속에는 개인을 '선택하는 행위자, 자유로운 행위자, 그리고 책임을 지는 행위자'로 규정했습니다. 개인의 삶에 있어서 철저한 선택과 책임 그리고 주체성을 강조합니다. 자유를 가지는 반면에 철저하게 선택에 대한 책임을 져야 한다는 것이지요. 그래서 실존주의 교육에서는 학생에게 자신의 길을 선택하도록 합니다. 학교는 자유로운 분위기를 조성하고, 학생이 하지 않으면 안 될 선택의 종류를 일방적으로 규정하지 않습니다.

결국 부버가 추구하는 교육의 목적은 인간 자체의 탐구이며, 이에 따라 삶에 대한 모든 형태의 광범위하고도 종합적인 경험을 제공하는 것입니다. 교육을 통해 달성하고자 하는 인간은 단편적 인간이 아니라 전인적인 인간입니다. 그래서 부버를 포함한 실존주의자들이 특히 강조하는 교과목은 인문학과 예술입니다. 왜냐하면 인간의 정서 및 심미적 성향과 도덕적 성향이 이러한 과목들을 통해 길러질 수 있기 때문입니다. 또한 실존주의 교육은 삶의 부조리나 실존적 긴장 즉, 불안을 강조했습니다. 진정한 인간 교육은 삶의 좋은 측면뿐만이 아니라 삶의 불합리한 측면까지도 포함하는 것이라고 보기 때문입니다.

학생과 교사의 만남

한마디로 부버의 교육 사상은 전인교육이라고 할 수 있습니다. 그렇다면 전인교육을 위한 교사의 역할은 무엇일까요? 첫째, 학생을 무한한 가능성과 창조성을 지닌 하나의 현실로 봅니다. 고결하고도 무한한 가치를 지닌 존재가 학생인 것입니다. 아무리 퍼내도 샘물처럼 솟아오르는 가능성이 바로 학생의 존재 방식이기 때문에 교육도 그것을 따라야 합니다.

둘째, 학교뿐만 아니라 세계 자체가 교육의 장입니다. 다시 말해 자연과 사회라고 하는 환경 전체가 인간을 교육한다는 것입니다. 따라서 그 자체가 우리의 교사가 됩니다. 하지만 오늘날의 학교 교육은 어떤 목적을 위한 수단으로서 지적 교육이나 기술 교육에만 치중하고 있는 현실적입니다. 부버는 이러한 현대의 교육 현실에서 자연과 인간, 인간과 인간, 그리고 인간과 영적 존재와의 대화적 관계 즉, '나—너' 의 만남의 관계를 추구할 때 '너' 의 의미가 진정한 교사가 된다고 보았습니다.

셋째, 교육은 '비(非)에로스적' 이어야 합니다. 부버에 의하면 에로스는 선택을 의미하며 기호 즉, 좋고 싫음에 의해 취해진 선택인데 이것은 교육이 아니라는 것입니다. 에로스를 사랑하는 사람은 그가 사랑하려는 사람 즉, 대상을 선택하게 되는데, 이는 교육의 본래 정신에 어긋난다는 것이지요. 우리는 종종 교사가 학생을 편애하는 것을 볼 수 있습니다. 그러나 부버는 교사가 학생을 선택한다는 것은 있을 수 없다고 보았으며 동등한 인격자로 서로 '만남' 을 했을 때 참다운 교육이 가능하다고 보았습니다. 이런 의미에서 교사의 편애라든가 학교의 퇴학 조치는 학생을 선택한다는 점에서 문제가 있다고 볼 수 있습니다.

넷째, 교사는 '포용' 으로써 학생을 대해야 합니다. 포용은 '상대방의 처지를 체험한다' 는 의미입니다. 이러한 포용에 의해 관계지어지는 두 사람을 대화적 관계로 볼 수 있습니다. 이러한 대화의 관계는 신뢰 속에서 가능합니다. 따라서 교육의 역할은 학생이 구체적인 포용의 체험을 갖도록 하는 것이어야 합니다.

꽃

내가 그의 이름을 불러 주기 전에는

그는 다만

하나의 몸짓에 지나지 않았다.

내가 그의 이름을 불러 주었을 때

그는 나에게로 와서

꽃이 되었다.

내가 그의 이름을 불러 준 것처럼

나의 이 빛깔과 향기에 알맞는

누가 나의 이름을 불러다오.

그에게로 가서 나도

그의 꽃이 되고 싶다.

우리들은 모두

무엇이 되고 싶다.

너는 나에게 나는 너에게

잊혀지지 않는 하나의 의미가 되고 싶다.

— 김춘수, 〈꽃〉 전문

여러분은 아마도 김춘수 시인의 '꽃' 이라는 시를 알고 있을 것입니다. 인간의 실존을 다루고 있는 시로서 누군가에게 인정받을 때 우리는 존재의 기쁨을 경험하게 된다는 내용을 담고 있습니다.

우리들은 모두가 이 '꽃' 이란 시에 나오는 것처럼 자신의 빛깔과 향기에 알맞은 이름으로 불러 주기를 기다리고 있습니다. 교사와 학생과의 관계 또는 아이들 사이의 관계가 서로에게 도움을 주고자 하는 '나와 너' 의 관계가 된다면 우리 교육 현실은 부버가 말한 참 교육의 공동체가 될 수 있을 것입니다.

3. 기출문제 속에서 만난 마르틴 부버

서강대학교 2006학년도 정시 논술에서는 과학 기술 문명의 발달에 따른 인간의 정체성 상실과 그에 따른 우리의 태도를 묻는 논제가 출제되었습니다.

> 세계는 사람이 취하는 이중적인 태도에 따라서 사람에게 이중적이다. 사람의 태도는 그가 말할 수 있는 근원어의 이중성에 따라서 이중적이다. 근원어는 낱개의 말이 아니고 짝말이다. 근원어의 하나는 '나－너' 라는 짝말이다. 또 하나의 근원어는 '나－그것' 이라는 짝말이다. (……)
>
> '나' 그 자체란 없으며 오직 근원어 '나－너' 의 '나' 와 근원어 '나－그것' 의 '나' 가 있을 뿐이다. 사람이 '나' 라고 말할 때 그는 그 둘 중의 하나를

생각하고 있다. 그가 '나' 라고 말할 때 그가 생각하고 있는 '나' 가 거기에 존재한다. 또한 그가 '너' 또는 '그것' 이라고 말할 때 위의 두 근원어 중 어느 하나의 '나' 가 거기에 존재한다. (……)

정신이 독자적 삶 속에 작용해 들어가는 것은 결코 정신 자체가 아니며, '그것' 의 세계를 변화시키는 힘에 의한 것이다. 정신이 자기에게 열려 있는 세계를 향하여 나아가 그 세계에 자기를 바쳐서 세계와 그 세계에 속하여 자기를 구원할 수 있을 때, 정신은 참으로 '자기 자신' 에 돌아와 있는 것이다. 이와 같은 일은 오늘날 산만하고 약화되고 변질되고 철저하게 모순에 빠진 지성이 다시 정신의 본질, 곧 '너' 를 말할 수 있는 능력을 가지게 될 때 비로소 이루어진다.

'그것' 의 세계에서는 인과율이 무제한으로 지배하고 있다. 감각적으로 지각되는 모든 '물리적' 인 사건만이 아니라 또한 자기 경험 안에서 이미 발견되었거나 또는 발견되는 모든 '심리적' 인 사건도 필연적으로 인과의 계율로 간주된다. 그 중에서 어떤 목적 설정의 성질을 가진 것으로 간주 할 수 있는 사건들까지도 역시 '그것' 의 세계에 연속체를 이루는 일부로서 인과율의 지배로부터 자유롭지 않다. (……)

인과율이 '그것' 의 세계에서 무한정한 지배력을 갖는다는 것은 자연의 과학적 질서를 위해서 근본적으로 중요하다. 그러나 그것이 사람을 억압하지는 못한다. 왜냐하면 사람이란 '그것' 의 세계에만 속박되어 있지 않고, 거기에서 벗어나 몇 번이고 되풀이하여 관계의 세계로 들어갈 수 있기 때문이다. 이 관계의 세계에서 '나'와 '너'는 서로 자유롭게 마주 서 있으며, 어떠한 인과율에도 얽매이지 않고 물들지 않은 상호 관계에 들어선다. 이 관계의 세계 속에서 사람은 자기의 존재 및 보편적 존재의 자유가 보장되어 있음을 알게 된다. 관계를 알며 '너'의 현존을 아는 사람만이 결단할 수 있는 능력을 가지고 있다. 결단하는 사람만이 자유롭다. 왜냐하면 그는 '너'의 면전에 나아간 것이기 때문이다. (……)

관계의 목적은 관계 자체, 곧 '너'와의 접촉이다. 왜냐하면 '너'와의 접촉에 의하여 '너'의 숨결, 곧 영원한 삶의 입김이 우리를 스치기 때문이다.

관계 속에 서 있는 사람은 현실에 관여한다. 즉, 그는 존재에 그저 맞닿아 있는 것도 아니고, 존재 밖에 있는 것도 아니다. 바로 존재에 관여하고 있는 것이다. 모든 현실은 하나의 작용이다. 나는 그것을 내 소유로 삼을 수는 없지만 그 작용에 관여하고 있다. 관여가 없는 곳에는 현실이 없다. 자기 독점이 이루어지는 곳에는 현실이 없다. 관여는 직접적으로 '너'와 접촉하는 것이며, 그럴수록 그만큼 더 완전하다.

— 마르틴 부버, 《나와 너》 중에서

과학 기술의 발달로 인간은 자기 정체성의 혼란을 느낄 수가 있습니다. 과학 기술의 발달이 인간에게 새로운 의미의 자유를 제공한 듯 보이지만 실제로는 인간의 정체성을 위협하고 있다는 현실에 관한 문제가 바로 출제 의도입니다. 이러한 상황과 관련하여 위의 글은 문제를 해결할 수 있는 대안을 보여 주고 있습니다.

위 글은 마르틴 부버의 《나와 너》의 일부입니다. 이 책에서 부버는 인간이 타자와 관계를 맺는 두 가지 방식에 대하여 말하고 있습니다. 바로 '나와 너' 와 '나와 그것' 의 두 가지 관계입니다.

'나와 너' 의 관계에서 '나' 는 '너' 와의 접촉에 의해 형성되며, 서로 자유롭게 마주 서 있으면서 어떠한 인과율에도 얽매이지 않는 상호 관계를 이룹니다. 서로가 자율적이며 보편적인 존재의 자유가 보장되어 있습니다. 즉, 각자 자신의 정체성을 가질 수가 있습니다.

이에 반해 '나와 그것' 의 관계에서 '그것' 은 세계의 인과율에 의한 질서입니다. '그것' 의 세계 즉, 인과율이 지배하는 자연의 세계에서는 특별한 관계가 형성되는 것이 아니라 객관적으로 존재하는 체계 속의 '나' 가 됩니다. 즉 '나와 너' 의 관계에서 '나' 가 상대적 관계로 서로 존중하는 '나' 라면, '나와 그것' 의 관계에서 '나' 는 세계적 질서의 하나일 뿐입니다.

인간이란 자신 혹은 타자와의 관계를 통해서만 그 의미를 찾을 수 있습니다. 관계의 목적은 어떤 인과율에 지배받지 않는 '관계' 그 자체에 있으며, 이러한 관계를 통해 우리는 서로의 존재를 만날 수 있는 것입니다. 다시 말해 인간은 관계 속에서만 그 존재의 기쁨을 얻을 수 있습니다.

인터넷의 발달로 우리는 가상공간에서 상대를 만나고 대화를 나눕니다. 그런데 흔히 상대를 모르고 대화하며 자신이 누군지 밝히지 않기 때문에 가상공간에서는 자신의 정체성을 정립할 수가 없습니다. 부버에 의하면 '나와 너' 의 관계에서는 의미가 부여되고 존재의 가치를 서로 인식합니다. 그러나 오늘날 인터넷 대화의 특징은 서로 상대를 모른다는 것입니다. 그리하여 인간적인 관계가 형성되기 보다는 악성 댓글과 같은 문제점이 더 많이 나타나고 있습니다.

이렇게 현대사회 과학 기술의 발전이 가져다주는 문제점이 무엇인지 살펴보고, 그 해결책으로 부버가 말하는 '나와 너' 의 관계를 맺는 것이 왜 필요한지 생각해 볼 수가 있습니다.

서울교육대학교 2001 정시 논술에서는 교육 철학자 마르틴 부버의 저서 《나와 너》에서 발췌한 제시문을 주고서 우리나라 학교 교육의 현실과 나아가야 할 방향 및 교사의 역할은 무엇인지를 묻는 논제가 출제되었습니다.

마르틴 부버(Martin Buber)에 따르면, 세계는 중층(重層)으로 이루어져 있다고 한다. 중층의 아래층은 '나와 그것' 의 세계로서 인간이 '경험' 을 매개로 하여 알 수 있는 세계라면, 위층은 '나와 너' 의 세계로서 인간이 '만남' 을 통하여 비로소 알 수 있는 세계이다. 그러나 오늘날 우리 인간은 자신이 몸담고 있는 이 세계가 중층으로 이루어져 있다는 것을 망각한 채 '나와 그것' 의 세계에 집착하며 살아가고 있는 것이 아닌가 생각된다.

'나무' 를 예로 들어 두 세계를 구분하여 설명하면 다음과 같다. 여기 자연 상태의 한 그루 나무가 있다고 상상해 보자. 우리는 이 나무를 하나의 풍경으로서 미적 대상으로 볼 수도 있고, 하나의 운동으로서 물리학적 대상으로 볼 수도 있을 것이며, 구조와 원소를 지닌 하나의 생명체로서 생물학이나 화학적 대상으로 볼 수도 있을 것이다.

그러나 그것들은 나무의 외형, 구조, 화학적 성분, 움직임 등에 불과한 '그것' 일 뿐, 그 어느 것으로도 환원될 수 없는 나무 자체의 고유한 본질과는 애당초 거리가 멀다. 나무만의 고유한 본질은 그러한 경험적 인식의 한계를 뛰어넘는 직접적 만남 속에서 비로소 나의 '너' 로 그 모습을 드러낸다.

부버에 의하면, 만남은 개인적 경험이나 노력으로 얻어질 수 있는 것이라기보다는 주체와 객체가 분리되지 않은, 마치 신의 은총처럼 선험적으로 주어지는 직관적 판단에 가까운 것이다. 만남은 영혼의 한가로움 속에서 존재를 있는 그대로 받아들이는 영적 합일(合一) 또는 고양(高揚)을 의미한다.

만남은 생텍쥐베리의 《어린 왕자》에 나오는 여우와 왕자의 조우(遭遇)에 잘 형상화되어 있다. 왕자가 여우한테 사귀자고 제안했을 때 여우는 자신은 아직 길들여지지 않았기 때문에 친구가 될 수 없다는 말을 한다. 여우에 따르면, 서로를 길들인다는 것은 곧 '관계 맺음' 인데 이것이야말로 서로를 진정으로 알게 하는 것이라는 것이다.

이러한 '관계 맺음'은, 《어린왕자》 책 전체의 취지에서 알 수 있듯이, 단순히 인식의 문제에 그치는 것이 아니라 인간의 존재 또는 삶의 방식에 관한 문제의식을 담고 있다. 다시 말하면, 우리가 세계를 어떻게 인식하는가 또는 우리가 세계와 어떤 관계를 맺는가 하는 것은 어떤 삶이 올바른 삶인가 하는 문제와 결코 무관하지 않다는 것이다.

현대인들은 생산이든 소비든 간에 무엇인가를 써 먹기에 바빠서 위에서 말한 '나와 너'의 세계를 망각하며 살아가고 있다. 아마도 이러한 현실은 오늘날 우리 사회 전체에 만연한 학교 교육의 왜곡이나 도덕적 타락의 원인과 결코 무관하지 않을 것이다.

— 마르틴 부버, 《나와 너》 중에서

위 글을 보면 오늘날 학교 교육을 지식이나 습득하고 기계적인 기능이나 익히면 졸업장을 주는 곳으로 전락한 현실을 비판하고 있습니다. 그리고 학교 교육은 만남의 교육 즉, 인성 교육으로 나아가야 한다고 주장하고 있습니다. 현재의 학교는 획일적이고 통제적인 방법으로 입시에 필요한 지식과 직업적으로 필요한 기술을 가르치는 곳이 되어 버렸습니다. 그러다 보니 과외나 학원에서 이루어지는 사교육은 커져만 가며, 학교에서는 일정 기간 교육과정을 이수함으로써 이수증이나 졸업증을 주는 것이 제도권 교육의 의무처럼 여기는 것이 대세입니다.

그렇다면 그 해결 방안은 무엇인가? 바로 그 대안으로 제시된 교육 이론이 바로 인성 교육입니다. 개인의 자발적인 개성을 존중하고, 도덕성을 갖추었으며 이타적인 인간형을 만드는 교육입니다. 부버는 교육의 인간화 방안은 여러 가지 측면에서 고찰될 수 있으나, 그 중에서도 교사와 학생 간의 참된 관계를 회복하는 것이 교육의 가장 중요한 핵심이라고 주장했습니다. 교육의 역활은 '나와 너'의 참다운 만남을 회복해야 하는 것입니다.

선생과 학생, 선생과 선생, 학생과 학생, 교장과 선생의 진정한 만남에서 교육의 의미를 찾아야 하고, 학교는 바로 그러한 진정한 만남이 이루어지는 곳이자 인성 교육이 이루어지는 곳으로 만들어야 합니다. 그런데 요즘은 학생들이 선생님을 무시하는 경우를 볼 수 있습니다. 학교 선생님은 단지 학생들에게 기술과 지식을 전수해 주는 기능인이 아닙니다. 우리에게 어떻게 사는 것이 참다운 삶인지, 인간과 인간의 관계는 어떠해야 하는지를 가르쳐 주시는 인생의 스승입니다.

실전 논술

논술 문제

case 1 (가)를 참조하여 제시문 (나)에 대한 물음에 답하시오.

가 연희는 동생이 생겨 자랑하는 가영이가 무척 부럽습니다. 동생이 있었으면 했는데, 뜻밖에 부모님은 동생을 입양하기로 마음을 먹습니다. 동생이 생겨 이제는 가영이에게도 할 말이 많다고 생각한 연희는 신이 납니다. 연희는 동생의 존재가 가져올 변화를 아직 느끼지 못하고 있습니다. 그리고 동생에게 언니 대접을 받을 생각으로 동생을 훈련시킬 연구만 하는 연희는 아직 동생과의 진정한 만남에 대한 준비가 되지 않은 셈입니다.

목사님과의 대화에서 연희 가족은 "태초에 관계가 있다"는 말을 듣습니다. 이 말은 '관계가 가장 먼저 있는 것이다' 라는 말과 같습니다. 우리는 개개인의 사람들이 있고 난 다음에야 관계가 생겨나게 된다고 생각을 합니다. 따라서 개인을 중심으로 모든 것을 생각해야 한다고 합니다. 이런 생각을 가리켜 개인주의라고 합니다. 현대인의 마음속에는 이러한 개인주의적 생각이 깊게 자리 잡고 있습니다.

—《마르틴 부버가 들려주는 만남 이야기》 중에서

나 "산에는 참 귀한 보물이 많이 있습니다. 산은 말 없이 우리들에게 귀한 보물을 내어 줍니다. 오늘은 산이 주는 귀한 보물이 무엇인지 다 같이 생각해 봅시다."

승연이는 안내하는 분의 말씀을 들으면서 생각하였다.

'보물이 뭘까? 알밤일까, 도토리일까? 아니, 잣일지도 몰라. 내가 가장 많이 주워야지.'

승연이는 밤나무, 상수리나무, 잣나무의 모습을 머릿속에 그리며 잊지 않으려고 애를 썼다.

그 때, 웬 아주머니께서 승연이 앞으로 다가오셨다.

"얘, 너 명숙이 아니냐? 나, 정미야, 양정미."

그분은 승연이 어머니의 초등학교 동창생이셨다. 유명산 아랫마을에 사시는데, 열매 줍기 대회에 참가하러 왔다고 하셨다.

"승연아, 인사해라."

승연이는 아주머니께 꾸벅 인사를 하였다. 아주머니 옆에는 승연이만한 여자아이가 있었다.

"승연아, 반가워. 나는 원은애야. 난 4학년이야."

은애가 웃으면서 승연이에게 손을 내밀었다. 얼떨결에 승연이도 은애의 손을 잡으며 말하였다.

"응, 내 이름은 이승연이야. 나도 4학년이야."

드디어 열매 줍기 대회가 시작되었다. 승연이는 은애에게 질 것 같아 불안했다.

'시골에 사는 아이라서 열매를 잘 알거야. 지면 안 되는데…….'

승연이는 은애가 알밤을 주우려고 하면 얼른 다가가서 자기가 먼저 보았다고 우겼다. 그리고 재빨리 알밤을 주워 바구니에 담았다.

어느덧 해가 설핏해지고 그동안 주운 열매를 저울에 달아 보는 시간이 되었다. 승연이는 슬쩍 은애의 바구니를 넘겨다 보았다. 은애의 바구니 속에는 알밤과 도토리가 가득하였다. 승연이는 애가 탔다.

"승연아, 이거 너 가져."

은애가 승연이게 바구니를 불쑥 내밀었다. 갑작스러운 말에 승연이는 멍하니 은애를 바라보았다.

"사실 엄마와 난 도시 사람들이 이런 대회를 연다기에 신기해서 한번 와 보았을 뿐이야. 그리고 우리는 산에 자주 와."

은애는 승연이의 바구니에 열매를 가득 부어 부었다.

— 초등학교 4-2, 《국어 읽기》 중에서

1. 승연이와 은애의 말이나 행동을 통해 두 사람이 상대방을 대하는 태도를 아래 표에 정리해 봅시다.

인물	말이나 행동	상대방을 대하는 태도
승연		
은애		

2. (가)에 밑줄 친 '산이 주는 귀한 선물'이 무엇인지 설명하고, 그에 대한 자신의 견해를 논술하시오. (300자 내외)

생각 쓰기

case 2 **다음 두 제시문의 공통점을 설명하고, 이에 대한 자신의 견해를 논술하시오. (800자 내외)**

가 (……) 부버는 "영혼이란 내 속에 있는 것이 아니라 나와 너 사이에 있는 것이다"라고 말을 합니다. 영혼은 우리 몸속에서 돌고 있는 피와 같은 것이 아니라, 우리가 호흡하고 있는 공기와 같다고도 합니다. 영혼은 한 인간에게 가장 소중한 것, 자신의 내면의 가장 중심의 것이라고 말할 수 있습니다. 영혼을 판다는 것은 목숨을 잃는 것보다 더 나쁜 것이라고 할 수 있습니다. 그런 영혼의 자리는 내 몸 안이 아니라 나와 다른 사람 사이에 있다는 것입니다.

그러므로 자신을 가장 아끼는 방법 즉, 자신의 영혼을 아끼는 방법은, 나와 너의 관계를 잘 돌보는 일이 됩니다. 그것은 곧 사랑입니다. 사랑은 관계를 아끼는 것이고 그 관계에 책임을 지는 것입니다. 그래서 부버는 "사랑이란 너에 대한 한 사람의 나의 책임이다"라고 말했습니다. 사랑은 나—너의 관계로만 가능한 것입니다.

우리는 우리가 맺는 관계를 과연 얼마나 잘 아끼고 가꾸고 있나요? 관계를 아끼는 것은 곧 나를 아끼는 길이며, 책임 있는 사랑의 관계를 만드는 것은 내가 살 수 있는 방식 가운데 가장 아름답고 좋은 삶의 방식입니다.

—《마르틴 부버가 들려주는 만남 이야기》 중에서

나 그림자

신형건

친구야, 우리 나란히 어깨동무하고

함께 노래하며 걸을 때,

작은 내 키만큼 낮은 네 목소리와

큰 네 키만큼 높은 내 목소리

곱게 섞이어 푸른 하늘로 울려 퍼지고,

네 뒤를 따라다니는 긴 그림자와

내 뒤에 붙어다니는 짧은 그림자

하나로 포개지는 걸

넌 본 적이 있니?

친구야, 그렇게 포개어진 그림자가

우리 손 흔들며 헤어질 때,

서로 바뀌어

내 그림자를 너희 집으로

네 그림자를 우리 집으로

데리고 가는 걸 알고 있니?

떨어져 있어 보고픈 동안

우린 서로 바뀐 그림자를 가진다는 걸

난 오늘에야 알았단다.

— 초등학교 6-2, 《국어》 중에서

생각 쓰기

생각 쓰기

case 3 제시문 (나)를 참고하여 제시문 (가)에 나타난 문제를 해결하기 위한 자신의 견해를 논술하시오.

가 숨이 턱턱 막힐 정도로 더운 여름에는 옆에 사람이 있는 것조차 싫어집니다. 해마다 여름은 왜 이리 더워지는 건지, 지구에 일이 나도 단단히 난 것 같습니다. 무분별한 소비와 개발이 인간에게 경고음을 보내고 있는 것은 아닐까요?

안심하고 마실 수 있는 물이 사라져 가고, 공기도 더러워지고 있습니다. 점점 더 많은 식물과 동물이 지구에서 자취를 감추고 있습니다. 열대 우림의 55%가 이미 사라졌고, 매년 2만 7천여 종의 동식물이 지구에서 자취를 감추고 있답니다. 하루에 74개 종이, 1시간마다 3개 종이 멸종되고 있다는 말이 됩니다. 그 결과, 전 세계는 환경문제와 기상이변으로 고통 받고 있습니다.

— 초등학교 6-2, 《국어 읽기》 중에서

나 워싱턴의 대(大)추장이 우리 땅을 사고 싶다는 전갈을 보내 왔다. 대추장은 우정과 선의의 말도 함께 보내 왔다. 그가 답례로 우리의 우의를 필요로 하지 않는다는 것을 잘 알고 있으므로 그로서는 친절한 일이다. 하지만 우리는 당신들의 제안을 진지하게 고려해 볼 것이다. 우리가 땅을 팔지 않으면 백인이 총을 들고 와서 우리 땅을 빼앗을 것임을 우리는 알고 있다.

그대들은 어떻게 저 하늘이나 대지의 온기를 사고팔 수 있는가? 우리로서는 이상한 생각이다. 대기의 신선함과 반짝이는 물을 우리가 소유하고 있지도 않은데 어떻게 그것들을 팔 수 있다는 말인가? 우리에게는 이 대지의 모든 부분이 신성한 것이다. 빛나는 솔잎, 모래 기슭, 어두운 숲 속 안개, 맑게 노래하는 온갖 벌레들, 이 모두가 우리의 기억과 경험 속에서 신성한 것들이다. 나무 속에 흐르는 수액은 우리 홍인(紅人)의 기억을 실어 나른다. 백인은 죽어서 별들 사이를 거닐 적에 그들이 태어난 곳을 망각해 버리지만, 우리는 죽어서도 이 아름다운 대지를 결코 잊지 못한다. 그 이유는 여기가 바로 우리 홍인의 어머니의 품속이기 때문이다. 우리는 대지의 한 부분이고 대지는 우리의 한 부분이다. 향기로운 꽃은 우리의 자매이다. 사슴, 말, 큰 독수리, 이들은 우리의 형제들이다. 바위산 꼭대기, 풀의 수액, 조랑말과 인간의 체온 모두가 한 가족이다. (……) 만약 우리가 이 땅을 팔 경우에는 이 땅이 신성한 것이라는 걸 기억해 달라. 신성할 뿐만 아니라, 호수의 맑은 물속에 비추인 신령스러운 모습들 하나하나가 우리네 삶의 일들과 기억들을 이야기해 주고 있음을 아이들에게 가르쳐야 한다. 물결의 속삭임은 우리 아버지의 아버지가 내는 목소리다. 강은 우리의 형제이고 우리의 갈등을 풀어 준다. 카누를 날라 주고 자식들을 길러 준다. 만약 우리가 땅을 팔게 되면 저 강들이 우리와 그대들의 형제임을 잊지 말고 아이들에게 가르쳐야 한다. 그리고 이제부터는 형제에게 하듯 강에게도 친절을 베풀어야 할 것이다.

— 인디언 추장 시애틀의 연설문, '우리는 모두 형제들이다' 중에서

생각 쓰기

생각 쓰기

실전 논술

예시 답안

case 1

1.

인물	말이나 행동	상대방을 대하는 태도
승연	· '일등을 해야지.' · '내가 가장 많이 주워야지.' · '시골에 사는 아이라서 열매를 잘 알거야. 지면 안 되는데…….' · 주운 열매를 달아 보는 시간에 슬쩍 은애의 바구니를 넘겨다 보았다.	승연이는 남에게 지기 싫어한다. 그래서 남의 것을 먼저 가로채면서까지 욕심을 부리는 이기적인 태도를 보여 준다. 이는 '나-그것' 의 관계이다.
은애	· 승연이에게 먼저 손을 내밀어 인사를 청했다. · "승연아, 이거 너 가져." · 승연이의 바구니에 열매를 가득 부어 주었다.	은애는 붙임성이 있고 도시 친구를 배려해 준다. 은애가 친구를 배려하고 양보하는 모습은 '나-그것' 의 관계를 보여 준다.

2. 열매 줍기 대회에서 일등을 하려고 열심히 열매를 주운 승연이가 해가 질 무렵 주운 열매를 달아 보는 시간이 되어 초조해 할 때, 은애는 승연이의 바구니에 주운 열매를 가득 부어 주었다. 이를 통해 승연이는 '산이 간직한 귀한 보물' 이 서로 나누는 마음이라는 것을 어렴풋이 알았을 것이다. 승연이는 열매 줍기 대회에서 우승할 자신의 모습만 생각하고, 새로 알게 된 친구를 배려하기 보다는 이기하

려고 한 자신의 모습을 후회하게 되었을 것이다. 뿐만 아니라 승연이는 은애라는 소중한 친구를 얻게 되었다. 승연이와의 만남이야말로 '산이 간직한 귀한 선물' 이다.

case 2 제시문 (가)에서는 영혼이 내 속에 있는 것이 아니라 나와 너 사이에 있다고 말한다. 영혼은 인간에게 가장 소중한 것인데, 그 가장 소중한 것이 내 안에 있는 게 아니라 다른 사람과의 관계에 있다는 것이다. 그래서 자신이 가장 아끼는 것은 남을 아끼는 것, 즉 '나—너' 사이의 관계를 좋은 관계를 유지하는 것이라고 할 수 있다. 다른 사람에 대하여 책임지려는 태도와 사랑하는 마음을 가지는 것이 가장 아름답고 좋은 삶의 방식인 것이다.

제시문 (나)는 이러한 '나—너' 의 관계가 구체적으로 나타나 있다. 나와 친구는 서로 다르다. 나는 키가 작고 목소리가 높지만, 친구는 키가 크고 목소리가 낮다. 그러나 둘 사이의 우정은 진하기에 두 사람이 나란히 어깨동무하고 걸을 때, 두 사람의 그림자는 하나로 포개진다. 서로 다르지만 서로 간의 우정과 사랑을 통해 하나가 되는 것이다. 또 헤어질 때 서로를 아끼는 마음은 그림자가 되어, 나는 친구의 그림자를, 친구는 나의 그림자를 데리고 집에 간다.

제시문 (나)에서 두 사람은 진정한 우정 속에서 아름다운 삶을 살아가고 있다. 키도 차이가 나고 목소리도 다르지만, 서로에 대한 믿음과 사랑 속에서 자기보다도 친구를 먼저 생각하는 마음이 전해진다. 헤어질 때 서로의 그림자를 데리고 각자 집에 가는 것은 자기 자신보다도 친구를 먼저 생각하는 마음 즉, 둘 사이의 우정을 소중히 생각하는 마음이 있기 때문에 가능한 것이다. 이는 제시문 (가)에서 말한 것처럼 상대와의 관계를 소중히 여기고 책임지려는 태도이다. 만약 우리가 모든 사람을 친구처럼 대한다면, 우리의 삶은 서로를 시기하고 이용하려는 마음에서 벗어나 진정한 삶을 살아갈 수 있을 것이다.

case 3 이 문제는 분량의 제한이 없다. '우리는 모두 형제들이다' 라는 인디언 추장의 말을 통해 여러분이 느낀 바를 솔직하게 담아내면 좋은 글이 될 것이다.

인디언 추장 '시애틀(Seattle)'

지금은 미국의 도시 이름이 된, '시애틀'은 실은 미국 서부 지역에 거주하던 두아미쉬 수쿠아미쉬 족(族)의 추장이었습니다. 1854년, 미국의 14대 대통령 프랭클린 피어스는 백인 대표단을 파견하여 이 인디언 부족이 전통적으로 살아온 땅을 팔 것을 제안했습니다. 지금의 워싱턴 주에 해당하는 인디언들의 삶터를 차지하는 대신 인디언 보호 구역을 주겠다는 것이 미국 정부의 제안이었습니다. 이러한 백인 정부의 제안에 대하여 몸집이 장대하고 우렁찬 목소리를 가졌다고 전해지는 시애틀 추장이 답한 연설문입니다. 미국 독립 200주년을 기념해 공개된 그의 연설은 오늘날 환경과 자연에 대한 분별없는 파괴의 결과로 인하여 전 인류가 심각한 고통에 직면하게 된 시대에 호소력을 지니고 있습니다.

Abitur

철학자가 들려주는 철학이야기 093

마키아벨리가 들려주는 군주론 이야기

저자_**이봉선**

중앙대에서 문예창작을 전공했습니다. 1998년과 2004년에 신춘문예 단편소설로 등단하였습니다. 현재 대학에서 소설 창작을 강의하며 소설을 쓰고 있습니다. 효원이, 태준이의 아빠로서 좋은 책을 많이 읽어 주기 위해 노력하고 있습니다. 학생들에게 국어와 논술을 가르치면서 가장 소중한 삶의 가치가 무엇인지도 늘 고민하고 있습니다.

배경 지식 넓히기

Machiavelli, Niccoló

마키아벨리와 '군주론'

마키아벨리 주요 개념

1. 마키아벨리를 만나다

1) 마키아벨리는 누구인가 — 시대와 생애

마키아벨리는 이탈리아의 피렌체에서 1469년 5월 3일에 태어났습니다. 당시 피렌체는 '꽃의 도시' 로 불리고 있었으며, 메디치 가문은 독재를 했지만 입헌 공화정 안에서 자비로운 통치를 한다고 평가받고 있습니다. 하지만 1492년 로렌초 메디치가 사망한 후 피렌체는 혼란에 빠지게 됩니다. 그 후 1495년부터 수도사 사보나롤라의 신권정치가 시작됐으나 지나치게 엄격하여 대중으로부터 원성을 샀습니다. 1498년 4월 사보나롤라는 피렌체 시민들에 의해 처형되었습니다. 이것은 피렌체에 공화정치가 실시되는 계기가 됩니다.

마키아벨리는 1498년 5월 28일 제2서기장에 선임되었습니다. 프랑스, 독일 등에 외교 사절로 파견되기도 하고, 민병대를 조직하고 전쟁에 참여하기도 하는 등 피렌체 공화정을 위해 활동했습니다. 이 때문에 마키아벨리는 '피렌체의 서기장' 이라고 불리기도 합니다.

1507년 12월 신성로마제국의 막시밀리안 1세는 독일로부터 이탈리아의 침공을 계획하고 있었습니다. 이에 마키아벨리를 알프스 너머 독일로 파견하게 됩니다. 목적지에 도착한 마키아벨리는 정치 상황을 면밀히 분석하여, 1508년에 《독일에 관한 보고서》를 집필합니다.

마키아벨리가 독일에서 돌아왔을 때 피렌체는 피사의 탈환에 힘을 기울이고 있었습니다. 마키아벨리는 선두에서 민병대를 독려하며 모든 정열을 쏟아 부었습니다. 하지만 1512년 율리우스 2세의 신성 동맹군이 피렌체 공화국을 침략하는 것을 막지 못했습니다. 그래서 1512년 최고행정관 소데리니가 축출되고 다시 메디치가 피렌체를 지배하게 됩니다. 마키아벨리는 구정권에 일했다는 이유로 직위를 잃었고 1년간 억류되었습니다. 그리고 메디치를 반대하는 세력이라는 이유로 체포되어 감옥에 갇혔다가 1513년 교황 레오 10세 즉위 기념 특별 사면으로 풀려나게 됩니다.

마키아벨리는 이 해 7월부터 12월에 걸쳐서 《군주론》을 집필하게 됩니다. 그리고 1516년에 《군주론》을 교황 레오 10세의 조카인 젊은 로렌초 메디치에게 헌정하고 정치가로서 발탁되길 희망했으나 메디치가는 마키아벨리를 중용하지 않았습니다. 다만 1520년 피렌체 정부의 명을 받아 파견을 갔고, 《피렌체 사》를 집필하기도 하였으며, 1526년에는 성벽방위위원회 의장이 되었습니다. 하지만 이는 다시 마키아벨리가 좌절하게 되는 원인이 되고 맙니다. 1527년 5월 16일 피렌체의 '금요일의 봉기' 로 메디치가의 통치가 다시 몰락하면서 공화정이 수립되고 다시 마키아벨리에게 기회가 찾아왔지만 마키아벨리는 메디치가에서 일을 한 것으로 인해 공화정에 참여할 수 없게 되었기 때문입니다. 그리고 그는 같은 해 6월 21일 병으로 사망하게 됩니다.

2) 마키아벨리의 사상 – 목적의 당위성

마키아벨리는 르네상스 시대를 살았던 이탈리아의 정치가이자 사상가입니다. 당시 이탈리아는 지금처럼 하나의 국가가 아니라 여러 지역으로 나눠진 도시 국가의 형태였으며 프랑스, 에스파냐와 같은 강대국의 위협에 휩싸여 있었습니다. 피렌체에서 관직을 지냈던 그는 주변 국가들의 강력한 힘과 메디치가에 의해 좌지우지되고 있는 피렌체의 현실 속에서 군주론을 주창하게 됩니다.

《군주론》의 주요 내용은 강력한 군주에 의한 통일된 정치 체계를 지향한다는 것입니다. 이는 군주의 통치 수단은 어느 것을 사용하든지 상관하지 않고 단지 최종 목적이 '정의' 에 부합된다면, 바른 정치라고 보고 있는 것입니다. 목적은 수단을 정당화 시킬 수 있다는 의미이기도 합니다. 여러분은 이러한 마키아벨리의 주장에 대해 어떻게 생각하나요?

현대 사회에서는 목적이 수단을 정당화시키는 것을 인정하지 않지만, 당시는 명분만 있으면 무엇이든 해도 좋다는 잘못된 사상이 널리 퍼져 있었습니다. 하지만 정작 마키아벨리 본인은 군주론을 별로 신용한 것 같지 않습니다. 군주론은 사후, 그의 친인들에 의해 출판된 것인데, 마키아벨리는 《군주론》을 완성한 뒤에도, 이 책의 내용이 사회에 미칠 파장을 염려하여 공개하지 않았습니다. 이는 마키아벨리가 '혼란한 정세 속에서 다소 비열한 수단을 사용해서라도 정도를 세우는 군주가 절실히 필요하다' 라는 생각을 가지고는 있었지만 이는 참고 사항일 뿐 정치적 사상에 있어서 중심은 아니라는 생각도 동시에 가지고 있었음을 의미합니다.

당시의 중세는 암흑기를 막 벗어나는 시기였습니다. 이 시기에는 권력을 가진 자들이 평민들을 혹사시키며 사리사욕을 채웠기 때문에, 문화와 예술의 발전이 멈춰 버렸거나 오히려 퇴보하는 경향을 보이고 있었습니다. 마키아벨리는 이런 상황을 극복하기 위해서, 비록 그 수단이 정도에서 벗어났다 하더라도 하루 빨리 강력한 군주에게 권력을 집중하는 것이 중요하다고 생각한 것입니다.

마키아벨리가 군주론을 저술한 근본 원인은 혼란을 오래 끌기보다는 어떤 수단을 동원해서라도 빨리 혼란을 종식시키는 것이 바람직하다고 여겼기 때문입니다. 하지만 이런 상황을 고려하지 않고 목적을 내세우고 있다는 점과 절대 군주를 찬미하고 있다는 점에서 마키아벨리즘은 후대에 비판을 받게 됩니다.

3) 마키아벨리의 감수성

마키아벨리는 이 이론 때문에 피도 눈물도 없는 잔혹한 사람으로 불리기도 했습니다. 하지만 마키아벨리는 지도자에게 냉철한 면모가 필요하다고 생각했을 뿐입니다. 마키아벨리는 죽는 날까지 피렌체의 공복이 되고자 했던 열정의 사나이였습니다. 마키아벨리는 스스럼없이 친구를 사귀고 유쾌한 농담을 좋아했습니다. 이러한 감수성은 그가 남긴 문학 작품 속에서도 잘 나타납니다.

마키아벨리는 정치가 혹은, 정치사상가로 알려져 있지만 훌륭한 시와 희극도 많이 남겼습니다. 마키아벨리가 쓴 희극 〈만드라골라〉(1518년)와 〈클리치아〉(1525년)는 실제 성공리에 공연되기도 한 작품입니다. 특히 이 작품 속에 공직에서 쫓겨난 후 베토리와 주고받았던 편지는 마키아벨리의 일상 생활과 당시 유럽의 상황을 잘 나타내고 있습니다. 또한 《군주론》에서는 군더더기 없이 자신의 주장을 설득력 있게 전달고 있어, 형식면에서도 좋은 글로 평가받고 있습니다.

"진중한 듯하다가도 경멸조로 돌아섬으로써 당시 칭송을 듣고 인기를 함께 누렸던 그의 문체. 그것이 지닌 비할 데 없는 대담성과 힘. 그의 가르침이 드물지 않게 높은 권위를 부여받는 것도 작가로부터 풍겨져 오는 인상 덕분인 것이다."

리돌피는 마키아벨리의 글솜씨를 신이 내린 것이라고 극찬을 했습니다.

마키아벨리즘

마키아벨리즘은 정치는 도덕과 종교로부터 독립된 존재이며 일정한 정치 목적을 달성하기 위한 수단으로써의 도덕성, 종교성은 결과에 따라 정당화된다는 정치적 사고를 뜻하는 것입니다. 그래서 일반적으로는 목적이 수단을 정당화하기 때문에 목적의 달성을 위해서는 어떠한 방법도 허용된다는 뜻으로 이해되어 왔습니다. 따라서 그러한 사고방식에 의하여 행동하는 사람을 모두 마키아벨리스트라고 부릅니다. 그러나 이런 사고가 반드시 마키아벨리의 사상과 일치하는 것은 아닙니다.

마키아벨리는 고대 로마인이 가진 역량과 재능을 르네상스 시대 이탈리아 사람들의 마음속에서 소생시키고자 했습니다. 그는 이탈리아에 새로운 정치와 사회의 질서 수립이 중요하다고 생각했고, 그 이상을 실현하기 위해서는 먼저 낡은 전통적 도덕이나 종교를 타파하고 그에 구속되지 않는 강력한 지배자를 탄생시켜야 한다고 생각했습니다. 하지만 그의 참뜻이 바르게 이해되지 않고 도덕, 종교의 부정이라는 일면만이 강조되어 그의 사상 전체가 비난을 받았습니다. 특히 로마 교황청은 1559년 마키아벨리 저서 전부를 금서 목록에 넣었고, 프랑스의 신교도는 생 바르텔미의 학살이 마키아벨리의 가르침을 실행한 것이라 하여 그를 규탄했습니다. 프로이센의 대왕 프리드리히 2세는 마키아벨리의 《군주론》은 정치가에게 악덕을 권하는 것이라고 비난하면서 정치가는 도덕을 존중해야 한다고 주장했습니다. 이와 같은 비난으로 인해 마키아벨리는 정치가가 자신의 정치 목적을 달성하기 위해서라면 어떠한 수단을 사용해도 좋다고 생각하는 사람인 것처럼 인식되었습니다. 또한 이러 생각이 마키아벨리즘을 낳게 되었습니다.

2. 교과서에서 만난 군주론

① 왕권은 신이 내려준 신성한 힘

16세기 후반, 봉건제도가 무너지면서 강력한 중앙집권적 정치 체제가 나타났는데, 이를 절대왕정이라고 한다.

절대왕정을 뒷받침한 것은 관료제와 상비군이었다. 국왕에 의해 임명된 관료들은 국왕의 뜻을 충실히 행정에 반영하였으며, 상비군은 국왕이 필요할 때 언제든지 동원되어 왕권을 무력으로 뒷받침하였다.

절대왕정은 왕권신수설에 바탕을 두고 성립되었다. 이는 왕권은 신이 내려 준 신성한 힘이므로, 국민은 이에 절대복종해야 한다는 사상이었다.

관료제와 상비군을 유지하는 데는 막대한 비용이 필요하였으며, 절대 군주들은 이를 마련하기 위해 중상주의 정책을 펴 상공시민 계층을 자기 편으로 끌어들였다.

절대왕정 시기 각국의 군주들은 저마다 부강한 국가를 만들기 위해 노력하였으며, 이 때문에 왕조 전쟁과 식민지 전쟁이 끊임없이 계속되었다.

-중학교 2, 《사회》 중에서

마키아벨리의 군주론은 강력한 군주에 의해 강력한 정치를 갖추는 것을 주요 내용으로 하고 있습니다. 이와 관련한 내용은 교과과정에서 다양하게 다뤄지고 있습니다.

강력한 군주에 대한 내용은 '왕권신수설'에 잘 나타나 있습니다. 왕의 권한은 신에게 받은 것이기 때문에 인간은 감히 그것을 거역할 수 없다는 것이지요. 일반 사람들이, '왕도 나와 똑같은 사람'이라는 생각을 하고 있다면 왕의 명령은 반대에 부딪칠 때가 많을 것입니다. 하지만 왕이 하는 말은 신에게서 부여받은 특별한 것이라고 한다면, 그것이 아무리 부당한 것이라고 해도 감히 거역할 수는 없을 것입니다.

여러분들은 이러한 생각에 동의할 수 있나요? 물론 오늘날의 사고방식으로 보면 말이 안 되는 생각이지요. 하지만 중세 유럽에서 이러한 생각은 보편성을 갖고 있었습니다. 왕은 평범한 인간이 아닌 신의 말을 전달하는 권력이라고 생각한다면, 그 어느 누구도 왕의 명령에 반대를 할 수는 없었겠지요.

왕권신수설

왕의 권리는 신에게서 부여받은 것이므로, 사람들은 무조건 복종해야 한다는 주장입니다. 왕 이외의 어떤 권력도, 왕의 명령에 무조건 따라야 한다는 것입니다. 이것은 영국과 프랑스의 왕들이 교황이나 지방의 제후를 누르고 왕권을 확립하는 데에 뒷받침이 된 주장입니다.

이것은 신께서 최초의 인간인 아담에게 권력을 주었고, 그 뒤를 이은 후손들이 이를 계승한 후 각지에 군림하여 왕이 되었으므로 왕은 곧 신의 권리를 직접 부여받았다는 식의 논리입니다. 이러한 생각은 프랑스의 루이 14세에 이르러 절정에 달합니다. 그는 '신의 백성들은 누구든 무조건 복종하는 것만이 신의 희망'이라고 주장했습니다. 이것은 다르게 말하면 왕에게 도전하는 것은 바로 신에게 도전하는 것이라는 의미로 볼 수 있습니다. 인간이라면 감히 신에게 도전할 수 없는 것처럼, 백성들은 감히 왕에게 도전할 수 없다는 것입니다.

② 도덕 문제의 등장

우리 사회의 가장 큰 도덕 문제는 도덕적 의식의 약화와 인간성 상실이다. 사람들은 치열한 경쟁 속에서 살아가기 위하여 수단과 방법을 가리지 않고 있으며, 비도덕적 행위를 하거나 범죄를 저질러도 죄의식을 느끼지 못할 정도로 도덕의식이 약화되었다. 사람들은 편리하고 즐거움을 주는 것만 좋아하게 되고, 육체적인 쾌락과 물질적인 만족을 끊임없이 추구한다. 그리고 자살, 살인 등 생명을 너무 쉽게 포기하거나 해치는 사건들을 자주 일으킨다.

— 중학교 2, 《도덕》 중에서

마키아벨리의 군주론에서 가장 논란이 되고 있는 내용은, 강력한 군주의 권력을 바탕으로 목적만 정당하다면 어떤 수단과 방법을 사용해도 된다는 것입니다. 즉 국가 전체의 이익을 위해서는 어떤 통치 수단을 사용해도 크게 문제되지 않는다는 것입니다.

물론 마키아벨리가 이런 내용의 《군주론》을 썼다고 해서, 그의 주장이 당시에 그대로 받아들여진 것은 아니었고, 실제로 마키아벨리도 그렇게 극단적인 생각을 갖고 있지는 않았다고 합니다. 그런데 문제는 이러한 《군주론》의 내용과 같은 일이 현실에서는 자주 일어난다는 점입니다. 예를 들어, 부당하게 권력을 얻은 독재자들은 자신들의 권력을 유지하고 정당화하기 위해, 경제 발전의 논리를 내세워 노동자들을 혹사시키거나 사람들의 생존권을 함부로 빼앗는 경우가 있습니다. 이것은 국가의 이익이라는 명목으로 개인의 권리를 부당하게 침해하는 것입니다. 또한 우리 주변에서도 자신이 원하는 목적을 달성하기 위해 다른 사람은 어떻게 되어도 상관없다는 식으로, 과정이나 절차를 무시하는 경우가 많습니다. 하지만 전체의 이익을 위한 일의 결과가 아무리 정의로운 것이라 해도, 일을 추진하는 과정에서 도덕적인 기준을 무시해서는 안 될 것입니다. 일의 진행 과정이 올바르지 못하면 결국에는 더 큰 문제를 일으킬 가능성이 높기 때문입니다.

시험만 잘 보면 내가 좋아하는 선물을 받을 수 있다고 해서, 부정한 방법으로 만점을 받았다면 여러분은 과연 행복할까요? 잠깐 동안은 선물에 만족하며 살아갈 수도 있겠지요. 하지만 시험 점수만 잘 받고, 자신의 실력은 쌓지 못했다면, 나중에 상급 학교로 진학했을 때 제대로 된 실력을 발휘하기는 어려울 것입니다. 도덕적으로 정당하지 않은 과정의 결과는 궁극적으로 불행한 결과를 가져올 수밖에 없습니다. 정당한 수단으로 경쟁하고 실력을 쌓아 나갈 때 진정 원하는 결과를 얻을 수 있을 것입니다.

③ 동양의 군주론 — 인 · 의 · 예를 바탕으로 한 정치

공자는 사회 성원들이 각자의 신분과 지위에 따라 맡은 바 역할을 다할 때, 평화롭고 안정된 사회가 이룩될 것으로 생각하였고, 진정한 사회 질서는 강제된 법률이나 형벌보다 도덕과 예의로 교화함으로써 이루어진다고 하였다. 그리고 도덕과 예의가 주된 사회의 규범이 되려면, 백성들이 편안하게 살아갈 수 있도록 통치자가 먼저 군자다운 인격을 닦고서 다스려야 한다는 정치사상을 주장하였다. 또 통치자는 재화의 적음보다 분배가 균등하지 못한 점을 걱정해야 한다는 경제적인 분배의 형평성도 강조하여 인과 예를 통하여 올바른 도덕을 확립하고 바람직한 사회 질서를 회복함으로써, 모든 사람이 더불어 잘 살 수 있는 대동 사회를 궁극적인 이상 사회로 삼았다. 이러한 공자의 사상은 맹자나 순자에 의해서 계승되어 더욱 발전하였다.

맹자는 공자의 '인'에, 의리 정의로 규정할 수 있는 '의'를 덧붙여 인의를 강조하였고, 사단을 근거로 하여 성선설을 주장하였다. 맹자가 주장한 인간의 본성은 '인과 의'라는 두 가지 덕목으로 요약할 수 있다. 인이 따뜻하고 포용적인 사랑을 의미한다면, 의는 옳고 그름을 분명하게 구분하는 사회적 정의를 말한다. 맹자는 인보다 의를 더욱 강조하며 집의를 통한 호연지기에 오를 것을 주장하였는데, 이는 공자가 살았던 시대보다 더욱 혼란해진 전국 시대의 상황에서 옳고 그름을 판단하여 정의를 밝힘으로써 현실 사회의 혼란을 극복하려고 하였기 때문이다. 또한 맹자는 정치에 있어서 부국강병책에만 의존하는 전국 시대의 패도 정치를 배척하고, 덕으로써 나라를 다스리는 왕도 정치를 주장하였다.

순자는 성악설을 주장하면서 옛 성현들의 가르침에 따라 끊임없이 행실을 갈고 닦아 "악한 본성을 변화시켜 선하게 만들어야 한다."고 하였다. 그는 악한 성품에 대비해 '예'의 실현과 교육을 강조하였고, 정치도 '예치'가 되어야 한다고 주장하였다. 여기서 말하는 예란, 인간의 질서 있는 생활을 외적으로 규제하는 도덕규범을 의미하는 것으로, 순자는 사람에게 예가 없으면 생존할 수 없고, 도모하는 일에 예가 없으면 성공할 수 없으며, 국가에 예가 없으면 사회의 안정을 이룩할 수 없다고 하였다. 즉, 순자는 인의의 도덕이 실현되기 위해서는, 외적인 행동을 규제하는 강력한 예가 필요하다고 보았다. 이것이 바로 순자의 예치로서, 인간의 내면에 들어 있는 인의의 도덕을 바깥으로 확충할 것을 강조한 맹자의 입장과는 다른 점이다.

– 고등학교, 《윤리와 사상》 중에서

군주의 올바른 정치에 대해서는 동양에서도 많은 사상이 있었습니다. 마키아벨리의 군주론과 유사한 점은, 나라가 처한 어려운 상황을 잘 극복하여 튼튼한 나라를 만드는 것이라고 할 수 있습니다.

그러나 차이점이 훨씬 더 많습니다. 그것은 바로, 백성들이 행복하게 살 수 있도록, 어진 마음인 '인', 옳고 그름을 구분하는 사회적 정의인 '의', 인간의 도덕규범인 '예'를 바탕으로 지도자는 정치를 해야 한다는 것입니다. 부강한 나라도 중요하지만, 백성들을 위해 먼저 힘을 쓰는 지도자가 진정한 군주라는 것입니다. 마키아벨리가 목적을 위해서라면 수단은 크게 문제 삼을 필요가 없다는 주장을 한 것에 비해, 공자와 맹자, 순자의 사상은 백성들을 위한 정치를 위해 왕은 기꺼이 도덕적 인간으로서 수양을 쌓아야 한다고 말했습니다.

이렇게 비교해 보면 마치 마키아벨리의 주장은 독재 권력을 부추기는 것 같고, 동양의 유교 사상은 국민을 먼저 위하는 민주주의를 지향하는 것 같지요. 그런데 마키아벨리의 주장에서 우리가 살펴봐야 할 점은 강력한 국가를 만들기 위해서는 지도자의 강력한 리더십이 필요하다는 것입니다. 마키아벨리의 목적을 이루기 위한 강력한 군주론과, 백성들을 위한 군주의

공자의 덕치정치, 맹자의 왕도정치

공자의 덕치주의는 도덕과 예의로 백성을 교화하는 정치를 말합니다. 통치자는 군자다운 인격으로 백성들을 다스려야 하고, 경제적인 분배의 형평성을 중시해야 한다는 사상입니다. 이를 위해 각자가 맡은 바 임무를 충실히 하고, 인과 예를 통해 도덕을 확립하여 사회 질서를 회복하는 것입니다. 이것은 모든 사람이 더불어 잘 살 수 있는 사회, 만인의 신분적 평등, 재화의 공평한 분배 등을 바탕으로 합니다.

맹자의 왕도정치는 인과 의를 바탕으로 백성을 다스리는 정치를 말합니다. 이것은 백성들의 안정을 바탕으로 합니다. 백성이 가장 귀하고 국가가 그 다음이며 군주는 가장 가볍다고 주장합니다. 백성은 나라의 근본으로, 근본이 튼튼해야 나라가 평안하다는 민본주의를 바탕으로 하고 있습니다.

도리를 생각하는 공자, 맹자, 순자의 사상이 잘 조화를 이룬다면 가장 이상적인 군주론이 되지 않을까요?

3. 기출 문제 속에서 만난 마키아벨리

군주론은 마키아벨리가 의도했던 바와 달리 목적을 위해서라면 수단이 정당화 될 수 있다는 점에서 많은 논란이 되고 있습니다. 이는 당시 마키아벨리가 살았던 시대상을 간과해서 생긴 오해이기도 합니다. 하지만, 현대 사회에서도 목적을 우선시하는 태도가 만연해 있다는 점에서 논술에서도 자주 다루어지는 주제이기도 합니다.

최근 기출 문제를 살펴보면 2008년 한양대 모의 문제에서 "문제의 실상을 파고들라"는 마키아벨리의 주장이 다뤄졌고, 2007년 고려대 정시 문제에서는 올바른 질서를 유지하는 방법에 대해 언급된 적이 있습니다. 또한 아래에서 살펴볼 논제는 2007 시립대 정시 문제로, 마키아벨리즘에 대해 평가하는 문제가 출제되었습니다.

시립대 문제는, 정치에서 도덕을 위반하는 경우, 이에 대한 찬성이나 반대 의견을 묻는 것이었습니다.

우선 이 문제에 답하기 위해서는 여러분들이 정확히 마키아벨리즘에 대해서 이해하고 있어야 한다는 바탕이 필요합니다. 마키아벨리즘은 문제에서도 설명되어 있듯이 올바른 정치를 행하기 위해 수단은 중요하지 않다는 사상을 바탕으로 하고 있지만 마키아벨리가 왜 이러한 극단적인 사상을 펼쳤는지에 대한 이해도 수반되어야 한다는 것입니다. 그다음 각각의 제시문이 이 논거에 대하여 어떠한 입장을 취하는지 판단할 필요가 있습니다. 여러분들이 제시문을 분석할 때는 그 근거가 무엇이며, 또한 그것이 적절한지에 대하여 스스로 판단해 봐야 하겠지요.

정치는 우리가 활동하는 일반적인 사회현상과는 다른 점이 있습니다. 바로 정치는 국가라는 거대한 조직을 유지하기 위해 권력을 획득하고 행사하는 활동을 가리키기 때문입니다. 이러한 목적을 위해서 과연 도덕의 위반이 불가피한 것일까요? 물론 답은 없습니다. 따라서 여러분 스스로의 생각을 정리해 나가면서, 주장의 전개 과정에서 객관성을 잃지 않는다면 자신의 생각을 효과적으로 제시할 수 있습니다.

이외에도 마키아벨리의 군주론에서 많은 논란이 되고 있는 과정과 목적의 정당성에 대한 문제가 다양하게 출제되었습니다. 1998년 건국대 정시 인문계 논술에서는 '목적과 결과를 고려하여 행위의 정당성 여부 판단' 을 묻는 문제가 출제되었습니다. 2003년 건국대 정시에서는 '법질서라는 사회적 가치와 효, 양심이라는 인간적, 도덕적 가치의 갈등' 을 묻는 문제가 출제되었습니다. 이화여대 2007년 정시에서는 '국가의 도덕적 입장' 과 관련한 논제가 출제되었습니다.

지도자의 덕목인 지도력과 연계한 문제는 구술 면접에서도 중요한 주제입니다. 군주론의 올바른 의미를 이해하고, 수단과 목적의 정당성을 생각해 보는 것은, 논술에서 가장 중요한 부분입니다. 이것은 우리의 삶과 한시도 떠나서 생각할 수 없는 정치와 바람직한 삶에 대한 문제로 직결되기 때문입니다.

실전 논술

논술 문제

case 1 다음 글을 읽고 주어진 조건에 따라 논술하시오

가 지난 주말이었습니다. 희주네 가족은 큰 아버지 댁에 가기 위해 버스를 탔습니다. 버스가 터미널을 빠져나가 시원한 국도를 달리자, 희주는 마음이 설레었습니다. 창밖으로 보이는 산과 들이 정겨웠습니다.

그런데 한참을 잘 달리던 버스가 점점 속도를 늦추더니, 멈춰 섰습니다. 밖을 내다보니 차들이 꼬리를 물고 서 있었습니다. 추석이나 설날 같았습니다. 버스가 한참 서 있자 사람들은 하나둘씩 버스에서 내렸습니다. 시끄러운 경적 소리가 나고 서로 다투는 소리도 들렸습니다. 도로에 차가 많아서 복잡하기도 했지만, 서로 먼저 가려다 엉킨 차 때문에 다투는 사람들이 있어 더 복잡해진 것 같았습니다.

이런 상황이 계속되자 모두들 짜증스런 표정을 지었습니다. 그 때 한 아저씨가 길 가장자리에 차를 세우고 차에서 내렸습니다.

그리고 조용하면서 힘 있는 목소리로 말했습니다.

"즐거운 여행길입니다. 즐겁게 가셔야지요. 다퉈서 무슨 이익이 있습니까? 서로 조금씩만 양보합시다."

— 초등학교 5, 《도덕》 중에서

나 시대가 변하고 사회 구조가 변했기 때문에 효도의 방법도 변해야 한다는 말은 틀린 말이 아니다. 그러나 그 해결책으로 서양식을 택했을 때에 오류를 범할 수도 있음을 간과해서는 안 된다. 개인주의가 주류를 이루고 있는 서양 문화에서는,

노인 문제에 있어서도 자식에 의존하기보다 사회적인 차원에서 해결하는 방안이 모색된 데 반해, 우리는 집단을 중시하는 문화이기 때문에 가족적인 차원에서 노인 문제를 해결하고자 했다. 따라서 부모를 양로원에 보내거나 실버타운에서 살게 하는 것을 효도라고 말하지 않는다. 자식이 살아 있는데 부모를 저버리는 행위는 가장 그릇된 행위로 간주되는 것은 당연하다. 요즘 시대에 효도의 새로운 방법을 모색한다면, 그것은 서양식 복지 개념이 아니라 한국식 복지 개념의 창출을 통해야 가능할 것이다. 우리가 효도하는 문화를 존중할 때, 그리고 우리의 방식으로 문제를 해결할 때 가장 바람직한 결론이 나올 것이다.

아무리 간호사가 잘 돌보고 물질적으로 여유가 있다 해도, 자식들이 부모를 모시는 것과는 다르다. 또 자식이 부모를 모시지 않는다면, 그것은 인간으로서의 도리를 저버리는 것과 다르지 않다. 물질로 효도를 대신하기보다, 실버타운에 보내는 것을 자랑으로 여기기보다, 나이 든 부모가 바라는 것이 무엇인지를 진심으로 알고 그것을 행하기 위해 노력하는 마음이 곧 효도가 아닐까?

사람이 늙으면 어린아이와 같은 마음이 생긴다고 한다. 그러니 효도를 하는 방법도 어린아이를 보살피는 것과 비슷할 것이다. 누구나 다 노인이 된다. 그것을 염두에 둔다면, 좀 더 진심으로 부모를 섬길 수 있지 않을까?

— 중학교 3-2, 《국어》 중에서

다 "학교가 답답하다고 생각하면서 군인이 되고 싶어 하는 것은 정말 이상해. 그러고 보니 마키아벨리 선생님도 훌륭한 법과 군대가 필요하다고 말씀하셨구나."

"마키아벨리 선생님이요?"

"응. 선생님은 사람이란 선하다기보다 악하다고 보셨어. 그렇기 때문에 세상에서 전쟁이 끊이지 않는 거지. 전쟁을 피할 수 없다면 필연적으로 훌륭한 군대가 있어야 해. 훌륭한 군대가 있어야 훌륭한 법도 있을 수 있고 다른 나라에게 모욕당하지 않지."

"형 말을 듣고 보니 제가 생각이 짧았어요. 전쟁과 군대. 군인이 되면 전쟁에 나가서 싸워야 하는데 전 그런 생각까지는 하지 못했네요. 전 권위적인 것도 싫어하고 전쟁도 싫어하거든요."

"그래. 군대는 전쟁을 수행하기 위해 있는 곳이지. 그래서 군주는 전쟁에 대한 것을 잘 알아야 해. 그러기 위해서는 당연히 군대를 잘 양성해야 하지."

"만약 내가 이곳에서 군인이 된다면 군주가 시키는 대로 해야 하는군요."

"군인이란 원래 그래. 여기뿐만 아니라 어디서든 마찬가지야."

동호는 잠시 생각에 잠겼어요. 이제까지 막연하게 군인이 되고 싶다고만 생각했어요. 그런데 라비의 말을 듣고 보니 그 꿈이 동호에게 적절한지 다시 고민해 보는 게 좋을 것 같았어요.

"마키아벨리 선생님은 전쟁을 하는 과정에서 군주는 잔인해야 한다고 항상 말씀하셨어."

"잔인해야 한다고요?"

"응. 적과 싸워서 이겨야 하잖아. 그러니까 잔인할 수밖에 없지. 예전에 한니발이라는 사람이 있었는데, 그는 전쟁을 할 때마다 이겼어. 그 이유는 그가 전략에 능통하기도 했지만 피도 눈물도 없이 잔인했기 때문이야. 잔인하지 않은 군주는 군대를 단결시킬 수 없다고 보신 거지."

"무섭다. 마키아벨리 선생님은 어째서 그런 생각을 하신 걸까요?"

"선생님이 그러길 바라서 그런 말씀을 하신 건 아니야. 현실적으로 그럴 수밖에 없다고 생각하신 거지. 현실을 무시할 순 없으니까. 어쨌든 전쟁을 하게 되면 우리나라가 이겨야 하잖아. 이기기 위해서는 군주가 착하기만 하면 안 되지."

전쟁에 대한 이야기는 동호를 우울하게 만들었어요. 전쟁 자체도 끔찍한데 전쟁을 이끄는 군주까지 잔인해야 한다니요! 더군다나 그것이 군대를 단결시키기 위한 방법이라니.

— 《마키아벨리가 들려주는 군주론 이야기》 중에서

1. (가)와 (나)에서 공통적으로 주장하는 내용이 무엇인지 요약하시오.(400~500자 내외)

2. (가)를 (나)를 참고하여, (다)에 제시된 마키아벨리의 생각을 비판적 관점에서 논술하시오.(1,000자 내외)

생각 쓰기

생각 쓰기

case 2 제시문 (가)를 바탕으로 (나)에 나타난 문제점과 원인을 설명하고, 이에 대한 해결 방안을 (다)를 참고하여 논술하시오. (1400자 내외)

가 군주는 어떤 경우에 백성들에게 멸시받고 몰락하게 될까요? 마키아벨리는 다음과 같이 이야기합니다.

첫째는 군비(軍備)가 약할 때입니다.

무장을 갖춘 군주와 무장을 갖추지 못한 군주는 상황이 전혀 다릅니다. 무장을 제대로 갖춘 군주만이 다른 군주를 복종시킬 수 있고 부하들로부터 안전할 수 있습니다. 나약한 군주는 부하들에게 멸시를 받을 수밖에 없고, 부하를 믿지 못한다면 함께 일할 수 없기 때문이죠.

그러므로 군주는 역사 속 위대한 선인들의 행적에 관심을 기울이며, 그들이 전쟁 상황에서 어떻게 처신했는가를 알아야 합니다. 그리하여 그들이 승리한 원인과 실패한 원인을 분석하여 올바르게 처신해야 하지요.

둘째는 천박한 모습을 보일 때입니다.

위대한 지도자들은 모두 역사에 해박한 지식을 가지고 있었습니다. 자신보다 앞선 다른 지도자들의 업적을 본받아야 했기 때문이지요.

천박한 행동 때문에 몰락한 군주의 대표적인 예로 세습에 의하여 자연스럽게 왕이 된 마르쿠스 아우렐리우스의 아들 코모두스가 있습니다. 그는 격투장에 뛰어들어 검투사들과 싸우는 등 제왕의 격에 맞지 않는 천박한 행동을 하며 군대와 백성들에게 멸시를 받다가 끝내 반역자에게 죽음을 당했습니다. 코모두스가 아버지의 발자취만 잘 따랐어도 군대와 백성에게 존경받는 왕이 되었을 것입니다. 그랬다면 반역도 일어나지 않았겠지요.

백성들에게 멸시당하여 몰락한 또 다른 인물로 막시미누스가 있습니다. 그는 이전 군주였던 세베루스 알렉산데르가 나약한 성격 때문에 군대에 죽음을 당한 이후 황제로 추대된 인물이지요. 그러나 트라키아에서 양을 치던 천민 출신이었다는 점 때문에 사람들에게 멸시를 당했습니다.

마키아벨리는 백성을 우선으로 생각하는 민중주의자였습니다. 하지만 마키아벨리 역시 막시미누스를 천민 출신이라는 이유로 비하했습니다. 이를 보면 마키아벨리도 신분의 편견을 벗어나지 못했다는 것을 알 수 있습니다.

군주가 백성들에게 멸시받는 세 번째 경우는 군주가 탐욕스러울 때입니다.

군주는 남의 재산을 탐내서는 안 됩니다. 마키아벨리는 인간이 아버지를 죽인 원수보다 유산을 빼앗아 간 사람을 더 오래 기억한다고 합니다. 사람은 누구나 부유해지기를 원합니다. 특히 권력을 장악했을 때는 더욱 그러합니다. 그러나 그 유혹을 이겨 냈을때 지도자는 성공할 수 있습니다.

넷째는 아첨을 가려듣지 못할 때입니다.

군주가 신중하지 못하거나 신하를 잘못 두었을 때 가장 저지르기 쉬운 실수는 아첨을 가려듣지 못하는 것입니다. 군주에게 바른 말을 하는 신하들이 있다면 아첨하는 신하 또한 반드시 있기 마련입니다.

그러므로 군주는 신하들에게 자주 물어봐야 합니다. 또 충고를 들을 때에는 경청해야 하지요. 하지만 중요한 것은 결정적인 순간에 군주의 소신을 가지고 결정해야 한다는 것입니다. 결단의 순간에 군주가 변덕스럽게 군다면 곧 멸시의 대상이 되고 말 것입니다.

군주는 배가 암초에 걸리지 않도록 늘 주위를 살피고 경계하는 선장과도 같습니다. 그러기 위해서는 매사에 위엄을 지키며 결단력 있고 꿋꿋한 모습을 보여 주어야 하지요. 그런 점에서 군주는 많은 사람을 거느리면서도 고독한 존재입니다.

— 《마키아벨리가 들려주는 군주론 이야기》 중에서

나 루이 14세의 키는 165cm 정도밖에 되지 않지만, 프랑스에서 좀 그보다 높은 것은 없었다. 그는 재상제를 폐지하였으며, 각 지방에 지사를 두어 왕의 명령이 전국에 퍼져 나가도록 만들었다. 또 파리 고등법원이 왕의 명령을 심사하는 권한을 갖고 있었던 것을 없애 법원을 단순한 최고 재판소로 끌어내렸다.

그리하여 왕은 마치 '살아 있는 법률' 과 같은 존재가 되었고, 절대주의 시대를 대표하는 군주가 되었다. 화려한 베르사유 궁전은 그의 권력이 어느 정도였는지를 아주 잘 보여 주는 건축물이다. 그러나 직접 나라를 다스린 54년 중 31년을 전쟁 상태로 보냈고, 화려한 궁정 생활로 재정 부족 현상이 심해져, 나중에 프랑스 혁명이 일어나는 한 원인이 되었다.

— 중학교 2, 《사회》 중에서

다 옛날에 한 농부가 살았습니다. 그 농부는 많은 땅과 재산이 있어 살기에는 부족함이 없었으나, 세 아들이 어찌나 게으른지 그것이 늘 걱정이었습니다. 큰 아들은 하루 종일 들판을 쏘다니며 놀기만 하였고, 나머지 두 아들도 손에 흙조차 묻히기를 싫어하였습니다. 농부는 때때로 자식들을 모아 놓고 타일렀습니다.

"우리 집안이 이만큼이라도 먹고 살 수 있게 된 것은, 할아버지 때부터 농사일을 열심히 했기 때문이다. 그런데 너희들은 일하기를 싫어하니, 이 아비가 죽고 나면 어쩌려고 그러느냐?"

삼 형제는 아버지가 꾸중을 하면 그제야 마지못해 일터로 나갔습니다.

세월이 흘러 마침내 농부는 늙고 병들어 일을 할 수 없게 되었습니다.

그런데 세 아들이 모두 일하기를 싫어하니, 재산도 자꾸만 줄어들 수밖에 없었습니다.

어느 해 봄, 농부는 아들을 불러 모아 놓고 유언을 하였습니다.

"잘 들어라. 내가 밭에 보물을 묻어 두었다. 내가 죽거든 너희 셋이 힘을 합해서 보물을 찾아 나누도록 해라."

아들들이 밭의 어느 곳에 보물을 묻어 두었는지를 물었지만, 농부는 대답을 하지 않은 채 눈을 감았습니다. 아들들은 보물을 찾기 위해 밭을 파헤치기 시작했습니다. 그리고 보물을 얕게 묻었을 리 없다고 생각하여 땀을 뻘뻘 흘리며 밭을 더 깊이 구석구석 파 보았습니다.

밭을 모두 파 보았지만, 보물은 나오지 않았습니다. 아들들은 돌아가신 아버지를 원망했습니다. 그래서 기왕에 파 놓은 밭이니 배추나 심자고 하였습니다. 흙을 깊이 파 일군 땅이라 배추는 잘 자랐습니다.

"허허! 그 배추 참 싱싱하고 잘 자랐네."

지나가는 사람마다 부러워했습니다.

그러던 어느 날, 한 장사꾼이 아들의 집에 찾아왔습니다.

"배추 농사를 아주 잘 지었는데, 내가 높은 값을 쳐서 사겠소."

그러자 다른 장사꾼들이 와서, 서로 그보다 더 많은 돈을 내고 배추를 사겠다고 하였습니다. 그리하여 마침내 배추를 제값보다 더 많은 값을 받고 팔게 되었습니다.

그날 저녁에 모인 삼 형제는, 아버지가 남기신 유언의 참뜻을 깨닫고 그제야 고개를 끄떡였습니다.

— 초등학교 6, 《도덕》 중에서

생각 쓰기

생각 쓰기

case 3 제시문 (가)를 근거로 하여 (나), (다)의 결과가 나타난 이유를 각각 설명하고, 마키아벨리의 군주론이 갖는 긍정적인 측면이 무엇인지 논술하시오. (1,500자 내외)

가 둘째로, 군주는 잔혹해야 합니다. 마키아벨리가 비난 받는 것도 바로 이 때문이지요. 그는 정치인이 잔인해야 한다고 말합니다. 정치 세계에는 이리와 같은 적들이 항상 공격할 준비를 하고 있기 때문입니다.

잔인함은 적의 숫자를 줄어들게 합니다. 알렉산드로스 대왕이 천하를 제패할 수 있었던 힘은 그의 정적 다리우스 3세를 철저하게 멸망시켰기 때문입니다. 그래서 알렉산드로스 대왕이 죽은 후에도 다리우스 왕조는 감히 반란을 일으킬 생각조차 하지 못했습니다.

군주는 가능한 악행을 저지르지 말아야 합니다. 그래야 존경받을 것입니다. 하지만 악행을 저지를 수밖에 없을 때는 세인의 평가에 신경 쓰지 말고 과감하게 행해야 할 것입니다. 다른 나라를 정복할 때에도 원주민을 철저하게 없애 버리고 그 나라 왕의 후손들까지 모두 멸족시켜야 합니다. 복수할 마음도 들지 않도록 철저하게 말입니다. 그래야 주민들이 다시 나라를 세우려는 마음을 갖지 못하기 때문입니다.

한 가지 명심할 것은, 국권을 잡은 사람은 그가 해야만 하는 모든 악행을 심사숙고해야 하며, 악행을 할 때에는 한 번에 몰아서 해야 한다는 것입니다.

사랑을 받는 것과 두려움을 받는 것 중 무엇이 더 좋을까요? 군주의 경우에는 이

두 가지가 다 있어야 합니다. 하지만 그건 무척 어려운 일이죠. 그래서 둘 중 하나를 선택해야만 한다면 군주는 두려움을 택해야 합니다. 왜냐하면 인간은 보통 은혜를 모르고, 변덕스러우며, 가식적이고, 겁이 많고, 자기 이익밖에 모르기 때문입니다. 그래서 군주는 잔혹해져야 합니다. 사람들은 바로 그 잔혹함을 두려워하기 때문이지요.

마키아벨리는 이탈리아 역사에서 잔혹함으로 가장 성공한 인물이 체사레 보르자라고 말합니다. 보르자는 능력이 매우 뛰어나서 어떻게 하면 사람들을 자기편으로 끌어들일 수 있는지, 또 어떻게 하면 사람들을 잃게 되는지 잘 알고 있었습니다. 하지만 그는 몸이 건강하지 못했고, 그의 적대 세력들이 정면으로 칼을 겨누고 있었습니다. 보르자가 짧은 시간에 굳건한 기반을 마련했던 것으로 볼 때, 그의 상황이 조금만 좋았다면 아마도 이 모든 어려움을 극복할 수 있었을 것입니다.

마키아벨리 사상은 성악설을 바탕으로 하고 있습니다. 그는 일생 동안 많은 배신과 절망을 겪으며 인간은 결코 선량하지 않다고 생각하게 되었습니다. 착한 것이 꼭 미덕은 아닙니다. 착한 사람은 그렇지 못한 사람들에게 파멸당하기 마련입니다. 군주가 자신을 지키려면 악을 행하는 방법을 알고, 그것을 언제 실행해야 하는지도 알아야 합니다. 백성이나 군대, 귀족이 부패했을 때 군주가 그들을 선하게 대우한다면 그것은 군주 자신을 망치는 일이겠지요.

셋째로, 정치인은 여우의 교활함을 갖추어야 합니다. 세상에 놓여 있는 수많은 덫을 피하기 위해서는 여우의 지혜가 필요합니다. 바둑의 고수가 되기 위해 속임

수를 알아야 하는 것과 마찬가지입니다.

마키아벨리도 인간은 덕이 있어야 한다고 생각했지만, 도적과 불법이 가득한 정치 세계에서 끝까지 도덕적일 수만은 없다고 보았습니다. 정치인의 미덕은 일단 살아남는 거라고 여겼기 때문입니다.

— 《마키아벨리가 들려주는 군주론 이야기》 중에서

나 정조의 뒤를 이어 순조가 어린 나이에 즉위하면서 왕실과 혼인 관계를 맺은 몇몇 가문이 권력을 독점하였다. 이것을 세도정치라고 한다.

왕실과 혼인 관계를 맺은 가문은 대체로 노론에 속해 있었다. 안동 김씨와 풍양 조씨가 대표적인 세도 가문이었는데, 이들이 높은 관직을 독점하고 국가 정책을 좌우하였다. 왕은 제 구실을 못하고 이들에게 끌려다니는 처지가 되고 말았다. 이러한 세도정치는 순조, 헌종, 철종의 3대에 걸쳐 60여 년 동안 이어졌다.

세도정치 하에서 왕은 허수아비와 같은 존재였다. 정치권력은 세도가가 독점하여, 왕의 가까운 친척이라 하더라도 세도가의 위세에 눌려 지내야 했다. 세도가를 비판하는 세력은 살아남을 수 없었으므로 다른 양반 가문은 숨을 죽이고 지냈다.

세도정치 하에서는 세도가의 정치를 견제할 세력이 없어 정치 기강이 문란해지고 타락할 수밖에 없었다. 정치 기강의 문란은 관직의 임명과 과거 시험의 운영에서 두드러지게 나타났다.

— 중학교, 《국사》 중에서

다 조선 왕조는 왕권을 안정시키고 모든 권력을 중앙으로 집중시켜 통치 질서를 확립하는데 주력하였다. 유교를 국가 통치의 근본 원리로 삼았으며 농업을 적극 장려하여 백성들의 생활 안정을 위해 노력하였다.

태조의 아들 방원(태종)은 군사를 동원하여 나이 어린 세자와 정도전을 제거하고 실권을 장악하였다. 그 후 정종에 이어 왕위에 오른 태종은 왕권을 안정시키고 국가 기반을 굳건히 하였다.

태종은 사병을 없애 군사권을 장악하려고 하였고, 호패법을 실시하여 전국의 인구 동태를 파악하였으며, 이를 조세 징수와 군역 부과에 활용하였다. 이처럼 태종 때에 왕권이 확립되어 나라의 기틀을 다짐으로써 다음 세종 때에는 정치, 경제, 사회가 안정되고 문화가 융성해졌다.

세종은 여러 분야에 걸쳐 빛나는 업적을 많이 남겼다. 궁중에 집현전을 설치하고 재주 있는 젊은 학자들을 모아 깊이 있는 학문 연구를 장려함으로써 유교 정치와 민족의 전통문화를 꽃피웠다.

그 후 조카 단종을 몰아내고 왕이 된 세조는 성삼문등을 제거하고 왕권을 강화하였으며, 나라의 재정수입을 늘리기 위하여 직전법을 설치하고, 군사력을 강화하여 국방을 튼튼히 하였다.

— 중학교, 《국사》 중에서

생각 쓰기

생각 쓰기

실전 논술

예시 답안

case 1

1. 제시문 (가)와 (나)는 과정의 중요성을 강조하고 있습니다.(가)에서는 여행지에 빨리 도착하기 위해 서로 먼저 가려다가 차가 막혀 고생을 합니다. 이 때 한 시민이 나서서 서로 양보하며 갈 것을 제안하여 문제를 해결해 나가고 있습니다. 목적지 도착만이 아니라 도착하기까지의 과정을 중시하고 있는 것입니다.

(나)에서는 부모님을 편안하게 해 드린다는 목적은 같아 보이지만, 물질적인 것이 아니라, 정신적인 것이 중요하다는 점을 강조하고 있습니다. 많은 돈을 들여서 실버타운에 편안하게 모시는 것보다는 집에서 모시면서 정성스런 효도를 다하는 것이 중요하다는 것을 강조하고 있는 것입니다.

이처럼 목적만을 이루기 위해 과정은 어떻게 되어도 상관없다는 생각보다는, 한 단계 한 단계 절차를 지켜 나가는 것이 중요합니다. 과정이 정당하게 이뤄질 경우 그 목적 또한 정당한 것이 될 수 있습니다.

2. 마키아벨리는 전쟁에서 이기기 위해서 군주는 잔인해야 한다고 주장하고 있습니다. 국가 간의 전쟁이나 민족 간의 전쟁은 자신들이 가진 모든 것을 걸고 하는 싸움입니다. 한 나라의 군주가 전쟁에서 승리하기 위해 수단과 방법을 가리지 않는 것은 매우 중요한 일입니다.

하지만, 폭력은 더 큰 폭력을 불러옵니다. 미국과 일부 아랍 국가들의 전쟁은 지금도 계속되고 있습니다. 서로 상대방을 이기기 위해 끊임없이 전쟁을 치르고 있지만, 어느 한 쪽도 일방적인 승리를 하고 있지 못합니다. 물론 마키아벨리의 생각대로라면 아주 잔인하게 상대방을 공격하지 않았기 때문에 승리하지 못했다고 생각할 수도 있습니다. 하지만 어떤 방법을 쓰더라도 이러한 전쟁은 쉽게 끝나기 어려울 것입니다.

조국의 이익을 위해 수단과 방법을 가리지 않고 전쟁을 계속한다면 어느 한 쪽도 승리하기 어려울 것입니다. 폭력은 계속해서 다른 폭력을 낳고, 복수는 계속해서 또 다른 복수를 불러오기 때문입니다. 한 나라나 집단이 모든 것을 걸고 전쟁을 하는 이유도 결국에는 자신의 편을 위한 것입니다. 국민들이 안전하고 편안하게 사는 것이 목적이라면 마키아벨리의 말처럼 잔인한 군주가 필요한 것이 아닙니다. 물론 마키아벨리가 주장하는 잔인한 군주의 필요성에 대한 것은 일단 전쟁이 나면 반드시 이겨야 한다는 생각에서부터 나온 것이지, 군주가 무조건 잔인해야 한다는 뜻은 아닙니다. 한 나라의 군주에게는 전쟁을 가장 합리적인 방법으로 마무리할 수 있는 협상력과 지도력이 필요합니다. 싸우지 않고 이기는 것이 가장 큰 전쟁의 승리이기 때문입니다.

case 2 루이 14세가 몰락한 이유는 마키아벨리가 지적한 여러 가지 이유 중에서, 탐욕이 가장 크다고 할 수 있습니다. 루이 14세는 더 많은 것을 빼앗기 위해 다른 나라를 침략하여 국왕 재임 시절 대부분의 시간동안 전쟁을 치렀습니다. 하지만 부당한 외국의 침략을 막기 위한 경우가 아니라면 전쟁은 어떤 명분으로도 정당화될 수 없습니다.

루이 14세의 탐욕은 권력의 독점에서도 나타납니다. 국왕이라는 막강한 권력으로도 모자라, 그 세력을 일부 견제할 수 있는 법원의 심사 권한이나 재상 제도를 없앴습니다. 어느 한 쪽에 모든 권력이 집중되면 그 집단은 부패할 수밖에 없습니다. 적절한 견제가 있을 때 정책 집행에서 신중한 선택을 할 수가 있습니다. 이러한 다수의 의견이 반영된 결과는 실패의 위험성을 줄일 수 있고, 설사 성공하지 못했다 하더라도 함께 힘을 모아서 보다 빨리 회복할 수 있기 때문입니다.

루이 14세의 탐욕스러운 행동은 사치를 일삼는 행동에서도 나타납니다. 베르사유 궁전을 화려하게 꾸미기 위해 끊임없이 백성들의 노동력을 착취하고 물건을 약탈했습니다. 그러나 그 결과는 물질의 풍요 속에 행복하게 삶을 마무리한 것이 아니라, 시민혁명에 의해 불행한 죽음으로 끝을 맺게 됩니다. 이처럼 루이 14세의 몰락은 자신의 이익을 위해 수단과 방법을 가리지 않고 탐욕스런 삶을 살았던 것에서 원인을 찾을 수 있습니다.

제시문 (다)에서 농부는 게으른 삼 형제에게 가장 소중한 가치가 무엇인지를 가르쳐 주고 있습니다. '보물' 이라는 물질적인 결과가 아니라, 성실하게 살아가는 삶의 과정이 소중하다는 것을 말하고 있는 것입니다. 이러한 농부의 삶은, 물질적 욕망을 얻기 위해 수단과 방법을 가리지 않는 루이 14세의 행동과 큰 차이점을 보여 주고 있습니다.

물질적인 욕망은 끝이 없습니다. 예를 들어, 당장 배가 고픈 사람은 배불리 먹을 수만 있다면 다른 것은 아무것도 필요 없을 것 같다는 생각을 할 수 있습니다. 하지만 막상 원하는 음식을 먹고 나면 다음은 따뜻한 잠자리를 원하고, 잠자리가 마련되면 더 안락한 침대를 원하게 되어 물질에 대한 인간의 욕심은 끝이 없습니다. 만약 농부가 자식들에게 정말 물질적인 '보물'을 남겨 주고 갔다면, 게으른 자식들은 곧바로 그 보물을 다 써 버리고 불행한 삶을 살았을 것입니다. 하지만 성실하게 살아가는 과정의 중요성을 배운 자식들은 그 후에도 열심히 일을 해서 행복한 삶을 살았을 것입니다.

이와 마찬가지로 루이 14세도 자신만의 행복을 위해서 물질을 탐내는 것보다 국민을 위한 정치를 하고 이를 실천하기 위한 정당한 과정을 중시했다면 훌륭한 군주로 평가받을 수 있었을 것입니다. 국민 모두를 위하고 과정의 정당성을 중시하는 군주의 모습을 바로 '밭에 묻힌 보물'에서 찾아 볼 수 있는 것입니다.

case 3 마키아벨리는, 군주에게 가장 중요한 덕목은 강력한 힘이라는 것을 강조하고 있습니다. 때로는 사자처럼 잔인해 보일지라도 사람들의 평가를 두려워하지 말고 과감하게 행동해야 한다는 것입니다. 이러한 잔인함은 제시문에서 언급한 것처럼 마키아벨리 군주론이 비판받는 이유입니다. 하지만 군주에게 강력한 힘이 없다면 국민의 안전을 외세 침략으로부터 지킬 수 없습니다.

제시문 (나)에서 순조는 외척들의 세도정치에 눌려 제대로 된 왕권을 행사하지 못했습니다. 군주가 중심에 서 있지 못하고 힘이 없다면, 나라가 제대로 유지될 수 없다는 것을 잘 보여 주는 사례입니다. 덕이 있는 군주나 자애로운 군주도 필요하지만, 일단 한 나라의 군주가 정책을 올바르게 펼치기 위해서는 강력한 힘이 필요합니다.

마키아벨리의 《군주론》은 많은 비판을 받아 왔습니다. 그럼에도 불구하고 오늘날에도 의미 있게 다뤄지는 이유는 마키아벨리가 강조한 강한 지도자의 덕목이 오늘날에도 매우 중요하기 때문입니다.

군주가 많은 학문을 연구하고 수양을 해서 인격적으로 높은 경지에 올랐다고 하더라도 지도력이 약하다면, 군주로서 자격이 없다고 볼 수 있을 것입니다. 인격 높은 학자는 자신의 지식을 다른 사람에게 전달하는 것이 자신의 역할을 충분히 하는 것이지만, 군주는 수많은 현실의 문제를 해결해야 하고, 때에 따라서는 도덕적으로 비판받는 일도 과감하게 해야 할 때가 있는 것입니다.

이런 관점에서 (다)에 제시된 태종과 세조의 행동은 강한 군주로서 높이 평가받을 만합니다. 태종은 자신의 형제를 죽이고 세자를 내쫓아 스스로 왕위에 올랐습니다. 세조 또한 조카를 물리치고 왕이 되었습니다. 이것은 도덕적인 관점에서 보면 부도덕하고 비판받을 행동입니다. 하지만 한 나라의 운명을 결정하는 군주의 역할로 보아서는 어쩔수 없는 측면이 있습니다. 정치적으로 반대 세력을 물리친 태종과 세조는 강력한 힘을 바탕으로 왕권을 확립하여, 문화를 발전시키고 국가를 부강하게 만든 사례에서도 이러한 근거를 찾아볼 수 있습니다.

마키아벨리의 군주론은 바로 이런 측면에서 긍정적으로 평가할 수 있습니다. 군주는 사자와 같은 잔인함과 여우와 같은 교활함이 함께 있어야 합니다. 군주로서 한 나라의 운명을 결정할 때는 앞뒤 가리지 않는 과감한 행동과 반대 세력을 제압하는 힘이 있어야 하는 것입니다. 또한 이러한 힘을 효과적으로 발휘하여 여러 가지 문제를 대처할 수 있는 능수능란한 처세술도 함께 있어야 합니다.

마키아벨리는 인격론이나 도덕론을 강조한 것이 아닙니다. 군주가 제대로 된 힘을 발휘하기 위해서는 어떻게 해야 하는가를 강조한 것입니다. 이것을 도덕적인 잣대로 평가할 수만은 없습니다. 도덕은 군주의 덕목이 될 수는 있어도 절대적인 조건은 아니기 때문입니다.

한 개인은 과정의 정당성을 중시하는 성실한 자세가 필요합니다. 하지만 군주에게는 일단 자신의 강력한 의지를 실천할 수 있는 힘이 필요합니다. 이를 위해서 군주는 마키아벨리의 주장처럼 과감한 행동도 있어야 하는 것입니다. 군주는 수많은 사람들을 적들의 위협으로부터 보호하고, 앞장서 이끌어야 할 지도자이기 때문입니다.

Abitur

철학자가 들려주는 철학이야기 094

라이프니츠가 들려주는 모나드 이야기

저자_**이봉선**
중앙대에서 문예창작을 전공했습니다. 1998년과 2004년에 신춘문예 단편소설로 등단하였습니다. 현재 대학에서 소설 창작을 강의하며 소설을 쓰고 있습니다. 효원이, 태준이의 아빠로서 아이들에게 좋은 책을 많이 읽어 주기 위해 노력하고 있습니다. 학생들에게 국어와 논술을 가르치면서 가장 소중한 삶의 가치가 무엇인지 늘 고민하고 있습니다.

배경 지식 넓히기

Leibniz, Gottfried Wilhelm

라이프니츠와 '모나드'

라이프니츠 주요 개념

1. 라이프니츠를 만나다

1) 라이프니츠는 누구인가

라이프니츠는 미분과 적분을 발명한 사람으로서 탁월한 형이상학자이자 논리학자입니다. 라이프니츠는 네 살 때부터 글을 읽기 시작해서 신동이라고 불렸습니다. 그는 어린 시절 니콜라이 학교에서 교육을 받기도 했지만 1652년 아버지가 돌아가시고 그 이후 홀로 독학을 하게 됩니다. 이후 라틴어 및 그리스어, 아리스토텔레스의 논리학, 크세노폰, 플라톤, 키케로, 스콜라철학, 루터, 에라스무스 및 카톨릭의 신학 등 다방면의 책을 섭렵하기 시작했습니다.

1661년 라이프니츠는 라이프치히 대학에 입학하여 법학과 철학 공부를 시작합니다. 이후 1663년 〈개체의 원리〉라는 졸업논문 발표 후 수학자 바이겔로부터 수학을 배우게 됩니다. 라이프니츠 철학은 이로부터 출발하고 있는 셈입니다. 1664년 어머니가 돌아가시고 1666년 나이가 어리다는 이유로 박사학위 논문이 통과하지 않자 고향을 떠나 뉘른베르크의 알트도르프

대학에 입학합니다. 이후 〈법률에 있어서의 복잡한 사건에 관하여〉를 써서 법학박사 학위를 취득하고 1667년부터 7년 간 공소 원판사로 일을 하게 됩니다. 그러다가 《자연의 고백》(1668년), 《신발견의 논리에 의한 삼위일체의 변호》(1669년)를 발표하고 1670년 신성로마제국의 대법원 판사로 임명됩니다. 1672년 12월 보이네부르크 남작이 죽고 1673년 2월 마인츠 선제후가 사망하자 후원자를 잃은 라이프니츠는 파리를 떠나게 됩니다.

그 후 수학 연구에 전념해 1675년 말 적분과 미분의 기초를 세웠고, 1676년에는 역학으로 알려진 데카르트의 운동법칙을 비판하면서 운동보존을 운동에너지로 대체하는 동역학이라는 새로운 학문 분야를 만들어냅니다. 그리고 1684년 드디어 미적분법을 창시하게 됩니다.

1700년 라이프니츠는 프랑스 과학학사원의 외국 회원으로 선출되어 베를린 학사원 창설에 힘쓰는 한편 초대원장으로 임명됩니다. 이후 1710년 《변신론》을 집필하고 1714년 단자론의 핵심적인 역할을 하는 개념인 '모나드(Monade)' 와 '예정조화(Prastabilierte Harmonie)' 란 표현을 사용, 모나드(단자)라고 불리는 새로운 실체 개념이 도입합니다. 이로서 라이프니츠는 세계가 무수한 단자로 성립되어 있다고 하는 형이상학 이론을 정립시킵니다.

1714년 라이프니츠의 스승인 군주는 게르만인으로서는 최초로 영국의 왕이 되었습니다. 그러나 라이프니츠는 등용되지 않고 무시당한 채 하노버에 남겨집니다. 이후 라이프니츠는 자신이 발견한 미적분에 대한 사회적 논란, 군주의 배신 등으로 실의에 빠진 채 고독 속에서 살아가다가 1716년 70세의 나이로 하노버에서 죽음을 맞이하게 됩니다. 이때 독일이 아니, 세계가 배출한 천재 라이프니츠의 장례식에는 단지 그의 충실한 시종만이 참석했다고 합니다. 그의 시신은 노이슈타트 교회에 안치되었습니다. 뉴턴이 영국에서 최고의 명예로운 귀족이 묻히는 웨스터민스터 사원에 묻힌 것과 비교하면 너무나 초라한 사후였다고 할 수 있습니다.

2) 새로운 실체에 대한 개념, 모나드

라이프니츠는 세계는 단자론을 통하여, 모나드라는 새로운 실체로 성립되어 있다고 주장합니다. 라이프니츠는 모나드를 다음과 같이 표현하고 있습니다.

"우리가 여기서 말하고자 하는 모나드는 단순한 실체와 다른 것이 아니며, 복합물 속에 들어있다. (……) 그리고 모나드들은 자연의 진실한 원자들, 그리고 한마디로 사물의 요소들이다. (……) 하나의 모나드가 어떻게 다른 피조물에 의하여 변질되거나 변화될 수 있는지 설명할 수단이 없으며(……), 그런 것은 부분들 사이에 변화가 있는 복합물들에서 이루어질 수 있다. 모나드들은 창문이 없어서 이 창문을 통하여 어떤 것들이 모나드에 들어갈 수도 나올 수도 없다."

모나드는 분리될 수 없는 하나로 묶여진 특징을 지니고 있지만, 물질적인 원자와는 달리 비물질적인 작용을 한다는 특징이 있다고 보았습니다. 모나드는 하나로 묶여진 특징을 유지하면서도 그 안에 있는 특징을 바탕으로 하여, 스스로 바깥 세계와 짝을 이룬다는 의미입니다. 즉, 외적 세계와 어떠한 인과적 관계로 얽혀 있지 않은 모나드가 이 표현이라는 작용 형태를 바탕으로 외적 세계를 자기 안에 포함하여 하나를 이룬다는 것을 의미합니다. 이는 세계 속에 자신이 포함된 것이 아니라 자신이 표현을 통해서 세계를 포함하고 있다는 의미로 해석 할 수 있습니다. 때문에 모나드는 '우주의 살아 있는 거울' 이라고도 불립니다.

라이프니츠는 모나드가 똑같은 것이 없고, 모두 다른 특징을 지니고 있다고 보았지만 크게 세 종류로 분류된다고 설명하고 있습니다. 바로 '혼란한 표현을 하는 물질 모나드', '의식과 기억을 갖는 동물적 영혼 모나드', '보편적인 것을 인식하는 정신 모나드' 입니다. 우리는 이 중 어떤 모나드로 이루어지느냐에 따라서 물질, 동물, 인간, 신 등에 대하여 다른 생각을 하게 됩니다. 그러나 동시에 이것들은 서로 불연속적인 형태로 존재하고 있는 것이 아니고 연속적인 계열을 이루고 있다고 합니다. 또한 각 모나드의 움직임은 신에 의해 예정되어 있기 때문에 서로 인과관계가 없는 무수한 단자로 이루어지는 세계에도 질서와 조화가 성립될 수 있다고 보고 있습니다. 따라서 모나드 활동이 모여 이루어진 현실 세계는 신에 의해 조화와 통일에 최선적인 것으로 선택되었다고 주장하고 있습니다.

3) 철학과 수학의 만남

라이프니츠는 수학자보다는 철학자로 더 많이 알려져 있습니다. 하지만 라이프니츠는 수학의 발전에 많은 기여를 하였습니다. 당시 철학은 수학에서 출발했습니다. 17, 18세기의 철학은 자연과학이 주는 분명한 수학적 사실에 기초를 두고 있었기 때문입니다. 따라서 1 더하기 1은 2 라는 정확한 수학적 등식을 철학에도 적용해야 한다는 사상이 지배했던 시기입니다. 철학에서 1 더하기 1은 3도 되고 1000도 될 수 있습니다. 이때는 이러한 사실을 인정하지 않았던 시기입니다.

라이프니츠는 이러한 수학적 사실을 바탕으로 '신이 계산하고 생각하면 세계가 생겨난다' 신은 1로, 무(無)는 0으로 나타낼 수도 있는 것과 똑같이 신은 무(無)에서부터 모든 것을 창조한 것처럼 중국인도 기독교도로 만들 수 있다고 믿기까지 했습니다.

라이프니츠는 에스파냐의 룰이 '진리를 발견하는 자동적 방법' 을 만들고자 하는 생각을 몇 개의 계산 원리로 치환해서 합리적으로 발전시켰습니다. 학위논문의 추론 법칙과 양식의 정리를 시도한 것으로 수학의 조합에 대해서도 연구했습니다. 또한 인간의 사고 과정을 기호화해서, 기호들 사이의 연산에 의하여 완전한 결론을 유도하는 것을 생각하기도 했습니다.

이는 오늘날의 명제 계산 사상의 밑바탕이기도 합니다. 또한 라이프니츠는 대수학이 양의 과학인 것처럼 위치에 대한 해석이 가능한 참된 기하학을 구성할 수 있는 방법을 연구했고 이러한 라이프니츠의 사상과 연구는 후에 선형대수와 토폴로지로 발전하게 됩니다. 또한 라이프니츠의 미적분법 연구는 미분법 · 적분법에 기초를 부여했으며, 무한소에 사용하는 기호와 적분기호 $\int$를 창안하기도 했습니다.

미분

미분은 어떤 양이 변하는 속도를 의미합니다. 미분은 적분과 함께 미적분학의 기본적인 개념을 이룹니다. 미분은 한 점에서 함수 그래프 접선의 기울기로 주어집니다. 이렇게 하여 미분은 볼록성 또는 오목성처럼, 그래프의 기하학적 속성을 결정하는 데 사용될 수 있습니다.
미분은 변화율의 수학적 형식화를 제공하며 편각 변화에 대응하는 함수값 변화에 대한 비율을 측정함으로써 얻어집니다. 미분의 개념은 변수가 하나인 함수뿐만 아니라 변수가 여럿인 함수에도 확장할 수 있으며 벡터, 미분기하학과 같은 범위에도 일반화할 수 있습니다.

적분

적분은 주어진 함수의 원시함수를 구하는 일을 의미합니다. 적분을 구하는 일을 그 함수를 적분한다고 하고, 그 산법을 적분법이라 합니다. 원이나 포물선과 직선으로 둘러싸인 평면도형의 넓이를 구하는 것은 그리스 시대부터 알려져 있었지만, 이것을 더욱 일반화하고 계통적으로 다루게 된 것이 적분법이고, 그 중심적 개념이 바로 적분입니다. 적분법은 미분법과 함께 17세기에 뉴턴과 라이프니츠에 의해 발견되었습니다.
적분은 곡선으로 둘러싸인 평면 부분의 넓이나 곡선의 길이, 함수의 평균값 등의 계산에 쓰일 뿐만 아니라 각종 물리량을 정의하고 계산하는 데에도 중요합니다. 또한 적분법은 미분법과 함께 자연과학, 공학에도 크게 영향을 미치고 있습니다. 적분의 개념은 1변수함수에서 일반적인 다변수 함수나 복소변수 함수로 확장되어 함수의 성질을 조사하는 데도 유용하게 이용되고 있습니다.

2. 교과서에서 만난 모나드

1) 근원적 가치

인간은 대체로 무엇인가 자신이 가치 있다고 여기는 일을 이루려고 노력하면서 살아간다. 그러므로 어떤 것을 가치 있는 것으로 여기는가에 따라 삶의 모습은 달라지게 된다.

'어떤 것을 가치 있게 여긴다' 라는 것은 무슨 뜻인가? 이는 어떤 것을 소중한 것으로 생각하고 그것을 얻을 만한 것으로 판단하며, 그래서 그것을 얻기 위해 노력할 만한 대상으로 인정한다는 뜻이다.

이와 같이 사람들이 소중하게 생각하여 얻고자 노력하는 대상을 가리켜 우리는 보통 '가치' 라고 말하며, 그것을 가지거나 이루기 위해 노력하는 것을 '가치를 추구한다' 라고 말한다.

이 세상에는 수많은 가치가 존재하는데, 이들의 종류를 나누는 방식에도 여러 가지가 있다. 먼저, '도구적 가치' 와 '본래적 가치' 로 나누는 방식이다.

도구적 가치란, 그 자체가 목적이라기보다는 다른 어떤 목적을 위한 수단이 되는 가치를 말한다. 즉, 어떤 목적이 되는 가치를 성취하거나 획득하는 데 도움이 되는 수단으로서의 가치이다. 예를 들어, 우리 일상생활에서 볼 수 있는 상품은 대부분 도구적 가치를 지닌다고 할 수 있다. 도구적 가치는 그 자체로 가치를 지니기보다는 목적이 되는 다른 가치가 있어야 가치를 지니게 된다. 그러므로 도구적 가치는 불변의 것이 아니라, 주위 사정에 따라 수시로 변화하는 특성을 가지고 있다.

본래적 가치란, 다른 무엇을 얻기 위한 방편으로서 소중한 것이 아니라 그 자체로서 귀중한 것이고 그 자체가 목적으로서 추구되는 가치이다. 다시 말하면, 본래적 가치의 특징은 그것이 추구하고 있는 어떤 다른 것 때문에 가치를 가지는 것이 아니라 그 자체가 스스로 가치를 지니고 있다는 점에 있다. 그러므로 본래적 가치는 도구적 가치의 근원이 되는 가치라고 하겠다. 예를 들면, 기업가가 상품을 만드는 것은 돈을 벌기 위해서이며 그가 돈을 벌고자 하는 것은 그 돈으로 또 다른 무엇을 얻기 위해서이다. 그리고 그것 또한 그보다 한층 높은 어떤 목적을 달성하기 위한 방편이 된다. 이렇게 점점 높은 목적으로 거슬러 올라가다 보면 마침내는 더 이상 높은 목적을 생각할 수 없는 궁극적 목적이라 인정되는 가치에 이르게 되는 데, 이것이 바로 본래적 가치이다.

— 중학교 3, 《도덕》 중에서

모나드란 개념은 일반적인 교과서에 직접적으로 나타나지는 않습니다. 모나드를 우리말로 단정적으로 규정지을 수는 없지만 '세계를 구성하는 근원적 실체' 라고 말할 수 있습니다. 근원적 실체는 무엇일까요? 그것은 어떤 외부적 현상에 의해 변화되지 않는 가장 기본이 되는 모습이라 할 수 있습니다.

우리는 세상을 살아가면서 과정이 중요한가, 결과가 중요한가를 두고 고민할 때가 많습니다. 이것은 삶의 가치를 어디에 두느냐에 따라 달라집니다. 교과서적인 답은 '과정이 중요하다' 겠지요. 하지만 결과가 좋지 못하면 그 과정에서 아무리 많은 노력을 기울였다 해도, 제대로 평가받지 못하는 경우가 많습니다. 사람들은 어쩔 수 없이 결과에 치중한 삶을 사는 경우가 많고 그렇지 못한 경우 상대적인 빈곤이나 박탈감에 싸여 좌절하는 경우도 있습니다.

그런데도 성인들은 도구적 가치보다는 본질적 가치의 추구를 왜 그렇게 강조한 것일까요? 본질적 가치는 궁극적으로 인간의 삶을 가장 의미 있는 것으로 만들어 주기 때문입니다.

2) 정신적 실체의 복합 관계 — 사회적 상호작용과 역할

우리는 타인과 여러 상호작용을 한다

인간은 사회적 동물로서 홀로 살아갈 수 없다. 우리는 부모님, 선생님, 친구 등 많은 다른 사람과 관계를 맺으면서 살아간다. 이러한 관계 속에서 사람들은 서로 행위를 주고받으면서 의사소통을 하게 되는데, 이를 상호작용이라고 한다.

우리는 일상생활에서 다른 사람들과의 관계에 따라 협동, 경쟁, 갈등 같은 다양한 유형의 상호작용을 경험하게 된다.

사람들은 사회적 지위에 따른 역할을 수행한다

학생인 경우 학생으로서 지켜야 할 행동의 원칙이 있고, 학생회나 학급의 임원이라면 다른 학생들과 구별되는 역할이 있다.

이렇게 우리는 사회생활을 하는 동안 그 사회가 정한 규범을 지켜야 하고, 자신의 사회적 지위에 따른 어떤 역할을 수행해야 한다. 사회적 지위란 한 개인이 사회 내에서 차지하는 위치를 말하고, 역할이란 그 지위에 대하여 기대되는 행동 방식을 말한다.

사람은 자신의 지위에 따른 역할을 수행하면서 다른 사람과 관계를 맺고 그에 따른 상호작용을 하게 된다. 그런데 사회 안에서 여러 집단과 조직이 있고 사람들은 동시에 여러 집단과 조직에 소속되어 있는 경우가 많다. 그러므로 우리는 사회생활을 하는 동안 여러 가지 지위를 동시에 갖게 되는 경우가 많다. 이러한 지위에는 그에 따른 역할들이 있는데, 평소에는 이 역할들이 잘 조화를 이루지만 간혹 역할 간에 긴장과 갈등이 발생할 수도 있다.

— 중학교 2, 《사회》 중에서

모나드라는 개념은 한 마디로 단정 짓기가 매우 모호합니다. 라이프니츠는 '모든 존재하는 것은 모나드를 가지고 있고 모나드에 내장되어 있는 정보들이 발현된 것이 구체적인 개체' 라고 했습니다. 이것은 무슨 말일까요? 이 세상의 모든 사물이나 동물과 같은 개별적인 존재는 모나드가 상호결합된 것이라고 이해할 수 있습니다. '모나드' 는 '세계를 구성하는 근원적 실체' 로서 이러한 모나드가 모여 우리가 인식할 수 있는 구체적인 대상이 되는 것이지요. 그렇다면 모나드는 대상을 이루는 구성 요소 같은 것이겠지요. 그러나 모나드는 물질적인 것이 아닙니다. 모나드는 비물질적인 것으로 정신적인 영혼과 같은 것입니다.

우리 사회는 개별적인 개인이 모여 이룬 하나의 유기적인 결합체입니다. 이러한 사회라는 개념 속에는 인간 개개인이 모인 물질적 결합체의 의미도 있지만, 어떤 측면에서 보면 사회는 정신적인 영혼의 결합체라고도 할 수 있을 것입니다. 인간 사회를 유지하고 발전시켜 나가는 것의 근원은 물질이 아니라 정신적 유대 관계를 바탕으로 한 도덕적인 것이기 때문입니다.

3. 기출 문제 속에서 만난 라이프니츠와 근원적 실체

라이프니츠는 수학자인 동시에 철학자이기도 했습니다. 따라서 라이프니츠와 연관한 논술 문제도 철학적인 측면에서 접근하는 문제와 수학적 측면에서 접근하는 문제로 크게 두 가지 유형으로 나누어 볼 수 있습니다.

수학적 측면에 관한 문제는 주로 이과계열의 논술에서 다루어지며, 2008 서울대 모의 논술을 비롯하며 숙명여자대학교, 연세대학교 등에서 출제된 바 있습니다. 이는 라이프니츠의 업적과 그가 고안한 미분과 적분을 응용해 나가는 문제였기에 고등학교 과정에서 배우는 수학적 지식이 필요한 문제이기도 합니다.

철학적 측면에 관한 문제는 인간의 본성이나, 존재성, 정체성을 묻고 있으며 거의 해마다 출제되는 유형 중에 하나입니다. 이렇게 출제 빈도가 높은 이유는 '나는 누구일까?' 라는 물음이 여전히 풀리지 않는 수수께끼와 같기 때문일 것입니다. 이와 똑같은 논제가 2007년도 서강대학교 수시 1학기에서 출제된 바 있습니다. 바로 인간 '자아' 의 모습을 서술하고 제시문과 비교 분석하라는 문제였습니다. 라이프니츠는 이러한 문제에 대한 실마리를 제시해 줄 수 있는 대표적인 사람입니다. 그는 '단자론' 을 통해서 인간은 선천적으로 '모나드' 를 지니고 있고 세계 또한 모나드 안에 포함된다고 말하고 있습니다. 즉, 자아도 반성적 직관(표현)에 의해서 확인될 수 있는 기본 실체 중의 하나이며, 이는 신에 의해 조화와 통일에 최적인 것으로 선택되었다고 보고 있기 때문이지요. 그럼 이러한 라이프니츠의 주장은 아래 견해 중 어느 것을 뒷받침할 수 있을까요?

"원시인에게는 익숙한 것과 낯선 것, 내부와 외부, 삶과 죽음, 영혼과 육체를 명확하게 분리하는 기준은 없다."

"나를 나로 만들어 주는 정신은 물체와는 다른 것이며, 어떤 경우에는 물체보다 더 쉽게 느낄 수 있고, 물체가 존재하지 않는다고 하더라도 정신은 자체적으로 끊임없이 존재하는 것이다."

"일반적으로 우리가 접하는 현실은 잠시도 쉬지 않고 변하기 때문에 이런 현실을 올바르게 받아들이려면 사람의 의식도 작은 사고의 틀에서 벗어나야만 한다."

라이프니츠의 주장은 두 번째 견해와 비슷한 것 같습니다. 그렇다고 여러분들이 꼭 두 번째 지문을 선택해서 라이프니츠의 이야기를 논술해야 한다는 말은 아닙니다. 라이프니츠의 생각을 바탕으로 여러분들 스스로 '자아' 에 대하여 논술해 나간다면 좋은 답안의 조건을 갖출 수 있을 것입니다.

실전 논술

논술 문제

case 1 다음 글을 읽고 주어진 조건에 따라 논술하시오.

가 우리는 본디 하나

우리는 본디 하나

땅도 하나 민족도 하나

말도 하나였습니다.

하지만 지금은

가족을 가르고

생각을 가르고

말을 갈랐습니다.

인제 다시 하나가

되고 싶습니다.

가족이 만나고

생각이 하나 되고

하나의 말을 쓰고

하나 되고 싶은 우리의 간절한 소망을

어서 빨리 이루고 싶습니다.

— 초등학교 5, 《도덕》

〈우리는 본디 하나〉 중에서

나 모나드는 라이프니츠가 생각하는 이 세계를 구성하는 근원적 실체입니다.

더 어려워졌나요? 실체라는 말 때문이겠죠?

실체는 여러분이 일상 생활에서는 잘 사용하지 않는 용어일 겁니다. 아니 어쩌면 한 번도 사용해 보지 않은 용어일지도 모릅니다.

상황을 한번 설정해 볼까요.

친구의 태도가 불분명할 때, 그 친구에게 이렇게 말할 수 있습니다.

"야, 넌 도대체 실체가 뭐야?"

또는 'A그룹 비자금 사건의 실체', '○○은행 매각의 실체적 진실' 등의 말을 신문에서 읽은 적이 있을 겁니다. 이 경우 실체란 겉으로 보이는 모습이 아니라 겉으로 드러나지 않고 속에 감춰진 진짜 모습, 진정한 모습이라고 할 수 있죠.

철학에서도 실체라는 용어는 그런 의미를 갖고 있어요. 실체는 세계의 근원으로서 진실로 존재하는 것입니다. 그러니까 실체에 대한 탐구란 바로 진정한 실재, 보이지 않는 이 세계의 진짜 모습에 대한 탐구입니다.

라이프니츠가 생각하는 실체에 붙인 이름이 모나드입니다. 모나드monade란 그리스어의 모나스monas로부터 유래한 용어로 '하나', '단순함', '나눠질 수 없음'을 뜻합니다. 그 말은 무엇보다도 실체가 복합체가 아니라는 것, 더 이상 쪼개질 수 없을 정도로 단순하다는 것을 함축하고 있어요. 한마디로 실체 즉, 모나드의 본성은 단순함이라고 할 수 있어요. 이것이 라이프니츠의 모나드를 이해하면서 가장 중요하다고 할 수 있습니다.

그럼 단순함을 기본으로 하는 실체인 모나드란 어떤 것일까? 모나드가 구체적 사물일 수는 없어요. 왜냐하면 구체적 사물은 모두 부분들로 나누어질 수 있는 복합체이기 때문이죠.

그럼 모나드는 더 이상 분할할 수 없는 원자와 같은 소립자라고 말할 수 있을까요? 라이프니츠는 모나드가 원자와 같은 물질적 구성 요소라는 것을 부정해요. 왜냐하면 원자와 같은 소립자는 물리적인 크기를 가지고 있을 수밖에 없고 그 크기가 아무리 작은 소립자라 하더라도 이론적으로 물질이라면 더 작은 부분으로 나눠질 수 있기 때문이죠. 나눠질 수 있는 한 그것은 단순하다고 할 수 없으니까요. 따라서 모나드는 우리가 감각으로 경험할 수 있는 물질적 차원의 존재가 아니라는 것을 알 수 있어요. 라이프니츠가 말하는 이 세계를 구성하는 근원적인 요소인 모나드는 물질적 차원의 존재가 아니라 비물질적 차원의 것입니다. 그래서 모든 모나드는 영혼이라고 할 수 있습니다. 예를 들어, 길가의 가로수를 보고 있다고 가정해 보죠. 보고 있는 가로수의 모습은 그것의 진정한 모습 즉, 실체가 아니라는 겁니다. 가로수의 실체는 비물질적인 정보의 형태로 가로수 속에 들어 있다는 겁니다. 이것을 라이프니츠는 가로수의 모나드라고 불렀고 넓은 의미에서 가로수의 영혼이라고 했던 거죠.

모나드 이야기는 약간은 황당한 것 같기도 하지만 유전자와 비교해서 생각하면 상당히 과학적인 이야기가 됩니다. 모든 생명체는 유전자를 가지고 있고 그 유전자 안에 있는 유전정보가 발현된 것이 개별적인 생명체죠. 마찬가지에요. 라이프니츠는 모든 존재하는 것은 모나드를 가지고 있고 모나드에 내장되어 있는 정보들이 발현된 것이 구체적인 개체라고 주장하는 겁니다. 차이가 있다면, 유전자는 물질적인 것인 반면 모나드는 정신적 실체이며, 영혼이라는 것, 그리고 유전자는 생명체에게만 있으나, 모나드는 모든 존재자 즉, 그것이 인간이건 동물이건, 식물이건, 광물이건 간에 그것의 본질로서 존재한다는 것이 다르다고 할 수 있어요.

라이프니츠에게 있어서는 영혼이 무엇인가를 지각하고 변화하게 하는 힘이기 때문에 인간, 동물, 식물, 광물까지도 모두 살아 있는 것으로 간주됩니다. 물론 광물은 영혼의 활동성이 아주 미약해서 활동성이 0으로 수렴하는 생명체라고 할 수 있습니다. 그래서 자연을 죽어 있는 것으로 간주했던 데카르트와는 달리 라이프니츠는 자연은 생명으로 충만하다고 이야기하고 있습니다.

"물질의 각 단면은 식물이 가득한 정원으로 이해할 수 있고 또 물고기가 가득한 연못으로 이해할 수도 있다. 더욱이 식물의 가지 하나하나, 동물의 신체 기관 하나, 그리고 그 체액 한 방울이 이미 그러한 정원이며 그러한 연못이다."

데카르트는 죽어 있는 무기물의 관점에서 살아 있는 유기체를 이해하려고 했다면, 라이프니츠는 유기체의 관점에서 무기물을 이해하려고 했다고 할 수 있어요.

—《라이프니츠가 들려주는 모나드 이야기》 중에서

1. (가)와 (나)에서 공통적으로 주장하는 내용은 무엇인지 요약하시오.(200자 내외)

2. (가)에서 제기한 진정한 통일의 의미를 바탕으로, (나)를 참고하여 논술하시오.(500~600자)

생각 쓰기

case 2 다음 글을 읽고 주어진 조건에 따라 논술하시오.

가 모나드는 그 어떤 것에도 의존하지 않는 자립적이고 개별적인 존재입니다. 모나드는 신에 의해 만들어졌기 때문에 신에게 의존합니다. 그러나 모나드는 신 이외의 그 어떤 모나드로부터도 영향이나 도움이 필요하지 않고, 다른 모나드로부터 영향을 받거나 영향을 주지 않습니다. 이것을 라이프니츠는 비유적으로 '모나드는 무엇인가가 들어오고 나갈 수 있는 창' 이 없다고 표현하였습니다.

신이 개별적인 모나드를 만들 때 아무 생각 없이 만드는 것이 아니라 나름의 목적을 가지고 그 목적에 적합하게 각각의 모나드를 프로그램화하여 만들었습니다. 모든 모나드들은 각자 가진 목적에 따라 개별적으로 활동합니다. 하지만 그 활동들은 이미 신에 의해 서로 조화를 이루도록 미리 갖춰져 있습니다.

—《라이프니츠가 들려주는 모나드 이야기》 중에서

나 인간은 자신이 누구인지를 스스로 확인하고 싶어 한다. 자신의 부족한 점은 무엇이고, 뛰어난 점은 무엇인지, 현재의 나는 어떤 모습인지 알고 싶어한다. 이와 같은 과정에서 확인하고자 하는 자신의 모습을 자아라고 한다.

그러면 자아를 안다는 것은 무엇을 뜻하는가? 나의 자아를 안다는 것은, 먼저 내가 원하는 것이 무엇인지를 안다는 뜻이다. 우리는 대개 자기가 원하는 것, 즉 소망이 무엇인지를 확실히 안다고 믿지만, 실제로 스스로 원해서 무엇인가를 하고 난 후에 내가 원했던 것은 이것이 아니었다고 후회하는 사람을 자주 볼 수 있다. 따라서, 내가 나를 안다는 것은 내가 하려고 하는 것을 막연하게 아는 것이 아니라, 확실하게 아는 것을 뜻한다.

그러나 자기가 원하는 것을 하고 싶어도 그에 따른 능력이 부족하면 이루어 낼 수 없다. 즉, 내가 할 수 있는 것과 할 수 없는 것을 구분하지 못하거나, 할 수 없는 것을 하려는 것은 자신의 능력을 잘 모르는 것이다. 이러한 사람은 결국 실패하게 된다. 그러므로 내가 원하는 것을 해낼 수 있는 능력을 아는 것은 자아를 구성하는 중요한 요소가 된다.

한편, 나는 사회 속에서 다른 사람들과 일정한 관계를 맺으며 살아가고 있다. 따라서, 사회인으로서 내가 해야 할 행동과 해서는 안 될 행동이 있다. 또, 하고 싶지 않아도 해야 할 일이 있고, 반드시 해야 하지만 능력이 미치지 못해서 하지 못하는 일도 있다. 이러한 점에서 볼 때, 내가 할 수 있는 것을 아는 것만으로는 충분하지 못하다. 사회적 존재로서 내가 할 일과 해서는 안 되는 일이 무엇인지를 알 때, 비로소 자아를 안 것이라고 할 수 있다.

— 중학교 1, 《도덕》 중에서

다 "그런 면에서 볼 때 게임 프로그래머는 창조주와 같다고 할 수 있지."

"창조주요? 어째서요?"

오랜만에 세윤이가 말문을 열었어요.

"이 세계도 신이 만든 프로그램에 따라 움직이고 있으니까. 게임이 프로그래머가 작성한 프로그램에 따라 진행되듯이, 이 세계는 창조주가 작성한 프로그램에 따라 진행된다는 뜻이야."

동혁 아저씨가 잠시 헛기침을 하더니 이야기를 이어 나갔어요.

"아까 내 게임 대화명이 모나드라고 했던 걸 기억하지? 모나드란 영혼이라는 뜻이야. 나는 예전부터 철학에 관심이 많았는데 우연히 모나드론에 대한 내용을 접하고 감명을 받았단다. 내가 상상했던 세계관과 비슷한 점이 많아서였지. 내가 모나드라는 대화명을 쓰게 된 것도 그 때문이야."

그 순간 태균이는 동혁 아저씨가 얘기했던 라이프니츠가 떠올랐어요.

"아저씨, 그러고 보니 라이프니츠가 생각나요. 그때 게임을 하면서 모나드에 대한 이론을 폈던 철학자가 라이프니츠라고 하셨잖아요. 그 철학자에 대해 다음에 얘기한다고 말씀하셨던 기억이 나는데 지금 말씀해 주세요."

"그러잖아도 지금 얘기하려고 했지. 라이프니츠는 단순히 철학자가 아니었어. 철학자이자 법률가이기도 했고 미적분이라는 것을 만들어 낸 수학자로도 유명하지."

"철학자면서 법률가면서 수학자라니, 와! 정말 대단한 재능을 가진 사람인가 봐요. 한 가지 직업을 갖기도 힘든데 1인 3역을 했다니 말이에요."

"라이프니츠는 여섯 살 때 아버지를 여의고 홀어머니 밑에서 자랐단다. 그런데 어머니가 화해와 조화를 존중하는 신앙인이었어. 당연히 라이프니츠도 그 영향을 많이 받았지. 그래서 그의 철학 사상 역시 조화와 화해를 추구하고 있어."

태균이는 그 순간 '모전자전' 이라는 고사성어가 생각났어요. 자녀의 삶에 부모의 역할이 얼마나 중요한지를 깨달을 수 있는 예라고 하겠지요. 동혁이 아저씨가 게임 회사를 운영하는 아버지를 둔 덕분에 게임 프로그래머가 된 것도 그런 맥락에서 이해할 수 있을 거예요.

"모나드에 대해 더 구체적으로 이야기한다면…… 모나드는 한 인간의 과거, 현재, 미래의 과정을 모두 포함하고 있어. 예를 들어 김태균의 모나드는 태균이를 규정하는 모든 내용들이 그냥 아무런 순서 없이 모여 있는 것이 아니라 일정한 순서에 따라 펼쳐지도록 프로그래밍 되어 있다는 거지. 즉, 태균이에게 과거에 일어났던 일, 지금 일어나고 있는 일, 미래에 일어날 일들이 모두 김태균의 모나드에 들어 있다가 순서에 따라 펼쳐지는 거야."

여기까지 얘기했을 때 민수가 머리를 긁적이며 말했어요.

"아저씨, 전 솔직히 말해서 철학이 어렵던데요. 지금 아저씨가 하시는 말씀을 잘 못 알아듣겠어요."

"내용이 좀 어렵지? 지금은 어렵더라도 일단 듣고 나면 나중에 기억나는 부분이 조금은 있을 거야. 첫술에 배부를 수는 없으니까…… 음, 아까 했던 이야기를 쉽게 요약한다면 태균이의 모나드는 태균이에게 일어났던 일, 지금 일어나고 있는 일, 그리고 앞으로 일어날 모든 일들이 비물질적인 정보로 수록되어 있는 설계도라고 할 수 있다는 거야. 태균이의 모나드, 즉 태균이의 설계도가 물질에 구현되어 태균이는 지금의 모습으로 존재하게 된다는 뜻이지."

—《라이프니츠가 들려주는 모나드 이야기》 중에서

1. 제시문 (가), (나), (다)에서 이끌어낼 수 있는 공통점은 무엇인지 요약하시오.(300자 내외)

2. 모나드monad란 원래 수학 용어로 '1' 또는 '단위'를 뜻하는 그리스어의 모나스monas에서 나온 말이라고 합니다. 이런 관점에서 위 제시문을 참고로 하여 자신이 생각하는 '모나드'란 무엇이고 이러한 연구가 왜 필요한 것인지 구체적인 근거를 들어 논술하시오.(1,000자 내외)

생각 쓰기

case 3 제시문 (가)에 나타난 문제 상황을 설명하고, 이에 대한 (나)의 라이프니츠가 주장한 '모나드'의 관점에서 설명하고 이에 대한 해결 방안을 논술하시오. (1,300자~1,400자 내외)

가 샘마을의 미루나무

때 : 초저녁

곳 : 농촌 마을 회관

나오는 사람 : 동수 아버지, 경미 아버지, 노인(남), 마을 사람들(남 · 여) 10여 명

준비물 : 톱

배경 그림 : 모조지 전지의 위쪽에는 이글거리는 태양, 가운데에는 작은 연못과 연못가에 커다란 미루나무 세 그루, 그리고 그 아래쪽에는 고추밭과 논이 있는 그림을 그려서 칠판에 붙여 놓는다. 고추밭과 논에는 미루나무의 그늘이 길게 드리워져 있다.

노인 : 어림없는 소리! 그 나무가 어떤 나무인데 벤단 말이야!

마을 사람 1 : 그 미루나무는 마을 사람들이 들일을 하다가 잠시 쉴 수 있는 그늘을 만들기 위해서 동네 어른들이 경미 할아버지와 의논하여 심은 것입니다. 그런데 허락도 없이 베겠다는 겁니까?

동수 아버지 : (흥분한 목소리로) 그 나무는 우리 땅에 있어요. 아무리 그때 의논을 했다 하더라도 지금은 주인이 바뀌었습니다.

경미 아버지 : (안타까운 표정을 지으며) 저도 지난여름에 미루나무 그늘에서 쉬기도 했습니다. 그러나 이 고추밭을 좀 보십시오. (칠판에 붙여 놓은 그림을 가리키며) 햇빛을 받는 쪽의 고추는 이렇게 열매가 많이 달리고 잘 자랐는데, 그늘진 곳의 고추는 열매가 제대로 달리지도 않았습니다. 그러니 미루나무를 그대로 둘 수가 있겠습니까?

동수 아버지 : 고추 농사만 망친 게 아닙니다. 우리 논 좀 보십시오. (칠판에 붙인 그림을 가리키며) 미루나무 그늘 때문에 이렇게 벼 이삭이 영글지도 못하니, 미루나무를 자를 수밖에 없습니다.

마을 사람 2 : 그렇지만 마을 사람들이 일을 하다가 잠시 쉬기도 하고, 아이들이 모여 놀기도 하는 곳인데, 꼭 나무를 베어야 합니까?

경미 아버지 : 그럼 우리더러 헛농사를 지으란 말입니까? 어쨌든 미루나무를 베어 버릴 테니, 그런 줄 아십시오. (큰 톱을 들고 나가려 한다.)

마을 사람 3 : 나무를 베기만 해 봐, 가만두지 않을 테니!

마을 사람 4 : (싸움을 말리며) 싸워서 해결될 일이 아닙니다. 대책을 마련해야 합니다.

마을 사람 모두 : 대책은 무슨 대책이야! (마을 사람 모두가 팔을 내저으며 아우성을 친다.)

마을 사람 4 : 모두들 진정하십시오! 동수네와 경미네가 손해를 보지 않고 마을 사람들에게도 좋은 방법을 생각해 봐야지요.

마을 사람 모두 : 그런 방법이 있을까?

— 초등학교 5, 《도덕》 중에서

나 "라이프니츠의 이론에도 의문점이 있어요. 라이프니츠의 논리에 따르면 이 세상에 있는 모든 악(惡)도 신이 고의적으로 만들어낸 거네요? 결국 신이 이 세상의 선악을 만들어 놓은 건데 우리가 악을 손가락질할 이유가 있나요? 사람들이 악한 행동을 하는 것도 신이 만든 프로그램에 포함된다면 말이에요."

"맞아, 나도 그런 생각이 들었어."

민수가 들릴 듯 말 듯 조그맣게 말했어요.

하지만 동혁 아저씨는 당황하지 않았어요. 아마 이런 상황을 예견했나 봐요.

"그런 질문이 나올 줄 알았다. 당연히 나와야 할 질문이었고. 그럼 첫 번째 질문에 대해 대답하지. 너의 의문은 그럴 듯하지만 그건 하나만 알고 둘은 모르는 거야. '구더기 무서워 장 못 담근다' 는 속담이 있지? 네 말대로라면 사람들이 악용할 수 있는 모든 것들은 아예 없애야 한다는 논리인데 말이 안 되지. 그렇게 따지면 담배도 아예 안 만들어야 하고, 술도 안 만들어야 하고, 불량 만화가 무서워 만화들도 모두 없애야겠네?"

순간 태균이는 할 말을 잃었어요. 거기에 대한 반박을 할 수가 없었거든요.

"어디 그뿐이니? 암을 치료하기 위해서는 항암제를 사용해야 하는데 그 항암제는 암세포는 물론 정상 세포까지 죽인다고 해. 그러면 정상 세포를 죽이지 않기 위해서 항암제 사용을 중지해야겠니? 그렇게 하면 암 환자는 어떻게 치료를 받지?"

그 말을 듣고 보니 더 할 말이 없었어요. 작은 부작용이 두려워 큰 효과를 포기할 수는 없는 것이니까요.

"그리고 두 번째 질문에 대한 답을 할게. 라이프니츠에 따르면, 이 세계는 신에 의해 창조된 세계, 그러니까 신에 의해 디자인된 세계야. 디자이너가 수많은 디자인들 중에서 가장 잘 된 것 하나를 선택하듯이, 최고의 디자이너인 신도 수많은 디자인들 중에서 최상의 것을 선택해서 세계를 창조한 거지. 그렇게 해서 창조된 세계가 바로 이 세계야."

"그러니까요, 저는 신이 만든 최상의 작품인 이 세계에 악이 있다는 것이 이해가 가질 않아요."

태균이는 말을 하면서 세윤이와 민수를 바라보았어요. 아마도 친구들에게 동의를 구하는 것 같았어요. 세윤이와 민수는 고개를 끄떡였어요.

"신이 만든 이 세계는 완전한 세계가 아니야. 신이 창조한 것은 그 어떤 악도 고통도 결함도 없는 또 다른 신이 아니야. 이 세계는 신에 의해 창조된, 기본적으로 신과는 전혀 다른 피조물이지. 따라서 이 세계는 신과는 달리 근원적으로 불완전할 수밖에 없고 그 불완전함 때문에 악이 존재할 수밖에 없는 거야."

아저씨는 잠시 말을 끊더니 우리 한 사람 한 사람을 바라보았어요. 우리들이 이해하는지 살피는 것 같았어요. 그리고는 조금 더 설명해 줄 필요가 있다고 생각하셨는지 이야기를 이어 나갔어요.

"신이 선택한 최상의 작품인 이 세계는 악이 없는 세계가 아니라 악이 나름대로 선과 조화를 이루고 있는 세계라고 할 수 있어. 악은 그 자체로는 불필요한 것 같지만, 전체적으로 보면 나름대로의 긍정적 역할이 있어."

"악이 긍정적 역할을 한다구요?"

악은 무조건 나쁜 거라고 배웠는데…… 태균이는 몹시 혼란스러웠어요.

"그렇단다. 악 덕분에 우리는 선을 깨닫게 되고 더 큰 악을 방지하거나 더 큰 선을 실현하기 위해 노력하게 된다고 할 수 있지. 이를테면 악곡 속에 있는 불협화음은 그 자체로는 불필요해 보이지만, 악곡 전체를 놓고 볼 때는 화음과 더불어 없어서는 안 되는 부분인 것처럼, 악도 그 자체로는 없어져야 할 것처럼 보이지만, 세계 전체를 놓고 볼 때는 선과 더불어 없어서는 안 될 부분이라고 할 수 있어."

―《라이프니츠가 들려주는 모나드 이야기》 중에서

생각 쓰기

실전 논술

예시 답안

case 1

1. (가)는 우리 민족의 통일을 염원하고 있습니다. 우리 민족은 땅과 말이 본래 하나였기 때문에 다시금 하나가 되어야 한다고 주장하고 있습니다. (나)는 결코 분리되지 않으며 본질로서 세상의 모든 사물에 존재하는 모나드를 설명하고 있으며 이를 통할 때 실체에 대해서 접근할 수 있다고 보고 있습니다. 즉 우리 민족과 모나드는 분리될 수 없는 공통된 속성을 지니고 있습니다.

2. 동상이몽이라는 말처럼 우리는 같은 자리에 있으면서도 서로 다른 생각과 가치를 지니고 있는 경우가 많습니다. 이는 물질(공간)은 하나로 통일되었지만 정신(생각)은 하나가 아니기 때문입니다.

(나)는 모나드가 비물질적 특징을 지니고 있다고 보고 있습니다. 모나드는 하나의 실체를 규정하며 더 이상 쪼개지지 않습니다. 따라서 모나드는 모든 영혼이라고 규정하고 있으며, 이를 통해서 우리는 보이지 않는 실체에 대하여 접근할 수 있습니다. 이처럼 통일의 문제에 있어서도 단지 눈으로 보이는 부분만이 아닌 보이지 않는 부분에 대해서도 신경 써야만 합니다.

(가)에서 통일은 헤어진 가족이 만나고, 생각이 하나가 되며, 같은 말을 씀으로서 하나가 되는 우리의 간절한 소망이라고 표현하고 있습니다. 이는 통일이 단지 갈라진 두 땅이 하나로 합쳐지는 것을 의미하는 것만이 아님을 뜻합니다. 즉, 분단된 국토를 합치는 것만이 아닌 우리 민족의 전통과 가치관이 하나 되는 데 통일의 의미를 부여해야 합니다.

case 2

1. 위 제시문은 개별적인 존재의 본질적인 가치와 실체에 대한 것입니다. 이것은 자아라는 개념으로 설명할 때는 자신은 과연 어떤 사람인가를 찾는 것입니다. 이 때 '나는 누구인가?' 라는 물음은 육체와 같은 물질적 존재를 넘어서 정신적 가치인 '나' 자신의 가치관을 의미합니다. 이러한 자신의 본질적 가치를 탐색하기 위한 탐색은 한 개인의 문제로 끝나는 것이 아니라, 다른 생명과의 연계성에서도 찾아볼 수 있을 것입니다. 다시 말해 '나' 자신의 실체를 안다는 것은 개별적 존재로서 '나' 의 가치만 찾는 것이 아니라 전체 관계 속에서 개별적 가치의 의미를 찾는 것이기 때문입니다.

2. 숫자 '1' 은 가장 단순하지만 모든 수의 근원입니다. '1' 은 수에 대한 개념의 출발점이라 할 수 있습니다. 라이프니츠가 말하는 모나드는 '모든 존재의 기본으로서의 실체' 이며 '나눠질 수 없는 정신적인 것' 이라고 합니다.

제시문 (가)에 의하면 모나드는 개별적이고 독립적인 의미라는 것을 알 수 있습니다. '모나드는 무엇인가가 들어오고 나갈 수 있는 창이 없다' 라는 말은 외부적인 영향을 받지 않고, 자기 내부에서 독자적이고 고유한 자기만의 본질적인 가치을 형성하는 것입니다.

이것은 제시문 (나)에서 '자아의 발견과 실현' 을 위한 노력과 같은 맥락입니다. 물론 (나)에서의 '자아' 는 단순한 개인의 문제일 수도 있습니다. 하지만 이것은 모나드의 관점에서 해석해 보면 각기 고유한 개별적 존재로서의 모나드입니다. 그렇다고 해서 개별적인 모나드가 모여 이루어진 인간이라는 의미는 아닙니다. 모나드의 합성의 의미가 아닌 각기 고유한 자신만의 모나드인 것입니다.

그런데 이러한 모나드는 개별적이고 독립적이지만, 스스로 어떤 존재를 갖는 것이 아니라 신에 의해 이미 예정되어 있는 길을 가는 것입니다. 이것은 어떤 측면에서 보면 서로 모순된 생각처럼 보입니다. 하지만 모나드가 물질적인 대상이 아닌 정신적인 대상이라는 점을 생각해 본다면 좀 더 쉽게 이해할 수 있을 것입니다. 예를 들어 '나무'는 뿌리와 줄기, 잎으로 구성되어 있어서 각각의 요소로는 존재할 수 없습니다. 각기 나눠진 뿌리와 줄기나 잎은 나무가 아닌 것입니다. 이것은 나무라는 식물로서의 존재를 접근할 때 우리를 혼란스럽게 합니다. 모나드는 인간의 육신이 아닌 인간의 의식을 지배하는 영혼과 같은 것입니다. 눈에 보이는 나무 자체가 아닌 나무가 갖는 고유한 정신적인 속성을 의미하는 것입니다.

case 3

우리 사회도 도시화가 되어 가면서, 농업 사회를 기반으로 한 공동체 의식이 점차 약해지고 있습니다. 개인 간의 갈등은 더욱 심화되어 끝없는 생존 경쟁에 내몰리게 되고, 우리 일상의 아주 작은 것까지도 조화가 아닌 대립의 모습을 보여 주고 있습니다.

제시문 (가)에서 농사를 망치게 된 동수네와 경미네는 미루나무를 베려고 하고, 마을사람들은 시원한 휴식 공간을 주고 있는 미루나무를 살려야 한다고 대립하고 있습니다. 자신들의 주장을 관철시키기 위해 다른 사람의 입장을 배려하지 못하고 있는 것이다.

경쟁 사회에서는 경제적 이익이 중요한 판단 기준이 됩니다. 농사를 망치게 된 동수네와 경미네 입장에서 미루나무는 자신들의 경제적 이익을 방해하는 것에 불과합니다. 그러니 당연하게 마을 공동체의 이익과 관계된 부분은 중요하게 생각하지 않을 수도 있습니다.

이렇게 경쟁 사회로의 변화는 개인이나 특정 집단만의 이익을 추구하게 되어 사회 전체의 공동체 의식은 점차 약화되어 가고 있습니다.

그런데 이러한 갈등과 대립에서 나타나게 된 극단적인 이기주의를 무조건 비판할 수만은 없습니다. 제시문 (나)에서 '악 덕분에 우리는 선을 깨닫게 되고 더 큰 악을 방지하거나 더 큰 선을 실현하기 위해 노력하게 된다' 는 말처럼, 이기주의는 우리 전체의 모습을 다시 한 번 생각하게 합니다. 어쩌면 작은 이기주의는 여기에서 발생한 문제를 해결하는 과정에서 더 큰 문제가 되는 집단 이기주의를 해결하는 열쇠가 될 수도 있습니다.

이기주의는 인간의 본능이라고도 할 수 있습니다. 공동체 의식이 강한 전통사회에서는 이러한 문제가 연장자에 의해서 조정되거나, 개인의 욕망을 통제함으로써, 이기주의 문제점을 해결할 수 있었습니다. 그러나 현대사회에서는 법률의 강제성이 아닌 다른 방법으로 통제하기는 어려운 실정입니다. 다르게 생각해 보면 이기주의는 인간의 갈등을 조절하는 기준이 될 수도 있습니다. 상대편의 입장에서 이익을 생각해 보며, 그것이 알맞은 것인가를 생각할 수 있는 기회를 제공하기 때문입니다.

샘마을의 미루나무는 어느 한쪽의 희생을 강요하는 방향으로 해결되어서는 안 될 것입니다. 동수네와 경미네가 손해를 보고 있는 만큼, 마을 공동기금에서 손해를 본 정도의 금액을 보상하는 방법을 생각해 볼 수 있습니다. 또 마을 사람들이 시원하게 쉴 수 있는 분위기를 해치지 않는 선에서 미루나무 가지를 일부 자를 수도 있을 것입니다.

공공의 이익이란 것은 개인의 손해를 바탕으로 이루어져서는 안 됩니다. 개인의 이익을 존중하면서도 사회 전체의 이익을 추구하는 것이 진정한 공공의 이익이라 할 수 있을 것입니다.

Abitur

철학자가 들려주는 철학이야기 095

원효가 들려주는 한마음 이야기

저자_**조훈성**
공주대학교 대학원 국어교육학과에서 석사학위를 받았고, 공주대학교 대학원에서 국어국문학전공으로 박사 과정을 수료했다. 현재는 공주대학교에서 강사로 있으면서 연희극예술에 관련한 비평 활동도 하고 있다.

배경 지식 넓히기

元曉

원효와 '한마음'

원효 주요 개념

1. 원효를 만나다

1)원효는 누구인가

원효는 617년에 압량군 불지촌(지금의 경산군 자인면)에서 태어났다고 전해집니다. 우리가 알고 있는 '원효(元曉)' 라는 이름은 불교에서의 이름을 말하는 법명이고, 법호는 화정(和靜)이었습니다. 승려가 되기 전의 성씨는 설 씨였고, 어릴 때의 이름은 서당(誓幢)이라고 불렸습니다. 그리고 열 살이 될 때 홀로 집을 떠나 승려가 되었습니다.

원효는 남달리 총명하여 일찍부터 여러 유명한 스승을 만나 불교 경전을 배웠다고 합니다. 그리고 열심히 공부한 끝에 성인이 되어서는 불법의 이치를 깨달아 홀로 수행을 계속하고 불교의 전파에 힘을 씁니다. 원효는 경학(經學)뿐만 아니라 유학(儒學)에 있어서도 당시에 손꼽힐 만큼 깨달음이 커서 많은 이들에게 두루 존경을 받았습니다.

원효의 깨달음은 쉽게 얻어진 것이 아니었습니다. 원효는 깨달음을 위해

배움을 게을리하지 않고 많은 스승을 찾아가 불법을 배웠습니다. 고구려 유명한 승려인 보덕 화상 밑에서 《열반경》, 《유마경》 등을 공부하였고, 영취산 혁목암(지금의 통도사 산내 암자)의 낭지 화상에게 가르침을 받았으며, 당대 최고의 신승(神僧)이라고 추앙받던 혜공 화상에게서도 불법을 배웠다고 전해집니다.

원효는 당시 사회, 문화적으로 선진 국가였던 중국의 당나라로 유학을 떠나고자 많은 노력을 기울였는데, 이것은 원효의 일생에 큰 전환을 가져옵니다. 당나라로 유학을 가려던 원효의 꿈은 쉽게 이룰 수 없었습니다. 650년 34세가 되던 해에 같이 공부하던 의상과 함께 신라를 떠나 요동으로 갔지만 그곳 순라군에게 첩자로 몰려 여러 날을 옥에서 고생을 하고 겨우 풀려나 신라로 돌아왔습니다. 10년 후 661년 45세 때에 또 원효는 의상과 함께 바다를 통해서 당나라로 가기 위해 길을 떠났습니다. 그러나 당항성으로 가는 도중 갑자기 큰 비를 만난 두 사람은 산속에서 토굴을 발견하고 그곳에서 하룻밤을 지내게 되었습니다. 토굴 속에서 갈증이 난 원효와 의상은 우연히 바가지에 고여 있는 물을 마시고, 물맛이 매우 달고 시원하다고 느꼈습니다. 그런데 아침에 깨어 보니 자신들이 있던 곳은 토굴이 아니었고 오래된 무덤이었으며, 물을 떠 마셨던 그릇은 바로 해골이었다는 걸 알게 되었습니다. 비가 그치지 않아 어쩔 수 없이 다음 날도 무덤에서 고생한 원효는 큰 깨달음을 얻었습니다. 바로 '유심(唯心 : 모든 사물의 법칙은 오직 한마음에서 일어남)' 의 진리를 안 것입니다.

知心生故種法生(지심생고종법생)
마음이 생기면 만물의 갖가지 현상이 일어나고,
心滅故 不二(심멸고촉루불이)
마음이 없어지면 무덤, 해골 물이 둘이 아님을 깨닫는다.

원효는 홀연히 일어서 의상에게 "또 무엇을 구하고 어디에 가서 무엇을 배운단 말인가, 신라에 없는 진리가 당나라에는 있겠는가. 또, 당나라에 있는 진리가 신라에는 없겠는가" 라고 하며 당나라로 유학 가기를 포기하였습니다.

원효는 그 길로 신라로 되돌아왔습니다. 그리고는 마음에서 비롯된 그 깨달음을 백성과 나누고자 했습니다. 그래서 원효는 백성들에게 불교를 전파하는 데 몰두했습니다. 원효의 이러한 행동은 당시에는 굉장한 파격이라고 할 수 있었습니다. 대부분의 승려들은 성내의 큰 사원에서 안락한 생활을 하고 있었던 것과는 반대로 원효는 촌락, 길거리를 돌아다니며 거지들이 들고 다니는 동냥 그릇과 같은 무애호(無碍瓠 : 이상한 모양의 큰 표주

박으로, 두드리면서 무애가(無碍歌)를 불러서 붙여진 이름)를 두드렸던 것입니다.

또 널리 전해지는 원효의 일화 중 하나는 다음과 같습니다. 원효가 불교 경전 중 하나인 《화엄경》을 주석하는데, "누가 자루 없는 도끼를 빌려 줄 건가, 하늘 받칠 기둥을 깎으려 하네" 라는 노래를 불렀습니다. 대부분의 사람들은 원효가 부르는 노래의 뜻을 이해하지 못하고 어리둥절해 할 뿐이었습니다. 다만 임금만이 그 노래를 듣고 스님이 귀부인을 얻어 훌륭한 인재를 낳고 싶어 한다는 것을 알았습니다. 왕은 곧 사람을 시켜 원효를 부르게 한 후 요석공주를 만나게 해 줍니다. 이후 원효는 아들 설총을 낳은 후 스스로 불교의 계율을 어겼다하여 승복을 벗어 일반 백성이 입는 옷으로 갈아입고, '무애호' 를 만들어 여러 마을을 돌아다닙니다. 원효는 부처의 뜻을 쉽게 전하기 위하여 노래하고 춤을 췄습니다. 이런 원효의 노력으로 신라의 가난한 사람, 늙고 병든 사람, 어린아이들까지도 모두 부처의 이름을 알고 염불을 할 수 있게 되었다고 전해집니다.

원효의 일생은 화쟁(和諍 : 서로 다른 쟁론을 화해시킴)의 교법(敎法)에 의하여 석가모니의 화합(和合) 정신을 구하고, 대중 교화를 통하여 실천의 원리인 이타(利他 : 다른 사람을 이롭게 함)를 행함으로 대승적인 화의(和意 : 화해의 마음) 정신을 일깨웁니다.

또, 원효는 인간 본연의 청정한 마음을 되찾기 위해서는 깨달음을 위한 수행이 계속되어야 한다고 말했습니다. 다시 말해 깨닫지 못한 마음은 보이는 것에만 매달리기 때문에 생활에서 참된 수행을 해야만 그 진리를 밝힐 수 있다고 말했습니다. 곧 깨달음의 세계는 더럽고 깨끗함이 둘이 아니라는 것과 진리의 길과 세속의 길은 본래 같다는 말을 통하여 하나가 되어 살 수 있는 평화로운 세계를 구현하고자 했습니다.

원효는 대중들에게 끊임없이 진리를 추구하고 이를 실천, 수행함으로써 완성된 인격을 이룰 수 있다고 하였으며, 이런 참된 수행의 길로 대중을 인도하는 데 인생을 바쳤습니다. 이렇게 대중 교화에 힘쓰던 원효는 686년에 나이 70세에 혈사(穴寺)에서 입적하였습니다.

무애호 (無碍瓠)

홍석모의《동국세시기(東國歲時記)》에 보면 호리병박 세 개에 빨강, 노랑, 파랑 등 삼원색을 칠하여 차고 다니다 열나흘 밤 몰래 큰 길에 버리면 한 해 동안 액(厄)이 없어져 무사히 지냈다는 기록이 있습니다. '호(瓠)'는 흔히 우리가 아는 박을 말합니다. 이 박은 원효의 무애호(목탁)입니다. 원효는 요석공주와 결혼하여 설총을 낳은 후에 속세의 의복으로 바꿔 입고 스스로 소성거사(小性居士)라 칭하며 일반 백성에게 설법하러 다녔습니다. 그러던 어느 날 원효는 길에서 광대가 춤을 추며 큰 박을 얻는 것을 보고 그 박의 형상을 본떠 도구를 만들었습니다. 원효는 이를 '무애호(無碍瓠)'라 이름을 붙이고, 무애호를 두드리며 노래를 지어 부르면서 춤추며 돌아다녔다고 합니다.

— 일연 (이민수 역), 《삼국유사》 참조

2) 원효의 사상

원효가 깨달은 참다운 진리는 크게 두 가지라고 할 수 있습니다. 첫째로 눈앞의 모든 것이 달라지는 근본은 바로 마음에서 비롯된다는 것입니다. 해골 속의 썩은 물을 통한 깨달음처럼 말입니다. 둘째는 쪽빛과 남색이 하나이고, 물과 얼음이 근본적으로 같듯이 서로 다른 것처럼 보이는 주장들도 결국은 하나로 합쳐질 수 있다는 것(화쟁 사상)입니다.

원효가 무덤 속에서 진리를 깨달아 부른 노래를 들어 보고 원효의 '한마음사상'과 '화쟁 사상'에 대해 더 자세히 알아보도록 합니다.

心生故種種法生(심생고종종법생)
마음이 생겨 가지가지 법이 생기고,
心滅故龕墳不二(심멸고감분불이)
마음이 사라지니 무덤이 둘이 아니다.
三界唯心萬法唯識(삼계유심만법유식)
삼계가 오직 마음이고 만법이 오직 깨달음이다.
心外無法胡用別求(심외무법호용별구)
마음 바깥에는 법이 없으니 어찌 달리 구하리오!

— 원효 〈오도송(悟道頌)〉

① 원효의 한마음(一心) 사상

원효의 한마음사상은 《금강삼매경론》, 《대승기신론소》 등 원효의 많은 저술에 잘 나타나 있습니다. 그것은 사람의 마음에 대한 깨달음, '마음'의 '참'을 올바로 알아야 진정한 깨달음이 있을 수 있다는 것입니다. 다시 말해 원효는 하나 된 마음의 원천으로 돌아가는 것이야말로 수행의 참 목표가 될 수 있다고 말하였습니다. 그리고 그러한 깨달음은 바깥 세계와 타인과의 경계를 허물고, '우리'라는 더불어 사는 공동체의 실현을 위한 수행을 중요하게 여겼습니다.

원효는 모든 것이 하나로 돌아가고 그 만물은 참된 것으로 움직인다는 생각을 굳게 믿고 있었습니다. 그래서 한마음 사상은 만물 본연의 자연스러움을 이해하고 그 본성을 깨닫는 것이 중요하며, 이 사상이야말로 만물의 이치가 되며 근본이 된다고 하였습니다. 그리고 하나 된 마음의 세계가 불교에서 말하는 '극락세계'라 할 수 있으며, 그러한 깨달음을 얻은 사람들은 모두 행복하고 평화롭다는 것이 그가 말하는 한마음 사상이라고 정리할 수 있을 것입니다.

한편, 원효가 지향하는 인간상 즉, '무애(無碍 : 거칠 것이 없다)'의 정신이 지향하는 '자유인(自由人)'은 바로 이 '한마음'을 깨우쳐 세상의 어떠한 구속에도 거리낌 없이 자연인의 삶으로 살아가는 것을 말합니다.

그는 어디에도 걸림이 없는 철저한 자유인으로서 살고자 했습니다. 원효는 부처와 중생(衆生 : 도를 깨닫지 못한 사람)을 둘로 보지 않았으며, 오히려 '한마음' 에 대하여 "무릇 중생의 마음은 원융(圓融)하여 걸림이 없는 것이니, 태연하기가 허공과 같고 잠잠하기가 오히려 바다와 같으므로 부처와 중생은 평등하여 차별이 없다"라고 하였습니다. 다시 말해 중생의 삶이란 거리낌 없이 자유스러운 삶인데, 이것이야말로 부처가 사는 삶이라고 말한 것입니다.

원효는 중생이 살고 있는 속세나 부처가 살고 있는 열반(涅槃)의 세계가 따로 있는 것이 아니라 원래가 그것은 큰 하나된 것이고, 그 움직임과 고요함 역시 모두 하나의 꿈에서 비롯된 것으로 깨달음은 결국 '한마음' 에 있다고 이야기합니다. 그러므로 그는 자연심(自然心)을 가진 '자유인' 은 다른 열반의 세계에 따로 있는 것이 아니라, 속세의 중생심(衆生心)에 내재되어 있다고 보았고, 그 누구라도 깨달음을 얻으면 '자유인' 이 될 수 있다고 했습니다.

대승기신론소(大乘起信論疏)

이 책은 원효의 불교 주석서로, 불교사상의 종합과 실천에 노력한 원효는 불교문학 가운데 대표적 논소(論疏)이자 대승불교의 개론서라 할 수 있는 마명(馬鳴)의 《대승기신론》을 중국의 현학적인 주석에서 탈피하여 원저자의 정신을 드러내는 방향에서 주석하고 있습니다. 이 책에서 원효는 《대승기신론》의 본질과 그것이 불교에서 차지하는 바를 밝혔습니다. '대승기신론' 이라는 제목에 대한 해설을 보면, '대(大)' 는 포용한다는 뜻으로 진리를 의미하고, '승(乘)' 은 수레를 뜻하는 것으로 '대승' 은 곧 모든 사물과 사람에 적용되는 진리라고 말하고 있습니다. 그리고 '기신(起信)' 은 믿음을 불러일으키는 것인데 그 믿음이란 우리가 '그렇다' 라고 말하는 것을 의미합니다. 한편, 실천법으로 다음과 같은 계율을 이야기 했습니다. 그것은 먼저 믿음(信心)이 무엇인가를 밝히고 덕을 완성하기 위한 실천법으로서 베풀 것(施), 계율을 지킬 것(戒), 인내하고 용서할 것(忍), 부지런히 정진할 것(進), 마음을 가라앉히고 바라볼 것(觀) 등을 제시했습니다. 이 책은 중국에서는 '해동소(海東疏)'라 하여 찬탄할 만큼 그 주석이 뛰어나다고 평가받고 있습니다.

② 원효의 화쟁(和諍)사상

'화쟁 사상'이란 어떠한 문제를 두고 두 가지 이상의 이론이 있을 때 서로 다른 견해들을 화합시켜 화통할 수 있게 하는 사상을 말합니다. 원효는 편협한 이론에 집착한 나머지 자신과 다른 것을 무조건 분리하고 배척해서는 안 된다고 했습니다. 그리고 깨달음의 마음을 열고 상대를 온전히 껴안아 받아들일 수 있어야지만 서로에 대한 수용을 통해 '화합'을 가져온다고 믿었습니다.

원효는 어느 한 종파에 치우치지 않고 전체 불교를 하나의 진리에 귀납시켜 종합하고자 했습니다. 원효의 자기 분열이 없는 하나의 불교 사상 체계, 조화의 사상을 '화쟁 사상'이라고 합니다. 그의 '화쟁 사상'은《십문화쟁론(十門和諍論)》등의 여러 저술에서 잘 드러나는데, 그는 불교에 대한 다양한 의견을 모아 정리하고 이를 조화시킴으로써 크게 하나가 된 불교를 세우고자 노력했습니다. 그의 '하나로 돌아가자'는 주장은 이후 한국 불교에 커다란 영향을 끼쳤습니다.

왜냐하면 모든 진리라는 것은 상대적으로 성립할 수 있기 때문입니다.

이와 같이 상대적인 차별이 떠난 곳에 '한마음' 이 비로소 있을 수 있는데, 그것은 나와 다르다고 해서 그것을 차별하는 데 집착하지 말라는 말로 받아들일 수 있을 것입니다. 나아가 '한마음' 은 모든 존재의 근거가 되며 내 눈앞에 보이는 모든 세계와 현상의 질서, 현실의 실제 모습이 다양하게 보일지라도 이 모든 것이 '한마음' 에서 비롯된다는 것입니다. 이처럼 한마음은 원효 사상의 바탕을 이루고 있습니다. 따라서 '화쟁 사상' 은 다양한 여러 이론들이 결국 '진여(眞如 : 사물의 있는 그대로의 모습)' 이며, 그것은 평등하고 차별이 없는 절대 진리가 될 수 있다는 것입니다.

원효는 불교의 여러 사상 이론들에 대한 저마다의 의미와 가치를 인정하면서도 그 모든 것을 '한마음' 이라는 최고의 가치에 이르게 합니다. 곧 이것은 화쟁 사상의 원형과도 같다 할 수 있을 것입니다. 원효의 사상적 특색을 '화쟁' 으로 규정하는 이유는 자신의 종파에만 치우쳐 다른 이론을 배척하는 데 열중했던 다른 승려들과는 달리 원효는 분파주의적인 불교가 부처의 진정한 가르침에 어긋난다고 보고 한마음 사상에 근거해 다양한 불교 이론을 화합하려 했기 때문입니다.

자신만 옳다는 집착 때문에 다툼이 있는데, 실상 다툴 이유가 없다는 말은 현대를 살아가는 우리들에게 좋은 지침이 될 수 있을 것입니다. 우리는 자신의 주장만 내세우며 다른 사람을 차별할 때가 많습니다. 원효의 '화쟁' 의 의미를 생각해 본다면 자신의 입장만 주장하는 것이야말로 그른 생각이라고 할 수 있을 것입니다.

화쟁 사상은 불교를 대중화하는 데에도 크게 이바지했습니다. 원효는 백성보다는 왕족과 귀족만을 위했던 당시 권위적인 불교 사회의 각성을 요구했습니다. 그리고 스스로 백성과 불교를 가깝게 하기 위해 노력했습니다. 어렵기만 한 불교의 이론을 쉽게 받아들일 수 있도록 노래를 지어 전파하는 등, '이론'에 대한 쟁론들로 싸움이 그치지 않던 당시의 불교 문화 속에서 진정한 불도를 보여 주었다고 할 수 있습니다.

화쟁(和諍) 사상

화쟁 사상은 우리나라 불교에서 가장 특징적인 사상이라 할 수 있습니다. 불교에서는 수많은 이론이 대립하고 있는데, 이러한 이론을 조화시키려는 사상이 바로 화쟁 사상이라고 할 수 있습니다. 신라 시대의 유명한 승려였던 원광이나 자장이 이를 말하였으며, 뒤이어 원효가 그 뜻을 이어받았습니다. 원효가 화쟁의 필요성을 느끼고 그것을 강조하게 된 것은 당시에 신라에 들어온 불교 이론들이 다양하여 이론가들은 자신의 이론만이 옳다고 주장했기 때문입니다. 그러다 보니 불교 이론을 둘러싼 논쟁은 격렬하기 그지없었습니다. 원효는 이런 사상적 배척은 불교에서 말하는 '화합'의 정신에 부합되지 않은 것이라고 생각했습니다.

원효의 화쟁의 대상은 그의 시대에 나타난 모든 불교 이론들이었는데, 이를 위해서 원효는 평등하고 차별이 없는 한마음 사상을 내세웠습니다. 그리고 화쟁의 대상이 되는 이론은 '언어'로 표현되었으므로 우선 언어에 대한 이해가 필요하다고 생각하였습니다. 그래서 원효는 언어의 도구적인 측면을 강조하였습니다. '언어는 진리를 전달하는 도구로 사용할 뿐'이라는 것입니다. 그리고 언어는 진리를 전달하기도 하지만 한편으로 진리를 왜곡시키기도 하는 이중적인 속성을 가지고 있다고 밝혔습니다. 또한 언어와 진리는 항상 불가분의 관계를 형성하고 있는 것은 아니므로 화쟁을 위해서는 이러한 언어의 도구성을 제대로 이해하고 이에 집착하지 않는 태도가 필요하다고 하였습니다.

이 모든 것을 가능하게 해 주는 기초는 불경에 대한 폭넓은 이해이며, 어느 한 가지 경전에 집착하지 않고 두루 불경의 내용을 이해하여 폭넓은 시각을 가짐으로써 올바른 견해를 낼 수 있다는 것이 원효의 화쟁입니다.

2. 기출문제 속에서 만난 원효

이제까지 대학 입시에서 원효의 사상과 행적에 관한 논술 문항은 출제되지 않았습니다. 하지만 원효와 관련한 주제가 제시 문항으로 출제되지 않았다하여 원효의 사상이 지금까지의 논술 문제와 무관하다고는 볼 수 없습니다. 가령, 원효의 한마음 사상이나 화쟁(和諍) 사상은 급속하게 대두되고 있는 현대사회의 다원적 가치 체계에 대한 좋은 예시가 될 수 있습니다. 원효의 깨달음을 위한 공부처럼 '참된 앎을 위한 지적 추구' 에 관련한 주제나, 한마음 사상과 화쟁 사상은 다원적 가치 체계에 대한 사회와 개인의 수용 자세와 방향을 논하는 데 좋은 예제가 될 수 있습니다. 한편으로, 우리 사회에 귀착된 연고주의(緣故主義)의 폐해와 그것의 비효율성을 논하는 데 있어서도 원효의 무애행(無碍行)과 연관시켜 고찰해 본다면 충분히 그 의미가 있을 수 있습니다. 그러면 먼저 다원적 가치 체계에 대한 사회와 개인의 수용 자세와 방향에 대한 주제부터 살펴보도록 하겠습니다.

아래의 예시문은 1999년 대입 전남대 논술고사 문제로 '참된 앎을 향한 창조적 소수의 지적 추구와 그에 대한 사회적 대응의 일면' 을 예시한 글이었습니다.

(가) 지하의 동굴에서 어릴 적부터 사지와 목을 결박당한 상태로 있는 사람들을 상상해 보게. 이들은 이곳에 머물러 있으면서 앞만 보도록 되어 있고, 포박 때문에 머리를 돌릴 수도 없다네. 이들의 뒤쪽 멀리에서는 불빛이 타오르고 있네. 또한 이불과 죄수들 사이에는 위쪽으로 길이 하나 나 있는데, 이 길을 따라 담이 세워져 있는 걸 상상해 보게. 흡사 인형극을 공연하는 경우에 사람들 앞에 야트막한 휘장이 처져 있어서 이 휘장 위로 인형들을 보여 주듯 말일세. 더 나아가 또 상상해 보게나. 이 담을 따라 사람들이 온갖 것들을 담 위로 들고 지나가는 걸 말일세. 이것들을 들고 지나가는 사람들 중에서 어떤 이들은 소리를 내나 어떤 이들은 잠자코 있을 수도 있네. 만일에 죄수들이 서로 대화를 할 수 있다면 이들은 자신들이 벽면에서 보는 것들을 벽면에 스치며 지나가는 것들로 상정할 것이라고 자넨 생각하지 않는가? 또, 이 감옥의 맞은편 벽에서 메아리가 울려온다면 어떻겠는가? 지나가는 자들 중에서 누군가 소리를 낼 경우에 그 소리를 내는 것이 지나가는 그림자가 아닌 다른 것이라고 이들이 믿을 것으로 자넨 생각하는가? 이런 사람들이 인공적인 제작물의 그림자 이외의 다른 것을 진짜라고 생각하는 일은 전혀 없을 걸세.

(……) 어떤가? 이 사람이 최초의 거처와 그 곳에 있어서의 지혜 그리고 그때의 동료 죄수들을 상기하고서는 자신의 변화로 해서 자신은 행복하다고 여기되, 그들을 불쌍히 여길 것이라고 자넨 생각하지 않는가? 그러면 이 점

또한 생각해 보게. 만약에 이런 사람이 다시 동굴로 내려가서 이전과 같은 자리에 앉는다면 그가 갑작스레 햇빛에서 벗어났으므로 그의 눈은 어둠으로 가득 차게 되지 않겠는가? 그렇지만 만약에 그가 줄곧 그곳에서 죄수 상태로 있던 그들과 그 그림자들을 다시 판별해 봄에 있어서 경합을 벌이도록 요구받는다면, 그것도 눈이 제 기능을 회복도 하기 전의 시력이 약한 때에 그런 요구를 받는다면 어둠에 익숙해지는 이 시간이 아주 짧지는 않을 것이기에 그는 비웃음을 자초하지 않겠는가? 또한 그가 위로 올라가더니 눈을 버려 가지고 왔다고 하면서 올라가려고 애쓸 가치조차 없다고 하는 말을 듣게 되지 않겠는가? 그래서 자기들을 풀어 주고서는 위로 인도해 가려고 꾀하는 자를 자신들의 손으로 어떻게든 붙잡아서 죽일 수만 있다면 그를 죽여 버리려 하지 않겠는가?

– 플라톤 《국가》 중에서

(나) 총명한 선비에게는 괴이하게 생각되는 것이 없으나 무식한 사람에게는 의심스러운 것이 많다. 그야말로 '견문이 적으면 괴이하게 여기는 일이 많다'는 격이다. 무릇 총명한 선비라고 해서 어찌 일일이 물건을 제 눈으로 보아서 아는 것이랴. 한 가지를 들으면 눈에는 열 가지가 형상화되고, 열 가지를 보면 마음에는 백 가지가 설정되어 천 가지 괴이한 것과 만 가지 신기한 것에 대해 그 본질에 충실하게 객관적으로 보려하여 주관을 섞지 않는다.

그런 까닭으로 마음에 여유가 생겨서 무궁무진하게 응수할 수 있다.

본 것이 적은 사람은 해오라기를 가지고 까마귀를 비웃고, 물오리를 들어서 학의 자태를 위태롭게 여긴다. 정작 그 사물 스스로는 전혀 괴이하게 생각하지 않는데, 자기 혼자 성내어 꾸짖으며 한 가지라도 제 소견과 틀리면 천하 만물을 다 부정하려고 덤벼든다.

(……) 아아, 슬프다! 세속의 무식한 사람은 까마귀를 비웃고 학을 위태롭게 여김이 또한 매우 심하겠지만, 까마귀는 자줏빛으로 변하기도 하고 혹 비취빛으로 변하기도 한다. 그러나 누군가 까마귀의 색깔이 자줏빛이나 비취빛이라고 말한다면 세속의 무식한 사람들의 성냄이 날로 더하리라는 것은 의심할 바 없구나.

이처럼 세상에는 총명한 선비는 적고 무식한 사람들은 많으니, 아무 말도 하지 않고 잠자코 있는 것이 나으리라. 그런데도 총명한 선비가 말을 그칠 수 없는 것은 무슨 까닭인가?

– 연암 박지원, 〈능양시집서〉 중에서

위의 예제는 사회적 대응 태도와 그러한 태도가 나타나게 된 요인들을 밝히는 문제였는데, 제시문 (가)는 플라톤의 《국가》에 나오는 '동굴의 비유'로서 새로운 지식을 거부하는 많은 사람들의 태도를 비유적으로 담고 있습니다. 그리고 제시문 (나)는 연암 박지원의 글로, 무지와 편견 때문에 새로운 지식을 거부하는 사람들의 완고한 태도를 비판하고 있는 글입니다.

이 문제는 지적 추구와 관련한 우리의 자세를 되돌아보는 적절한 예문이라고 할 수 있습니다. 그리고 현대사회에서 급속하게 대두되는 다원적 가치 체계의 개인적 수용 방향과 사회적 수용의 균형감을 묻고 있습니다. 그러면 이러한 창조적, 지적 추구의 거부는 다음과 같은 것들에 의해 만들어질 것입니다.

① 새로운 것에 대한 두려움, 혹은 거부감

② 견문의 부족, 무지, 편견, 선입견, 고정관념

③ 사회적 이해관계, 체제 유지, 기득권의 고수

④ 인습이나 타성

우리들은 '높은 곳' 에 오르고서야 비로소 자신의 세계가 작고 보잘것없음을 알게 됩니다. 하지만 날개가 짧은 새나 여울의 작은 고기처럼 현실에 안주하는 사람들은 더 크고 넓은 세계를 알지 못하고 자기만의 세계에 갇혀 속된 세계를 벗어나지 못합니다. 그러므로 원효의 가르침처럼 현대인들은 자신의 안락한 삶만을 추구하는 '작은 숲' 과 '좁은 시냇물' 을 벗어나기 위해서 참된 앎을 향한 수행을 해야 할 것입니다. 그런 앎의 추구에서 중요한 것은 자신의 '앎' 의 태도를 반성하는 것입니다. 한편으로 나와 다른 '밖' 의 것을 내 안으로 기꺼이 수용하고 포용할 수 있는 자세도 중요합니다. 자신의 얕은 지식으로 경솔하게 시비만을 따져서 다름을 관용할 수 없다면 참된 앎을 향한 수행이 어려울 것입니다.

한편, 원효의 화쟁 사상은 우리들이 작고 큰 조직의 일원으로서 살아가는 데 좋은 의미의 지침이 될 수 있을 것입니다. 우리는 자신과 자신의 뜻을 따르는 동조자의 견해는 무조건 옳고, 자신의 뜻에 반하는 다른 사람의 의견은 그르다고 하면서 자신 이외의 다른 것을 업신여기고 흠잡을 때가 많습니다. 원효는 소견이 좁은 사람을 '갈대 구멍으로 하늘을 보는 것' 에 비유한 바 있습니다. 자신만이 옳다고 생각하고 나와 다른 것을 그르다고 말하는 것은 현명하지 못한 어리석은 사람의 태도일 것입니다.

2001년 동국대 논술고사의 주제는 '연고주의(緣故主義)' 였습니다. 위의 예시문을 읽고, 혈연, 지연, 학연 등의 '연고' 에 근거한 사회적 결사가 '연고주의' 라는 폐해를 낳게 되는 원인을 서술하고 이러한 연고적 결사가 '건강한 공동체 문화 형성' 에 긍정적으로 기여할 수 있는 방안도 함께 논하라는 것이었습니다. 한편, 핵심어로 제시된 것은 다음과 같습니다.

— 친한 공간과 낯선 공간에 대한 이중적 태도, 가족적 친밀성과 사회적 친밀성의 뚜렷한 경계 지우기, 가족주의에 대한 강한 집착, 집단적 가치의 우선, 연고에 기초한 사회 엘리트 충원, 연고주의에 의지한 개인적 경험

— 자발적 결사의 강화, 권력의 분산, 시민운동의 활성화, 공정한 경쟁과

규칙의 준수, 사회적 재화의 공정한 분배, 열린 가족주의의 확대, 공동체 문화와 가치 다원주의, 공공성의 증진

사회는 다양한 가치와 목적을 가지고 상이한 이익을 추구하는 개인들의 집합이다. 사람들은 여러 유형의 결사(結社)를 통하여 자신의 이해관계를 최적화 · 극대화하며, 또한 그 속에서 개인과 가족을 넘어서 '사회적 친화(親和)' 를 도모한다. 따라서 개인은 자발적이든, 비자발적이든 다양한 층위의 사회적 결사에 참여할 수밖에 없다.

우리 사회에서 혈연(血緣), 지연(地緣), 학연(學緣) 등은 사회적 친화를 확대하는 가장 핵심적인 매개체이다. 그런데 이러한 '연고(緣故)' 에 대한 집착이 너무 강력한 나머지, 타인이나 타 집단에 대하여 '공격적인 배타성' 을 보인다는 점에서 '연고주의' 라는 비판을 받기도 한다.

하지만 종친회, 향우회, 동문회 등은 가족적 친밀성을 사회적 수준으로 확대하는 데 기여함은 물론 계급, 계층 간 융화와 공동체적 신뢰를 강화하는 계기가 되기도 한다. 이처럼 연고에 근거한 다양한 결사의 구성도 공동체적 삶에 불가피할 뿐만 아니라, 민주주의 사회의 안정과 지속을 정당화하는 방편이기도 하다.

— 2001 대입 동국대 논술고사 문제 중에서

'연고주의' 라고 하면 근대 사회에서는 대체로 부정적인 생각을 가지고 있지만 전근대 사회에서 연고주의는 긍정적인 의미가 있었다고 볼 수 있을 것입니다. 따라서 '전근대 사회' 와 '근대 사회' 의 가장 큰 차이는 무엇일까 생각해 보고 이를 연고주의에 대한 '부정성' 과 연관시켜 보아야 할 것입니다. 그리고 이런 부정성은 '연고주의' 가 결국, 현대 시민사회의 다원적 발전을 저해하고 있다는 것으로 귀결시킬 수 있습니다. 과거 보수적이고 권위주의적 사회에서는 연고주의가 일면 긍정적 측면을 가지고 있었으나 현재 민주주의를 지향하는 사회에서는 부정적 면이 크다는 것입니다.

그런데 전근대적인 사회에서는 물론 현대사회에서도 '연고주의' 가 어느 정도 긍정적인 역할을 한다는 점에 주의할 필요가 있습니다. 그것은 연고주의가 개인의 고립과 단절, 그리고 분절화로 치닫는 우리 사회에서 건강한 '공동체 문화' 를 형성하는 매개체로서 한 방안이 될 수 있기 때문입니다. 따라서 '연고주의' 에 대해 모순된 입장에서 보는 것과 같이 무조건 '연고주의' 의 해체만을 이야기할 것이 아니라 그것의 긍정적인 입장을 다시 한번 고려해 볼 필요가 있을 것입니다.

첨단 정보화 사회에서 그 기술의 발달에 묶여 현대인들은 점점 기계의 포로가 되어가고 있습니다. 그렇게 현대에 만연한 개인 이기주의, 물질만능주의 등으로 파편화된 사회 풍토에서 어떤 '인연' 을 중심으로 묶여진 '공동체', 바로 '연고' 는 소외된 현대인들을 하나로 묶는 긍정적인 결속력으로서 기능할 수 있습니다.

그러나 문제는 연고주의 존재 자체가 아니라 연고가 어떤 경향의 '주의'로 굳어지면서 우리 사회의 공정성과 효율성을 방해하고 차단하기도 하므로, 우리 사회에서 새로운 건강한 '연고'가 필요하다고 할 수 있습니다. 그것은 자발적, 비자발적 결사들의 다양성을 보장하면서도 다양한 연고 공동체의 건강성도 높일 수 있어야 한다는 말이 됩니다.

실전 논술

논술 문제

case 1 (가)와 (나)에서 제시된 원효와 김지하 시인의 깨달음은 어떤 깨달음인지 이야기해 보고, '마음이 세상의 근본'이라는 말의 의미를 써 보시오.

가 (……) 11년 후 다시 유학길을 떠나, 이번에는 바닷길로 가려고 백제 땅으로 들어섰다. 그런데 도중에 날이 저물었다. 쉴 곳을 찾던 두 사람은 어둠 속에서 비어 있는 움집을 발견하고, 다 무너져 내린 얕은 문으로 기어 들어가 잠을 잤다. 잠을 자다가 목이 말라서 잠이 깬 원효는 어둠 속에서 머리맡을 더듬다가 물이 든 그릇이 손에 잡히자, 그 그릇에 들어 있는 물을 달게 마시고는 다시 잠이 들었다. 다음 날 아침, 잠을 깬 두 사람은 그들이 잔 곳이 오래 된 무덤 속이었음을 알고는 깜짝 놀랐다. 원효는 불현듯 어젯밤 일이 생각나 주위를 둘러보았다. 원효의 머리맡에는 해골이 하나 놓여 있고, 그 속에는 썩은 물이 고여 있었다. 놀라움에 구역질을 하던 원효는 '해골에 담긴 물은 어젯밤에 마실 때나 지금이나 아무것도 달라지지 않았는데 그렇다면 무엇이 이 물을 어제는 달다고 느끼게 했고 오늘은 구역질나게 하는 것일까?' 라고 생각하였다. 그리고는 '그렇다! 오늘에 달라진 것은 내 마음이다' 라는 큰 깨달음을 얻게 되었다. 이렇듯 내 마음이 이 세상 모든 것의 근본이라는 깨달음을 얻은 원효는 그 깨달음을 모든 사람들에게 알리려고 애썼다.

— 중학년 1, 《도덕》 중에서

나 새봄

김지하(金芝河)

벚꽃 지는 걸 보니

푸른 솔이 좋아.

푸른 솔 좋아하다 보니

벚꽃마저 좋아.

— 중학교 1-1, 《국어》 중에서

생각 쓰기

생각 쓰기

생각 쓰기

case 2 제시문 (가)의 '성진'에게 제시문 (나)의 '원효'가 '하나가 전부요, 전부가 하나'라는 깨달음을 전하려고 합니다. 여러분이 원효가 되어서 '한마음'에 대해서 써 보시오.

가 (……) 스스로 제 몸을 보니 일백여덟 낱 염주(念珠)가 손목에 걸렸고, 머리를 만지니 갓 깎은 머리털이 가칠가칠하였으니 완연히 소화상의 몸이요, 다시 대승상의 위의(威儀) 아니니, 정신이 황홀하여 오랜 후에 비로소 제 몸이 연화 도량(道場) 성진(性眞) 행자인 줄 알고 생각하니, 처음에 스승에게 수책(受責)하여 풍도로 가고, 인세(人世)에 환도하여 양가의 아들 되어 장원 급제 한림학사하고, 출장 입상(出將入相)하여 공명신퇴(功名身退)하고, 양 공주, 육 낭자와 더불어 즐기던 것이 다 하룻밤 꿈이라. 마음에 이 필연(必然) 사부가 나의 염려(念慮)를 그릇함을 알고, 나로 하여금 이 꿈을 꾸어 인간 부귀(富貴)와 남녀 정욕(情欲)이 다 허사(虛事)인 줄 알게 함이로다.

급히 세수(洗手)하고 의관(衣冠)을 정제하며 방장(方丈)에 나아가니 다른 제자들이 이미 다 모였더라. 대사, 소리하여 묻되,

"성진아, 인간 부귀를 지내니 과연 어떠하더뇨?"

성진이 고두하며 눈물을 흘려 가로되,

"성진이 이미 깨달았나이다. 제자 불초(不肖)하여 염려를 그릇 먹어 죄를 지으니 마땅히 인세에 윤회(輪廻)할 것이어늘, 사부 자비하사 하룻밤 꿈으로 제자를 마음 깨닫게 하시니, 사부의 은혜를 천만 겁(劫)이라도 갚기 어렵소이다."

대사 가로되,

"네, 승흥(乘興)하여 갔다가 흥진(興盡)하여 돌아왔으니 내 무슨 간예(干預)함이 있으리요? 네 또 이르되 인세에 윤회할 것을 꿈을 꾸다 하니, 이는 인세와 꿈을 다르다 함이니, 네 오히려 꿈을 채 깨지 못하였도다. '장주(莊周)가 꿈에 나비되었다가 나비가 장주되니' 어니 거짓 것이요 어니 진짓 것인 줄 분변치 못하나니, 어제 성진과 소유가 어니는 진짓 꿈이요 어니는 꿈이 아니뇨?"

성진이 가로되,

"제자, 아득하여 꿈과 진짓 것을 알지 못하니, 사부는 설법하사 제자를 위하여 깨닫게 하소서."

대사 가로되,

"이제 금강경(金剛經) 큰 법을 일러 너의 마음을 깨닫게 하려니와, 당당히 새로 오는 제자 있을 것이니 잠깐 기다릴 것이라."

하더니 문 지킨 도인이 들어와,

"어제 왔던 위부인 좌하 선녀 팔 인이 또 와 사부께 뵈아지이다 하나이다."

대사, 들어오라 하니, 팔 선녀, 대사의 앞에 나아와 합장 고두하고 가로되,

"제자 등이 비록 위부인을 모셨으나 실로 배운 일이 없어 세속 정욕을 잊지 못하더니, 대사 자비하심을 입어 하룻밤 꿈에 크게 깨달았으니 제자 등이 이미 위부인께 하직하고 불문(佛門)에 돌아왔으니 사부는 나종내 가르침을 바라나이다."

대사 왈,

"여선의 뜻이 비롯 아름다우나 불법이 깊고 머니, 큰 역량과 큰 발원(發願)이 아니면 능히 이르지 못하나니, 선녀는 모로미 스스로 헤아려 하라."

팔 선녀가 물러가 낯 위에 연지분을 씻어 버리고 각각 소매로서 금전도를 내어 흑운(黑雲) 같은 머리를 깎고 들어와 사뢰되,

"제자 등이 이미 얼굴을 변하였으니 맹서(盟誓)하여 사부 교령(敎令)을 태만(怠慢)치 아니하리이다."

대사 가로되,

"선재, 선재(善哉)라. 너희 팔 인이 능히 이렇듯 하니 진실로 좋은 일이로다."

드디어 법좌에 올라 경문을 강론하니, 백호(白毫) 빛이 세계에 쏘이고 하늘 꽃이 비같이 내리더라.

설법함을 장차 마치매 네 귀 진언(眞言)을 송(誦)하여 가로되,

일체유위법(一切有爲法) 여몽환포영(如夢幻泡影)

여로역여전(如露亦如電) 응작여시관(應作如是觀)

이라 이르니, 성진과 여덟 이고(尼姑)가 일시에 깨달아 불생불멸(不生不滅)할 정과(正果)를 얻으니, 대사 성진의 계행(戒行)이 높고 순숙(純熟)함을 보고, 이에 대중을 모으고 가로되,

"내 본디 전도(傳道)함을 위하여 중국에 들어왔더니, 이제 정법을 전할 곳이 있

으니 나는 돌아가노라."

하고 염주와 바리와 정병(淨甁)과 석장과 금강경 일 권을 성진을 주고 서천(西天)으로 가니라.

이후에 성진이 연화 도량 대중을 거느려 크게 교화(敎化)를 베푸니, 신선과 용신과 사람과 귀신이 한 가지로 존숭(尊崇)함을 육관대사와 같이하고 여덟 이고가 인하여 성진을 스승으로 섬겨 깊이 보살 대도를 얻어 아홉 사람이 한 가지로 극락(極樂) 세계로 가니라.

— 고등학교 1, 《국어》, 〈구운몽〉 중에서

나 (……) 원효의 철학은 어떤 내용일까? 그것은 먼저, 누구나 불교의 진리에 가까이 갈 수 있다는 사실이다. 부처님이 말씀하신 깨달음은 많이 배운 사람이나 높은 사람들만이 얻을 수 있는 것이 아니고 누구나 얻을 수 있다는 것이다. 그리고 하나가 전부요, 전부가 곧 하나라는 것이다. 예를 들어, 하늘을 한번 생각해 보자. 어떤 날, 같은 시간에 서울에서 보는 하늘은 구름이 잔뜩 낀 하늘인데 인천에서 보는 하늘은 맑게 개어 있을 수 있다. 그뿐 아니라, 대전의 하늘에서는 비가 오는데 뉴욕의 하늘에서는 눈이 올 수도 있다.

— 중학교 1, 《도덕》 중에서

생각 쓰기

생각 쓰기

case 3 제시문 (가)와 (나)의 각각의 입장을 정리해 보고 각각의 입장에 따라 주장하는 바를 비교하여 써 보시오.

(가) 일부 기독교 단체에서 5월 상영 예정인 영화 '다빈치 코드'의 상영 금지 가처분 신청을 법원에 냈다고 한다. 만일 영화가 상영될 경우 극장 앞에서 대규모 상영 반대 시위도 벌이기로 했다고 한다. (……) 민주 사회에서 특정한 사회 집단이 자신의 이해관계나 사상이 위협을 받는다고 판단될 경우 그것을 공론화하고 그에 저항하는 것은 부자연스럽거나 비난받을 일은 아닐 것이다. 종교계도 하나의 사회 세력일진대 그 단체의 이러한 집단 행동 역시 심상히 받아들이지 못할 이유는 없다. 게다가 이미 '그리스도의 최후의 유혹'이라는 영화가 같은 방식으로 상영을 저지당한 전례도 있는 것으로 알고 있다.

그깟 할리우드 영화 안 본다고 큰일 나는 것도 아니지 않은가. 하지만 그렇게 '똘레랑스'의 이름으로 덮어 두자니 왠지 뒷맛이 개운치 않다. 그래도 사랑과 화해를 표 나게 내세워 온 종교를 신봉하는 사람들 아닌가 하는 생각이 자꾸 고개를 든다.

과연 '다빈치 코드'라는 영화 한 편이 그렇게 기독교에 위협적일까? 예수가 책형을 당해 죽은 게 아니고 살아서 막달라 마리아와 가정을 이루고 후손까지 남겼다는 하나의 속설이 '소설'로 형상화되었고, 그것이 베스트셀러가 되니까 할리우드가 이젠 '영화'로 만들었다. 기독교도의 입장에서 보면 허무맹랑하기 짝이 없는 이야기일 것이다.

성경적 사실에 대한 절대 불변의 확신이 기독교도들의 신앙의 힘이라면 이런 허무맹랑한 속설과 '상업적 통속 예술' 따위에 의해 흔들릴 이유가 없는 것 아닌가. '가이사의 것은 가이사에게' 라는 말씀이 있는 것으로 아는데 요즘 식으로 바꾸어서 '시장(市場)의 것은 시장에게' 라고 여유 있게 넘겨 버릴 수는 없는 것일까. 소설이건 영화건 어차피 '다빈치 코드' 는 다른 베스트셀러, 블록버스터와 마찬가지로 몇 년 지나면 다 잊혀지게 마련인데 너무 과민 반응하는 것은 아닌가.

한국의 기독교(신교) 인구는 8백만 명에서 1천만 명 정도라고 알려져 있다. 전인구의 4분의 1 정도니까 적지 않은 비중이기는 하다. 하지만 근래에 들어 기독교가 사회적으로 내는 소리는 그 보다도 훨씬 증폭되어 들려오는 것 같다. (……) 종교가 영혼의 문제를 다루는 제도라고 한다면 그에 걸맞게 좀 차분하고 내향적이어야 하는 것 아닌가 하는 건 비단 나 같은 무신론자만의 생각은 아닐 것이다. 다양한 종교가 공존하고 있는 한국 사회에서 기독교계의 행태는 겸손하지 못하고 안하무인 격으로 보일 때가 많다. 이번 영화 '다빈치 코드' 에 대한 과민 반응의 배후에는 단지 이단적 속설에 대한 경계를 넘어 이를테면 초등학교의 단군상 머리를 '까부수었던' 때와 같은 위험한 신정국가론적 과욕과 오만이 작동하고 있는 것은 아닌지 생각해 볼 일이다.

'다빈치 코드' 가 개봉된다고 하는 시점에 엎친 데 덮친 격으로 이젠 '유다복음' 원본이 발견되어 예수의 생애와 관련된 기독교의 정통적 도그마가 때 아닌 곤욕을 치르고 있는 형국이다. 하지만 그렇다고 큰일이라도 난 듯이 그처럼 쌍지팡이를 짚고 나서는 건 거꾸로 자신들의 신앙이 그만큼 내적으로 허약하다는 것에 대한 방증으로 보인다. 빈 수레 요란하다는 말, 성경 말씀은 아니지만 목소리 큰 기독교도들이 한 번쯤은 경청해 둘 만한 말이 아닌가 한다.

— 경향신문 2006년 4월 14일자

김명인, 〈다빈치 코드와 한국 기독교〉중에서

나 (……) 연대는 약자들이 자신을 지키는 수단만이 아니다. 새로운 세상, 인간다운 세상을 여는 열쇠다. 변혁치고 연대로 말미암지 않은 게 어디 있을까. 스무 해 전 '6월 항쟁'을 이끌어낸 것도 학생, 지식인, 노동자, 농민, 도시 서민의 연대였다. 그들은 정치적 억압 속에서 일체감을 형성했고, 함께 행동했다. 보수 정치권과 자본이 약자에게 먼저 손을 내미는 법이란 없다. 연대가 강고할 때 비로소 양보한다. 그러나 1997년 외환 위기 이후 연대에 금이 가기 시작했다. 신자유주의의 전면적인 공세와 이른바 민주 정부의 무기력한 타협과 배반 속에서 구조 조정과 해고는 일상화됐고 비정규직은 폭발적으로 늘었다. 대기업과 중소기업, 정규직과 비정규직, 도시민과 농어민, 전문직과 일반직의 격차는 날로 커졌다. 이런 격차는 동질감을 흔들어 버렸다. 수구 정치권, 자본, 언론은 이 틈을 비집고 충돌과 반목을 조장했다. 이제 연대의 기억은 아련하기만 하다.

위기가 연대의 균열에서 왔다면, 극복은 연대의 복원을 통해서만 이뤄진다. 그렇다고 80년대처럼 당위만 외쳐댄다고 복원되지 않는다.

상대적 격차와 정서적 이질감이 엄존하는 상황에서 구체적인 희생과 실천적 대안이 전제돼야만 한다. (……)

— 한겨레 2007년 1월 30일자

곽병찬, 〈'연대' 를 위하여〉 중에서

생각 쓰기

생각 쓰기

생각 쓰기

실전 논술

예시 답안

case 1

(가)에 제시된 글은 원효가 해골 속의 물을 마시고 깨달음을 얻은 이야기입니다. 원효는 하룻밤 사이에 해골에 담긴 물이 '단물' 에서 '썩은 물' 로 변한 것은 '마음' 의 조화 때문이라는 것을 깨달았습니다. 다시 말해, '마음' 에서 욕심과 성냄, 어리석음이 비롯되므로 '마음' 을 깊이 통찰하여 탐욕과 성냄, 어리석음이 사라지게 해야 한다는 것입니다. 그리고 (나)의 시는 김지하의 〈새봄〉이라는 시입니다. 이 시는 소나무의 한결같은 푸른빛과 벚꽃의 화려한 빛깔이 만들어내는 조화로움의 지혜를 노래하고 있습니다. 처음에는 벚꽃이 지는 것을 보고 푸른 솔이 좋다고 하였다가, 곧 푸른 솔만 가득하고 벚꽃이 없는 세상이 얼마나 삭막할 것인지를 깨닫습니다. 김지하 시인은 낙엽수로서 벚꽃이 있어야 상록수인 푸른 솔이 더 돋보일 수 있다는 것과 상록수가 사철 푸르러야 화려한 빛깔로 변화의 멋을 느끼게 해 주는 낙엽수가 더 귀해 보인다는 것을 깨달은 것입니다. 이러한 깨달음을 통해, 우리의 삶에서도 다양한 사람들이 각자 나름대로의 개성을 간직하면서도 서로 조화를 이루며 살아가고 있다는 것을 이야기하고 하고 있는 것입니다.

제시된 글 (가)와 (나)는 공통적으로 '깨달음' 을 이야기하고 있습니다. 그 깨달음은 모두 '마음' 에서 오는 것으로 '한마음' 의 본질을 제대로 아는 것입니다. 대부분의 사람들은 눈앞의 현상에만 급급해서 쉽게 동요를 하고 원래의 모습을 올바로 보지 못합니다. 다시 말해 그것의 일면보다는 전체를, 겉 보다는 속을 제대로 볼 수 있어야 한다는 말입니다. '마음이 세상의 근본' 이라는 말은 부정의 마음이 아닌 긍정의 큰 마음을 가지고 조화로운 세계를 만들고자 하는 마음의 성찰에서 오는 깨달음입니다. 곧, 진정한 깨달음은 마음에서 만들어지는 것이므로 그 '마음'을 참되게 수행해야 합니다.

case 2 육관대사가 성진에게 설법한 '일체유위법(一切有爲法) 여몽환포영(如夢幻泡影) 여로역여전(如露亦如電) 응작여시관(應作如是觀)'은 불교 경전 중의 하나인 《금강경(金剛經)》에 있는 말입니다. 그 뜻은 '모든 사물과 행위는 꿈과 헛것, 물거품 그림자와 같고 이슬과 번개와 같다'는 말입니다. 이것은 불교에서 말하는 '공(空)사상' 즉, 세상의 모든 것이 부질없다는 생각을 담고 있습니다. 그 부질없다는 것은 '허무하다'는 '인생무상'의 의미보다는 '현실'과 '꿈'을 분별하는 것이 아니라 하나의 큰 세계로 받아들이는 깨달음을 이야기하는 것입니다.

그래서 성진이 육관대사에게 말하길 "제자 불초(不肖)하여 염려를 그릇 먹어 죄를 지으니 마땅히 인세에 윤회(輪廻)할 것이거늘, 사부 자비하사 하룻밤 꿈으로 제자를 마음 깨닫게 하시니, 사부의 은혜를 천만 겁(劫)이라도 갚기 어렵도소이다"라고 말하자 육관대사가 성진이 아직까지 깨달음이 부족하다면서 꾸짖습니다. "네 또 이르되 인세에 윤회할 것을 꿈을 꾸다 하니, 이는 인세와 꿈을 다르다 함이니, 네 오히려 꿈을 채 깨지 못하였도다. (……) 어제 성진과 소유가 어느 것이 진짜 꿈이요 어느 것이 꿈이 아니냐?" 고 말합니다.

다시 말해 현세와 꿈은 다르다고 생각한 성진에게 육관대사는 현세와 꿈은 하나와 같다면서 그 구별이 무의미하다는 것을 말해 줍니다. 바로 그 구별의 무의미함과 '하나와 같음' 의 의미를 성진은 진정 깨달아야 할 것입니다.

case 3

위의 제시문에서 우리는 '똘레랑스(tolerance)' 의 의미와 '연대' 의 의미를 잘 이해하고 자신의 견해를 정리할 수 있어야겠습니다. 위의 제시문 (가)는 일부 종교 단체의 반똘레랑스(Anti-tolerance)에 대해 지적하고 있습니다. 그리고 글쓴이는 그러한 비관용의 행동이 신정국가론적 과욕과 오만을 불러일으킨다고 우려하고 있습니다. 한편 제시문 (나)는 '연대' 의 의미를 세상을 변화시키고 개혁시킬 수 있다는 적극적인 입장으로 바라보고 있습니다.

제시문 (가)는 자신의 종교적 믿음이 존중받기 위해서는 남의 종교적 믿음을 존중하는 관용의 자세가 필요하다는 것을 말하고 있습니다. 곧, 나와 다른 사람의 존재를 인정해 주는 자세가 필요한데, (가)에서처럼 자신만의 믿음은 옳고 다른 사람의 믿음은 그릇된 것이라고 말하는 독선을 우리는 경계해야 합니다.

또, (나)에서처럼 '연대' 의 의미를 사회 억압 상황을 타개하려는 굳건한 의지의 표현 방식으로 보는 것도 '연대' 라는 의미를 '힘' 의 논리에서만 정리하려고 하는 한계를 가지고 있습니다. 다시 말해 부정적인 '힘' 의 논리에 대한 저항으로서 '연대'를 이야기한다면, 먼저 자신의 주장을 관철시키고자 어떤 물리적인 힘으로서 남에게 강요하려는 생각을 버려야 할 것입니다. 건강한 연대는 정말 자신이 옳다고 믿는 생각을, 다양한 생각을 가진 사람들과 공론의 장에서 끊임없이 토론하고 설득하여 원하는 방향으로 이끌어 나가는 것일 겁니다.

Abitur

철학자가 들려주는 철학이야기 096

켈젠이 들려주는 법 이야기

저자_**김병준**

건국대학교 법학과 졸. 동대학원 법학 석사 졸. 현재 동대학원 법학(국제법) 전공으로 박사 과정 중에 있다.

배경 지식 넓히기

Kelsen, Hans

켈젠과 '법'

켈젠 주요 개념

1. 켈젠을 만나다

1) 켈젠은 누구인가 — 시대와 생애

히틀러가 미국에 선사한 최대의 선물이라고 불리는 한스 켈젠(Hans Kelsen, 1881~1973)은 광범위한 활동 영역과 업적으로 세기를 대표하는 법학자로 꼽힙니다. 한스 켈젠은 자신의 법학적 방법론을 순수법학이라 불렀고 이 순수법학은 어떤 법이론 보다 널리 알려졌습니다.

한스 켈젠은 1881년 프라하에서 램프 생산 공장을 운영하는 유대인 집안의 첫째로 태어났습니다. 1919년, 빈 대학 법대 교수로 취임하여 법학 이론에 대한 연구를 시작합니다. 이후 1933년 유대인이라는 신분 때문에 히틀러에 의해 추방되어 스위스로 망명합니다.

켈젠은 1920년 오스트리아 공화국의 헌법을 제정하는 데 결정적인 공헌합니다. 이 헌법의 기본 원칙들은 지금까지도 여전히 영향력을 행사합니다. 헌법 재판소도 그의 주도하에 설치되었으며 그 자신이 약 10여 년 동안 헌법재판소의 재판관을 역임하기도 했습니다.

1940년에는 다시 미국으로 건너가 하버드에서 2년간 법대 강사로 지내고, 1942년 버클리 대학으로 옮겨 국제정치학 교수로 근무합니다. 그 후 1973년 4월, 죽음을 맞이할 때까지 법 구조론과 국제 평화 질서 및 법질서 문제 연구에 몰두했습니다.

92세의 일기로 숨을 거둘 때까지 그의 지적 능력은 쇠퇴하지 않았습니다. 평생 연구에 몰두하던 그는 600여 권이 넘는 저서와 논문 등 방대한 연구 기록을 남겼습니다. 오늘날 많은 사람들이 그를 지난 세기를 통틀어 가장 영향력 있는 법 실증주의자로 기억하게 하는 것도 이러한 연구들이 있었기에 가능한 것입니다.

2) 켈젠의 사상

① 법실증주의

법실증주의는 법의 이론이나 해석이나 적용에 있어서 정치적, 사회적, 윤리적 요소를 고려하지 않고, 오직 법 자체만을 파악하려는 태도입니다. 켈젠의 순수법론은 이러한 법실증주의의 하나로 법을 사회적 요소와 분리하여 법만을 연구 대상으로 합니다.

법 실증주의자는 법을 사회적 사실로 인식합니다. 다시 말해, 법은 사회적인 관계에서 나온다는 것입니다. 법실증주의는 법이 정당한지 그렇지 않은지는 고려하지 않습니다. 다만 법적으로 문제가 있는지 없는지만 고려하며 합법성을 강조합니다. 따라서 나라를 통치하는 사람들이 국회가 제정한 법에 의해서 국민의 권리와 의무를 판단하고, 각종 사회 문제들에 대해 평가하기 때문에, 국가를 법으로 다스린다는 법치주의 국가의 권력 확립에 기여하는 바가 큽니다.

또한 법실증주의는 실정법 체계에 전혀 결점이 없다고 확신하면서, 법관에 의한 법 창조 또는 자의적 판단을 배제하려는 사상으로 법적 안정성을 추구합니다.

그러나 법실증주의는 법을 사회의 다른 요소와 분리하여 이해함으로써 법이 사회현상의 하나이며 전체 사회와의 관련 속에서만 그 본질과 기능이 제대로 밝혀진다는 것을 인정하지 않아 비난을 받았습니다.

자연법론

자연법론이란 무엇일까요? 법실증주의가 주변의 요소들은 모두 고려하지 않고 오로지 법만을 생각하는 것이었다면, 자연법론은 법 주변을 둘러싸고 있는 자연과 사물의 이치, 사물과 인간의 본성이 합치될 때에 정당성을 갖게 되며 법적인 구속성을 갖게 된다고 생각하는 것을 말합니다. 따라서 법과 법 주변의 것들을 모두 함께 연구한다는 것이지요.

그렇기 때문에 자연법론에서는 법이 국가권력에 의해 제정되었다고 해서 모두 법일 수 없으며, 그 내용이 사물의 이치와 인간의 본성에 일치될 때만 법일 수 있다고 봅니다. 그에 비해 법실증주의에서 법은 그 내용이 문제가 아니라, 국가권력에 의하여 제정되었으면 곧 법적인 구속력이 발생한다고 생각하는 것입니다.

또한 자연법론에서 악법은 법일 수 없고, 악법은 따를 수 없으며, 악법에 대해서는 지키지 않아도 된다고 봅니다. 하지만 법실증주의에 의하면, 국가권력에 의하여 제정되었다면 악법이라도 법이며, 그 내용이 타당한지와 관련 없이 구속력이 발생한다고 생각하는 것입니다.

② 법학의 순수성

켈젠은 자신의 법학적 방법론을 순수법학이라고 불렀습니다. 순수법학이란 법이 순수하다는 것이 아니라 법이 순수하든 그렇지 않든 법 이외의 편견, 특히 정치적 편견 없이 실증적인 방법으로 순수하게 연구를 한다는 의미입니다. 그는 법학은 합리적 학문이어야 하고 인간을 통해 만들어진 법 그 자체를 탐구 대상으로 삼아야 한다고 생각했습니다.

국가가 정한 법과 깡패 집단이 정한 법 중 어느 것이 올바르냐는 질문은 한스 켈젠의 입장에서는 옳지 않은 질문입니다. 국가가 정한 법도 법이며 깡패들이 정한 법도 법이기 때문입니다. 다만 깡패들의 법은 법이기는 하지만 사악하므로 지키지 않아도 된다는 것이 그의 생각입니다. 다시 말해 법의 반대는 비법(非法: 법이 아니다)이지 불법(不法: 법을 지키지 않다)은 아니라는 것입니다.

또한 한스 켈젠은 객관성과 통일성을 구비한 이상적인 상태로 법은 무엇이며 어떻게 존재하는가를 아는 것이 중요할 뿐, 그것이 어떤 내용으로 어떻게 채워져야 하며 어떤 절차로 제정되어야 하는지의 문제는 아니라고 생각했습니다. 따라서 시대와 장소에 따라 다르게 나타나는 법의 내용적 차이보다는 법이 가진 전형적인 구조를 탐구해야 한다고 주장했습니다.

③ 당위로서의 법학과 존재로서의 자연과학

어떤 사람이 사형선고를 받았다고 예를 들어 봅시다. 이 사람이 사형수인 것은 그가 살인을 했기 때문일까 아니면 법이 그 사람을 살인자라고 규정했기 때문일까요? 켈젠의 이론에 따르면 법이 그 사람을 살인자라고 규정했기 때문입니다.

그렇다면 그 사람이 진짜 살인자인지 아닌지는 어떻게 알 수 있을까요? 나쁜 짓을 하는 사람은 반드시 법이 처벌할까요? 우리는 뉴스를 통해 억울한 누명을 써서 유죄판결을 받은 사람이 있을 수도 있고, 증거가 없어 무죄판결을 받은 사람도 있다는 것을 알고 있습니다. 그래서 켈젠은 법적 현상은 법이라는 당위가 규정한 존재로 세상을 보는 것이라고 주장한 것입니다.

법학은 규범학입니다. 따라서 당위적 속성을 지닌 규범과 규정을 다루게 됩니다. 당위란 당연히 그래야 할 것으로 이해되는 것을 말합니다. 'A가 있으면 B도 있어야 한다' 는 식으로 보면 쉽습니다.

자연과학은 자연 안에 존재하는 원인과 결과 즉, 인과적 법칙성을 확인하는 것입니다. 예를 들어 물이 든 컵을 기울이면 물이 쏟아지는 것처럼 말입니다. 하지만 법학은 인과적 법칙이 아닌 두 가지 종류의 서로 다른 사실을 결합시키는 형식적인 결합 요소입니다.

④ 법단계설

'장미, 식물, 꽃, 생물' 이라는 네 개의 단어가 있습니다. 이들 중 가장 포괄적이고 넓은 의미를 갖는 단어는 무엇일까요? 또 가장 구체적인 의미를 갖는 단어는 무엇일까요? 생물이 가장 포괄적이고 장미가 가장 구체적인 의미를 가지는 단어겠지요? 그렇다면 네 개의 단어를 가장 포괄적인 의미의 단어를 시작으로 가장 구체적인 개념의 단어까지 나열해 봅시다. '생물, 식물, 꽃, 장미' 가 되겠지요?

식물은 생물이라는 범위 내에서 선택이 됩니다. 또 꽃도 생물이면서 식물인 범위 내에서 선택이 되며, 생물이면서 식물이고 그 중 꽃인 것으로 장미가 선택되는 것입니다.

법단계설이라는 것도 마찬가지입니다. 헌법은 가장 추상적인 법이 되며 그 아래 단계로 내려갈수록 구체적이고 특수한 내용을 가지고 있습니다. 마치 생물 단계에서 장미라는 가장 아래 단계까지 내려가는 것처럼 말이지요. 또한 식물이 생물의 범위 내에서 선택되듯이 법 또한 헌법보다 아래 단계의 법은 헌법이라는 범위 내에서 제정된답니다. 즉, 법의 효력은 다른 것이 아니라, 상위 법규에 근거한다는 뜻입니다.

2. 기출문제 속에서 만난 켈젠

2007년 서강대학교 수시2—1 경제·경영학부 기출문제에서 한스 켈젠의《순수법학》의 '국민을 형성하는 통일체로 국가법에 의한 강제 질서'를 제시하여 '현대사회의 법과 시민적 삶'에 대한 견해를 묻는 문제가 나왔습니다.

국민이란 한 국가에 소속된 사람들을 말한다. 만약 어떤 사람이 왜 타인과 더불어 일정한 국가에 속하는가를 묻는다면, 그가 타인과 더불어 상대적으로 집중화된, 일정한 강제 질서에 복종하기 때문이라는 기준 외에는 달리 기준을 찾을 수 없다. 언어나 인종, 종교 또는 세계관이 서로 다르고 계층 간의 대립 및 기타 다양한 이해관계의 충돌로 서로 분리되어 있는 사람들을 결합해, 하나의 통일체로 묶어 주는 또 다른 연결고리를 찾고자 하는 모든 시도는 실패할 수밖에 없다. 법적 구속의 문제를 제쳐 둔 상태에서, 한 국가에 속하는 모든 사람을 일정한 방식으로 결합시켜 주는 그 어떤 종류의 정신적 상호작용을 제시하기란 특히 불가능하다.

(……)

어떤 사람이 국가의 일원인지의 여부는 심리학적 문제가 아니라 법적 문제이다. 국민을 형성하는 사람들의 통일체는 다름 아닌, 동일한 법질서에 의해 규율된다는 사실에서 인식될 수 있다. 국민이란 국가법 질서의 인적 적용 범위이다.

– 한스 켈젠, 《순수법학》 중에서

국민과 민족에 대해서 생각해 봅시다. 민족은 객관적인 의미와 주관적인 의미를 포괄하는 개념입니다. 외국으로 이민 간 사람들 혹은 그들의 자녀를 생각해 보면 좀 더 이해가 쉽겠지요. 그들은 대한민국이라는 국가에 함께 살고 있지는 않지만 우리와 한 핏줄을 나눈 우리 민족입니다.

이러한 민족에 비해 국민은 좀 더 객관적인 개념입니다. 다시 말해 국민이란 한 국가에 소속된 구성원입니다. 국가의 개념이 생겨나기 이전 사람들은 홀로 살 수 없어 함께 모여서 무리를 지어 살기 시작했고, 그렇게 사람이 무리를 지어 살기 시작하면서부터 규칙과 규범이 필요해졌습니다. 이러한 규칙과 규범을 통해 국가를 형성하게 되었고 국가의 법은 그들을 안전하고 평화롭게 해 주었습니다.

국가를 유지하는 데 있어서 법은 절대적인 것이고, 따라서 국가의 구성원으로 국민은 국가법 질서에 적용을 받아야 합니다. 한 국가의 법은 국가를 유지하고 존속할 수 있게 하는 매우 중요한 요소이기 때문입니다. 또 그러한 법은 국가의 구성원인 국민의 삶을 보호하고 안정적으로 만들어 주는 역할을 하기도 합니다. 따라서 한 국가에 속한 국민은 국가의 법에 제한을 받겠지요.

켈젠의 사상에 따르면 법은 국가 또는 국회에서 제정된 순간부터 주변 요소들과 관계없이 법으로서의 힘을 갖는다고 봅니다. 19세기 이전의 법실증주의 연구자들은 법은 국가의 강제적이고 위협적인 요소라고 생각하기도 했습니다. 이러한 법에 대한 생각들은 법치국가를 형성하고 유지하는 데 기여한 바가 매우 크다고 할 수 있습니다.

실전 논술

논술 문제

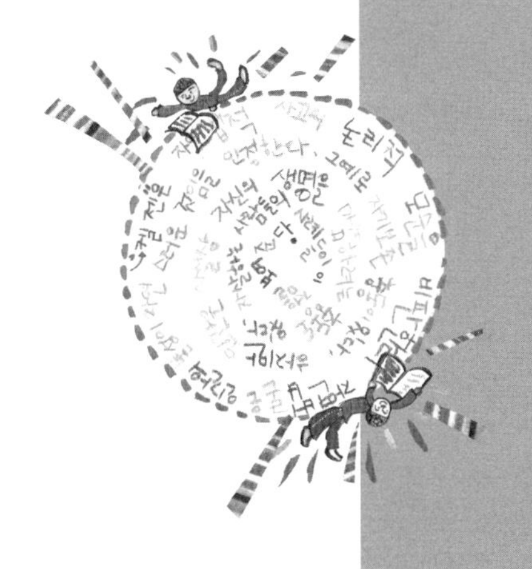

case 1 (나)에 나타난 착한 사마리아인의 법 취지를 설명하고, 이를 바탕으로 (가)의 경민이의 행동은 죄가 되는지 아닌지를 논하시오. (400자 내외)

가 "집에 가는데 중학생 형 두 명을 만났어. 그 형들이 돈을 달라고 하잖아. 너희도 알다시피 우리가 무슨 돈이 있냐? 돈이 없다고 하니까 형들이 책가방을 빼앗았어."

"진짜 무서웠겠다."

민지가 말했어요.

"응. 진짜 무서웠어."

광석이는 그때의 일이 생각난 듯 몸서리를 쳤어요.

"그래서?"

한수는 뒷이야기가 궁금했어요. 광석이가 빨리 말해 주기를 기다렸어요.

"형들이 책가방을 뒤지는 거야. 책은 바닥에 버리고 돈을 찾느라 정신이 없더라고. 그때 경민이가 내 옷자락을 쥐면서 말했어. 도망가자. 그 말이 끝나자마자 우린 냅다 달리기 시작했어. 형들이 뒤에서 '야. 잡히면 가만 안 둔다' 라고 소리치며 뒤따라오는데 얼마나 끔찍했는지 몰라."

"그런데 내가 점점 뒤처지기 시작했어. 다리에서 힘이 풀리는 거야. 그런데 뒤에서 형들이 좇아와 멈출 수가 없잖아. 경민이의 등을 보며 힘껏 뛰었어. 뛰었다고 생각했는데……. 갑자기 몸이 아래로 쑤욱 빠지는 거야."

"맨홀에 빠진 거구나."

"응. 정신을 차리고 보니 좁고 컴컴한 곳에 혼자 있는 거야. 다리가 무지 아팠어. 경민이 이름을 불렀는데, 경민이는 그 소리를 못 들었을 거야. 올려다보니까 형들이 내려다보고 있었어. 살려 달라고 했는데 형들은 그냥 가 버렸어. 한참을 혼자 있었지. 혹시 경민이가 다시 돌아오지 않을까 싶어서 계속 경민이 이름을 불렀어. 그런데도 경민이는……."

아이들은 한동안 아무 말도 하지 못했어요.

"결국 경민이는 혼자 도망쳐 버린 거구나."

—《켈젠이 들려주는 법 이야기》 중에서

나 착한 사마리아인의 법은 자신에게 특별한 위험이 발생되지 않는데도 불구하고 곤경에 처한 사람을 구해 주지 않은 행동을 처벌하는 법입니다. 강도를 당하여 길에 쓰러진 유대인을 보고 당시 사회의 상류층인 제사장과 레위인은 모두 그냥 지나쳤으나 유대인과 적대 관계인 사마리아인이 구해 주었다는 《신약성서》의 이야기에서 유래한 명칭입니다. 착한 사마리아인의 법은 근본적으로 곤경에 처한 사람을 외면해서는 안 된다는 도덕적, 윤리적 문제와 연결됩니다. 그러나 법과 도덕은 별개라는 입장에서는 개인의 자율성을 존중하여 법이 도덕의 영역에 간섭해서는 안 된다는 반론을 이야기합니다.

생각 쓰기

생각 쓰기

case 2 **제시문 (가)의 '성진' 에게 제시문 (나)의 '원효' 가 '하나가 전부요, 전부가 하나' 라는 깨달음을 전하려고 합니다. 여러분이 원효가 되어서 '한마음' 에 대해서 써 보시오.**

(가) 성운이는 마지막 말을 하면서 손등으로 눈물을 훔쳤어요. 그 모습을 본 아이들은 더 이상 아무 말도 하지 않았어요.

"자, 이젠 누가 말하겠니?"

선생님이 묻자 영우가 번쩍 손을 들었어요.

"그래. 영우야, 말해 보렴."

선생님이 말하자 영우는 일어났어요.

"자살은 죄를 저지르는 거나 마찬가지예요."

영우가 말했어요. 아이들은 한 번도 생각해 본 적이 없는 말이었어요. 그래서 교실 안이 순식간에 소란스러워졌어요.

"자살이 죄라니?"

한수도 깜짝 놀라서 영우의 말을 되뇌었어요. 자살을 하면 주위 사람들이 힘들 거예요. 하지만 그렇다고 죄가 될 수가 있을까요? 한수는 아무리 생각해도 알 수가 없었어요. 그때였어요. 민지가 벌떡 일어났어요. 아이들의 눈길은 민지에게 몰렸어요.

"무슨 이유로 그렇게 말하는 거니?"

민지는 영우에게 물었어요.

"모든 사람은 '자기보호본능'을 가지고 있어. 그런데 자살은 그 본능을 어기는 거잖아. 그러니까 죄를 짓는 거야."

영우의 말이 끝나자 아이들은 탄성을 내질렀어요. 영우가 굉장히 똑똑해 보였거든요. 한수도 영우의 말이 멋져 보였어요. 그래서 민지가 대꾸할 말이 없을 거라고 생각했죠. 그런데 민지는 꿋꿋하게 말을 하기 시작했어요.

"그래. 네 말도 맞아. 사람은 자기보호본능을 가지고 있어. 하지만 반대로 '자기파괴본능'도 있는 거야. 자기보호본능만을 생각하면 '자살은 법으로 금지해야 한다'는 말이 맞을지도 몰라. 하지만 자기파괴본능을 무시한 거잖아. 자기파괴본능도 사람의 본성이야. 그러니까 자살도 사람의 본성이 될 수 있지. 본성을 어기는 게 죄라면, 자살은 죄가 될 수 없어. 자기파괴본능을 지킨 거니까."

민지의 말이 끝났는데도 아이들은 아무 말 없이 멀뚱멀뚱 쳐다만 보았어요. 한수도 놀라서 입을 다물 수가 없었어요.

'우와. 민지, 대단하다.'

한수는 민지와 오랜 친구였지만 이렇게 진지한 이야기를 별로 나누어 본 적은 없었거든요.

— 《켈젠이 들려주는 법 이야기》 중에서

나 '오늘 하루 종일 고민만 하고 있잖아. 이러다간 머리가 터져 버릴 것 같다.'

한수는 《순수법학》을 펼쳤어요. 책을 읽다 보면 다른 일들은 잊어버릴 수도 있을 것 같았거든요. 그리고 매일 책을 읽기로 한 다짐을 지키고 싶기도 했고요. 아빠랑 한 약속이기도 하지만 자기 자신에게 한 약속이라 꼭 지키고 싶었어요. 그런데 몇 분 읽지도 않았는데 잠이 오는 거예요.

'이러니까 오늘 아무 말도 못했지.'

그런 생각이 들자 한수는 마음 편안하게 잘 수가 없었어요. 그래서 마음을 굳게 먹고 소리 내어 글을 읽었어요.

켈젠은 자연법적 사고의 논리적 모순을 비판한다. 자연법론은, 인간의 본성이 자연스러운 것임을 인정한다. 그 예로 자기보존충동이 있다.

한수는 자기보존충동을 보고 깜짝 놀랐어요. 바로 오늘 학교에서 영우가 한 말이었으니까요.

하지만 인간은 사실상 자신의 생명을 마감하려는 충동도 있다. 자살을 하는 사람들의 사례들이 이 점을 보여 준다.

우와. 한수는 또 놀랐어요. 오늘 민지도 이 비슷한 말을 했었어요.

'혹시, 영우와 민지도 이 책을 읽은 걸까?'

한수는 정말 궁금했어요.

—《켈젠이 들려주는 법 이야기》 중에서

생각 쓰기

생각 쓰기

생각 쓰기

case 3 아래 (가)의 글을 읽고 켈젠의 법단계설을 바탕으로 한수가 고민하는 현행법 상의 이자 제한법의 문제점에 대해 (나)의 행복추구권과 연관해서 논하시오. (400자 내외)

가 "그런데 사채는 이자가 왜 그렇게 비싼 거야? 법으로 금지하면 안 돼?"

"우리나라에 이자 제한 법이라는 것이 있어. 이자의 상한을 연 40%로 제한하고 있지."

"연 40%로? 그렇게나 높아? 만약 천만 원을 빌리면 매년 이자가 4백만 원이나 된다는 거지?"

"그래. 일억 원을 빌리면 매년 이자가 4천만 원이나 되고."

"배 보다 배꼽이 크다."

"그런 말도 알아?"

"아빠는 내가 초등학생이라고 너무 무시해."

"하하. 무시해서가 아니라 기특해서 그런 거지."

"쳇, 그게 그거지."

"사채는 이자가 높아서 원금을 갚는 게 힘들어. 이자 갚느라 원금까지 갚지 못하는 거지."

한수는 고개를 갸웃거렸어요. 돈이 없는 사람들이 돈을 빌리잖아요. 그러니까, 가난한 사람들이 빌리는 건데, 가난한 사람들에게 이자를 그렇게 높게 받는 게 이상했어요.

"아빠."

"응?"

"이자를 낮게 하는 법은 없어?"

"응. 그런 법은 없어."

"정말 이상해. 법은 왜 있는 거야? 사람들이 행복하게 살 수 있도록 하기 위해서 있는 거 아니야? 그런데 법에서 이자가 40%나 되게 하는 건 사람들을 너무 힘들게 하는 거잖아."

한수가 그렇게 말하자 아빠는 좀 놀란 표정을 지었어요.

"사람들이 행복하게 살기 위해 필요한 게 법이긴 하지. 하지만 모든 사람들이 만족할 수 있는 길을 찾는 건 힘든 일이란다."

한수는 아빠의 말을 이해할 수 있었어요. 하지만 머릿속에서는 끊임없이 질문이 쏟아져 나왔어요.

법이 뭐지? 이자를 40%나 받도록 한 법도 올바른 법이라 할 수 있나? 경민이 부모님 입장에서는 너무 가혹하잖아. 도대체 법이 뭐지? 어떤 법이 올바른 법이라고 할 수 있을까?

—《켈젠이 들려주는 법 이야기》 중에서

(나) 국민이 인간으로서의 행복을 추구할 수 있는 권리를 행복추구권이라고 합니다. 다시 말해 먹고 싶을 때 먹고, 놀고 싶을 때 놀며, 자기 멋에 살고 멋대로 옷을

입어 몸을 단장하는 등의 자유가 포함되며, 자기 계획에 따라 인생을 살아가고, 자기가 추구하는 행복의 개념에 따라 생활함을 말하는 것입니다. 우리나라 현행 헌법은 '모든 국민은 인간으로서의 존엄과 가치를 가지며, 행복을 추구할 권리가 있다(헌법 제10조)' 고 하여, '인간의 존엄과 가치 · 행복추구권' 을 국가의 기본 질서이며 법 해석의 최고 기준인 근본규범으로 삼고 있습니다. 국가는 이를 보장할 의무를 가지고 있습니다. 따라서 모든 국가기관은 물론, 어떠한 개인도 타인의 행복추구권을 함부로 침해하지 못합니다.

생각 쓰기

생각 쓰기

생각 쓰기

생각 쓰기

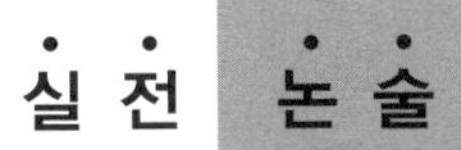

예시 답안

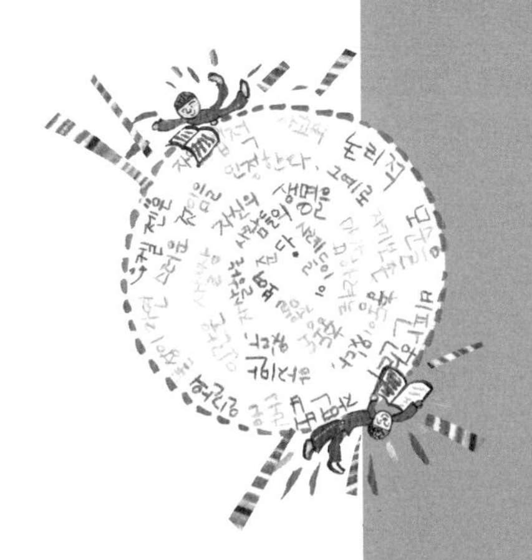

case 1 착한 사마리아인의 법은 자신에게 해가 되지 않음에도 불구하고 어려움에 처한 사람을 돕지 않은 사람을 처벌할 수 있도록 하는 법입니다. 어려운 상황에 처한 사람을 돕는 것은 윤리적이고 도덕적인 문제와 연결된다고 할 수 있습니다. 윤리와 도덕적인 문제까지 법으로 규제를 할 것인지에 대해서는 여러 논의가 있을 수 있습니다. 윤리와 도덕은 말 그대로 개인적인 가치와 관련되는 것이기 때문입니다. 그래서 착한 사마리아인의 법은 '자신에게 해가 되지 않음에도 불구하고' 라는 전제가 포함됩니다.

개인적인 가치도 중요하지만 타인과 함께 더불어 살아가야 하는 사회에서 타인과의 관계에서 형성되는 윤리와 도덕은 사회를 유지 존속시키는 데 또 다른 중요한 요소가 될 수 있습니다. 따라서 착한 사마리아인의 법은 단순히 돕지 않은 사람의 처벌만을 의미하는 것이 아니라 더불어 살아가는 삶에 대해 생각해 보게 합니다.

이야기 속에서 경민이의 행동은 죄가 되지 않는다고 생각합니다. 경민이는 누군가에 쫓기는 상황이었고 친구와 함께 그들을 피해 도망치는 중이었습니다. 친구가 중간에 조금 뒤처지고 있긴 했지만 함께 뛰고 있는 상황이었고 나중에 친구가 없다는 사실을 깨달았을 때 경민이는 그 친구가 집으로 안전하게 갔을 거라고 생각했을 수도 있습니다. 또 뒤에서는 중학생 형들이 쫓아오는 상황이었기 때문에 무서워서 친구가 없다는 사실을 알고서도 돌아가지 못했을 것입니다.

하지만 경민이가 도망가는 길에 경찰서에 가서 도움을 요청했다면 경민이는 조금 더 마음이 편했을 것이라고 생각합니다. 그랬더라면 경민이는 경찰과 함께 친구를 찾을 수 있었을 것이고 결국 경민이는 친구도 돕고 자신도 안전하게 귀가할 수 있었을 것이기 때문입니다.

case 2 영우는 자기보존본능에 대해 이야기하고 있다. 사람은 누구나 본능적으로 자신을 안전하고 오래 보호하고자 하는 충동을 가지고 있다는 것이다. 따라서 이러한 자기보존본능을 어겼으므로 자살은 죄가 된다고 이야기하는 것이다. 그에 반해 민지는 자기파괴본능에 대해 이야기 하고 있다. 사람은 영우가 이야기 한 자기보존본능도 가지고 있는 동시에 스스로를 파괴하고자 하는 자기파괴본능도 가지고 있다. 만약 영우의 말처럼 자기보존본능을 어겨 죄가 된다고 한다면 자기파괴본능을 잘 지킨 것이기 때문에 죄가 되지 않는다는 것이 민지의 의견이다.

켈젠의 이론에 따르면 법은 오로지 법 자체로만 그 가치를 가진다. 법을 둘러싸고 있는 주변의 요소들은 그의 이론에서는 무의미한 것이 된다. 위의 경우처럼 인간에게는 본능이란 것이 있다. 자신을 보존하고자 하는 본능과 파괴하고자 하는 본능, 사람들은 어느 한 가지만 가지고 있는 것이 아니라 두 가지 모두를 가지고 있다. 따라서 어느 하나만을 옳다고 할 수 없는 것이고 어느 한 가지만을 법적인 근거로 삼을 수 없는 것이다. 그래서 켈젠은 법 이외의 것은 고려하지 않은 상태에서 법을 연구한 것이다.

case 3

이야기 속에서 한수는 우리나라의 법정 이자가 40%에 달하는 것이 부당하다고 생각합니다. 왜냐하면 실질적으로 돈을 많이 빌리는 사람들은 돈이 없는 사람들이고 돈이 없는 사람에게 돈을 빌려주면서, 그 이자로 최대 40%까지 받을 수 있도록 국가에서 정한 것은 돈을 빌린 사람으로 하여금 지나치게 높은 이자를 감당하게 하므로 부당하다고 생각하는 것입니다. 그리고 지나치게 높은 이자를 내지 못하면 돈과 이자에 대한 추심이 있기 때문에 그 사람들은 더욱 곤경에 처하게 됩니다.

법단계설에 의하면 우리나라 모든 법의 상위법은 헌법이며 헌법을 제외한 법들은 헌법에 명시된 것을 바탕으로 만들어집니다. 그리고 우리나라의 헌법에는 행복추구권이라는 것이 있습니다. 이자를 40%까지 제한하는 법은 분명 헌법이 아니므로 헌법이 규정하는 범위 내에서 제정되어야 하고 헌법에서 규정하는 행복추구권을 고려할 때 이자제한법은 위배라고 볼 수 있습니다.

돈을 빌려주는 사람의 입장에서는 돈을 빌려 주고 정당하게 이자로 40%를 받는 것이므로 그들의 행복추구권에는 위배되지 않을 수 있습니다. 하지만 법은 개개인에게 적용되는 것이 아니라 많은 사람에게 적용되는 것인 만큼 보다 많은 사람들이 행복할 수 있도록 제정되어야 한다고 생각합니다.

Abitur

철학자가 들려주는 철학이야기 097

루터가 들려주는 죄와 용서 이야기

저자_**이봉선**

중앙대에서 문예창작을 전공했습니다. 1998년과 2004년에 신춘문예 단편소설로 등단하였습니다. 현재 대학에서 소설 창작을 강의하며 소설을 쓰고 있습니다. 효원이, 태준이의 아빠로서 아이들에게 좋은 책을 많이 읽어 주기 위해 노력하고 있습니다. 학생들에게 국어와 논술을 가르치면서 가장 소중한 삶의 가치가 무엇인지 늘 고민하고 있습니다.

배경 지식 넓히기

Martin Luther

루터와 '죄와 용서'

루터 주요 개념

1. 루터를 만나다

1) 루터는 누구인가

루터는 1483년 11월 10일 독일 작센안할트 주 아이슬레벤에서 아버지 한스 루터와 어머니 마가레테 린데만 사이에서 태어났습니다. 광산업을 경영한 아버지는 루터가 법률가가 되기를 원했습니다. 이러한 아버지의 뜻에 따라 루터는 1501년 에르푸르트 대학교에 입학하였습니다. 1505년 일반 교양과정을 마치고 법학 공부를 시작했는데 이때 자신의 삶과 구원 문제에 대해 깊은 관심을 가지게 되었습니다. 루터는 대학 교양학부에서 삼학(문법, 수사학, 변증법)과 사학 (산술, 기하학, 천문학, 음악)을 마친 후 1502년 9월에 문학사 학위를 받았습니다. 1505년 1월에는 17명 중 차석으로 시험에 통과하여 문학 석사학위를 받았습니다. 그 후 루터는 5월에 본격적으로 법률 공부를 시작하게 됩니다. 하지만 그 무렵 여행을 함께 하던 친구의 죽음을 계기로 학업을 중단하고 에르푸르트의 아우구스티누스 수도회에 들어갔습니다. 1507년 루터는 계율에 따라 사제가 되고, 오컴주의 신학 교육을 받아 수도회와 대학에서 중요한 일을 맡게 됩니다. 그리고 1511년에는 비텐베르크 대학교로 옮겨, 1512년 신학박사가 되고 1513년부터 성서학 강의를 시작하였습니다.

루터는 이때 하나님은 인간에게 행위를 요구하는 것이 아니라, 은혜를 베풀어 인간의 죄를 구원하는 존재임을 재발견했습니다. 이는 당시 논란이 되었던 면벌부 판매에 대한 비판으로 이어졌고, 결국 종교개혁의 발달이 되어 파문을 당합니다.

1521년에는 신성로마제국 의회에 불려나가 루터의 주장을 취소할 것을 강요당했으나 이를 거부하여 제국에서 추방되는 벌을 받기도 합니다. 그 후 9개월 동안 숨어 지내면서 신약성서를 독일어로 번역하는 작업을 완성하였습니다. 그리고 비텐베르크로 돌아와서 '루터파 교회'를 창립하게 됩니다.

루터는 1525년 6월 13일, 그의 나이 42세에 당시 사제에게는 금기시 되었던 결혼을 하게 됩니다. 루터는 자신이 결혼하는 목적은 늙은 아버지에게 손자를 안겨 드리기 위해서, 또한 결혼을 머뭇거리는 사람들에게 본인이 설교한 것을 몸소 실천하기 위해서라고 했습니다.

루터는 꾸준히 가톨릭교회와 종교개혁 문제로 논쟁을 벌였습니다. 또한 성서를 독일어로 번역하여 대학에서 강의를 하고, 사람들에게 하나님의 말씀을 전하면서, 종교개혁을 추진하게 됩니다. 그러다 1546년 63세에 백작들의 분쟁 조정을 위하여 고향인 아이슬레벤에 갔다가, 병을 얻어 세상을 뜨게 됩니다.

2) 95개조의 논제 — 돈으로 살 수 없는 영혼

'돈으로 구원을 살 수 있다'는 중세 교회의 강제적인 면벌부 판매는 루터의 신앙적 양심을 흔드는 계기가 되었습니다. 루터는 교회의 가르침에 순응해야 했지만 가톨릭교회의 만행을 보고 침묵만 하고 있을 수 없었습니다. 루터는 종교인으로서 양심과 책임에 따라 면벌부 판매를 비난하였으나 교회의 개선이 없자 1517년 10월 31일, 비텐베르크 성 교회의 문 앞에 '95개 논제'를 내걸고 중세 가톨릭교회와의 본격적인 논쟁에 들어가게 됩니다. 바로 이것이 종교개혁의 발단이 됩니다.

95개조 논제에는 "우리의 주님이시며 선생이신 예수 그리스도께서 회개하라고 하실 때, 그는 신자들의 전 생애가 참회되어야 할 것을 요구하셨다.(제1조)"에서부터, "그러므로 많은 고난을 겪고 천국에 들어갈 생각을 하며 안전하게 갈 생각을 말아라.(제95조)"까지 면벌부 판매를 규탄하며 면벌부의 부당함을 증명하기 위한 루터의 신학적 견해를 피력하고 있습니다. 95개조 논제의 주요 내용은 다음과 같습니다.

1) 면벌부로는 하나님의 징벌을 제거할 수 없고, 교회의 죄만 없게 할 뿐이다.

2) 면벌부로 죄를 사할 수 없다.

3) 면벌부는 죄인이 하나님께 마땅히 받아야 할 형벌을 없앨 수 없다.

4) 지옥에 있는 영혼에게는 면벌부가 전혀 쓸모없다.

5) 죄를 참회한 신자는 이미 하나님께 사죄받았기 때문에 면벌부가 필요 없다.

6) 평민들의 보화 창고는 하나님의 은혜와 영광을 가르치는 복음뿐이다.

7) 교황은 예수 그리스도의 공로나 성도들의 공로를 팔 권한이 없다.

이를 보면 루터가 회개를 중요하게 생각한다는 것을 알 수 있습니다. 또한 지옥의 존재에 대하여 인정하며, 마리아를 향해 하는 기도를 금지하거나 부정하지 않고 있습니다. 이는 루터가 종교개혁을 주장했지만 그 밑바탕에는 여전히 로마 가톨릭교회의 정신을 계승하고 있었음을 의미합니다.

이 논제는 대량으로 인쇄되어 순식간에 전 독일로 퍼져 나갔을 뿐 아니라, 전 유럽에 영향을 미치게 됩니다. 그래서 교황과 독일 황제는 루터에게 그의 주장을 철회할 것을 강요하였습니다. 하지만 많은 제후와 국민들이 루터를 지지하여 루터파와 황제파 사이에 오랜 기간 동안 전쟁이 벌어지게 되고 1955년 아우크스부르크 화의가 성립되어 마침내 루터파 교회가 정식으로 승인받게 됩니다.

3) 루터의 신학 사상 — 신과 직접 소통하는 세상의 모든 사람

루터의 신학사상은 크게 성서, 은총, 믿음 세 가지로 나눌 수 있습니다. 종교개혁의 핵심은 하나님을 인간의 눈으로 판단하고 그 위에 자신의 종교를 쌓아 가려는 로마 가톨릭교회에 대항하여 하나님을 하나님으로서 섬기자는 것이었습니다.

중세 로마 가톨릭교회라고해서 성서의 권위에 대해 부정한 것은 아니었습니다. 또한 선행(先行)하는 하나님의 은혜를 가르치지 않은 것도, 믿음에 대하여 무지한 것도 아니었습니다. 하지만 루터는 성서, 은총, 믿음 앞에 '오직sola' 이라는 단어를 붙였습니다. 루터는 로마 가톨릭교회가 성서, 은총, 믿음을 말하면서도 실제로 인간 중심의 사고가 바탕에 자리 잡고 있다는 것을 알았기 때문입니다.

당시 로마 가톨릭교회에서는 성서의 권위를 말하면서도 그것을 해석하는 교황의 권위를 우선으로 내세웠으며, 하나님이 은혜를 주신다고 말하면서도 그것은 인간이 율법의 의를 쌓는 데 도움을 주는 '능력' 으로만 이해하였습니다. 믿음이 중요하다고 강조하다가 어느덧 '선행으로 형성된 믿음' 을 강조했습니다.

루터는 자신이 번역한 성서는 문자가 자명하고 단순하기 때문에 어느 누구라도 이해할 수 있는 책이며 자기 자신 이외의 다른 어떤 해석자도 중요하지 않다고 하였습니다. 또한 은혜는 하나님께서 그리스도 안에서 죄인들의 죄를 사하여 주는 것은 아니지만 그리스도 신앙을 보고 의인으로 인정해 주는 '호의' 라고 이해하였고 하나님의 약속을 믿는 믿음은 단번에 모든 율법을 성취하며 인간을 의롭게 한다고 여겼습니다. 이는 루터가 "나는 아무 것도 한 것이 없다. 말씀이 다 했다"는 말에 나타나듯이 사람이 아닌 오로지 하나님의 말씀만을 의지했기 때문입니다.

면벌부

가톨릭교회에서는 대사(大赦, 라틴어 : Indulgentia, 영어 : Indulgence)는 '은혜' 또는 '관대한 용서' 라는 말로써 '대신 용서하다' 라는 의미라고 합니다. 가톨릭교회의 신학에 따르면 용서받은 죄에 따른 벌 즉, 잠벌을 탕감받기 위해서는 현세에서 행하는 속죄인 대가를 치러야 하는데, 이를 일부 또는 전부를 감면해 주는 은사를 의미합니다. 죄인이 자신이 저지른 범죄를 교회에 사실대로 고백하여 죄를 용서받은 다음 예수와 모든 성인들의 보속 공로를 통해서 그 죄에 해당하는 벌을 면제받게 됩니다. 중세 말기 가톨릭교회는 성당 건설과 포교를 위하여 많은 돈이 필요하자 헌금을 권하면서 속죄증명서 즉, 면벌부 발행을 남용하여 많은 폐해를 가져왔습니다.

1517년 성 베드로 대성당을 건립할 때는 루터가 면벌부 발행에 반대하여, 그 폐단을 지적하는 등 '95개조 의견서' 를 내붙이고 공개 토론을 주장한 것이 종교개혁의 실마리가 되었습니다. 그 후 트리엔트 공의회(1545~1563)에서는 면벌부의 남용을 규제하였으며, 차차 면벌부는 사라지게 되었습니다.

2. 교과서에서 만난 죄와 용서

① 용서하는 사람

점심시간이 끝나 갈 무렵, 학교 앞 식당 한 구석에서 지훈이와 그의 부모님, 그리고 한 아주머니가 이야기를 나누고 있었습니다.

며칠 전, 학교에서 돌아오는 길에 지훈이와 몇몇 아이들이 하급생인 재웅이를 협박하고 돈을 빼앗았습니다. 평소에 몸이 허약했던 재웅이는 며칠 동안 마음의 고통을 받아야 했고, 학교 가기를 두려워했습니다. 주위 사람들은 재웅이의 부모님에게 이 일을 그냥 넘겨서는 안 된다, 재웅이를 이렇게 만든 학생들을 반드시 처벌받게 해야 다고 흥분했습니다. 그리고 그 날의 일을 목격한 문방구점 아저씨의 도움으로 지훈이의 잘못이 밝혀졌습니다.

지훈이는 고개를 떨어뜨린 채 '잘못했습니다' 라는 말만 되풀이할 뿐이었습니다. 서로 얼굴을 붉히고 큰 소리가 오고 갈 법한 자리였지만, 그렇지가 않았습니다. 재웅이 어머니가 나지막하지만 또렷한 목소리로 말했습니다.

"나는 이미 너를 용서했단다. 남에게 상처를 주면 결국 그 괴로움이 자신에게 돌아온다는 사실을 잊어서는 안 된다."

그리고는 책 두 권을 주면서 말씀하셨습니다.

"이 책을 읽고, 어떻게 살아가는 것이 올바른지 생각해 보고, 느낀 점을 써서 담임선생님께 내도록 해라.'"

재웅이 어머니가 지훈이를 용서해 주었다는 말을 듣고, 주변 사람들이 의아해하면서 물었습니다.

"아들에게 못된 짓을 한 아이를 왜 용서해 주었습니까?"

"지훈이가 잘못을 인정하고 사과를 했기 때문입니다."

—초등학교 6, 《도덕》 중에서

우리는 자신도 모르게 죄를 지을 때가 있습니다. 어떤 경우에는 장난처럼 한 일이 상대방에게는 상처가 되어 뜻하지 않게 죄를 짓기도 합니다. 이 글에서 지훈이는 몸이 약한 재웅이를 괴롭히는 죄를 지었습니다. 그런데 왜 재웅이 어머니는 지훈이를 용서했을까요? 그렇습니다. 바로 지훈이가 자신의 잘못을 뉘우쳤기 때문에 용서를 한 것입니다. 죄를 짓지 않는 것이 가장 중요하지만, 불가피하게 죄를 지었다면 진심으로 용서를 구하는 것 또한 중요한 일입니다.

기독교에서는 인간의 '원죄 의식' 에 대해 이야기하고 있습니다. 인간은 태어나면서부터 죄를 짓기 때문에, 하나님의 말씀에 따라 용서를 구하고 회개해야 한다는 것입니다. 루터가 살았던 교회에서는 돈을 받고 '면벌부' 라는 증서를 팔았다고 합니다. 이 면벌부를 사는 것만으로도 용서를 받을 수 있다는 것입니다. 여러분은 어떻게 생각하세요? 과연 돈을 주고 그 증서를 산다는 것만으로 용서를 받을 수 있다고 생각하나요?

루터는 당시 교회의 면벌부 판매의 부당함을 지적하면서, 진정으로 용서받기 위해서는 자신의 죄를 신에게 직접 고백하고, 신의 말씀을 따르는 삶을 살아야 한다고 강조했습니다. 인간의 죄를 물질적인 방법을 통해 용서받을 수는 없을 것입니다. 인간의 죄는 신의 은총을 통해서 용서받을 수 있다는 것이 루터의 생각이었습니다.

나쁜 일을 한 지훈이를 용서한 당사자는 재웅이 어머니입니다. 그런데 지훈이를 진정으로 용서한 것은 바로, 지훈이 자신의 반성과 진심 어린 사과에 있었다고 할 수 있을 것입니다.

② 반성하는 삶의 자세

반성은 어떤 목표나 계획을 세우는 데 도움을 주고, 결심한 것이 제대로 이루어지도록 자신을 이끌어 가는 견인차 역할을 한다. 지난 일을 냉정하게 돌이켜보고 반성할 줄 아는 사람은, 자기가 할 수 있는 일과 할 수 없는 일이 무엇인지에 대하여 정확하게 판단할 수 있다. 그리하여 현재 자기가 하는 일에 최선을 다할 뿐만 아니라, 미래의 삶도 무리하게 설계하지 않는다. 반성은 삶에 대한 통찰과 지혜를 가져다주고, 그것을 통하여 자기의 능력과 현실적 여건, 일의 경중과 선후를 바르게 판단함으로써 삶의 목표를 세우고 정진하는 데에 보람을 가지게 된다.

다음으로, 반성하는 삶의 자세는 잘못된 욕구나 본능 또는 감정적 충동을 억제하고, 그릇된 행동을 지속적으로 단속하게 한다. 사람은 종종 자신도 의식하지 못하는 사이에 이기심이나 욕구 또는 충동에 휩쓸려 일을 그르치는 경우가 있다. 반성하는 삶은 바로 이러한 욕구나 충동을 다스리는 데 도움을 준다. 즉, 자신의 욕구나 충동에 대하여 깊이 생각해 보고, 어느 정도로, 어떤 방식으로 그것들을 수용해야 할지 따져 봄으로써 자신을 단속하고 잘못된 행동을 통제하게 한다.

끝으로, 인간은 항상 반성하는 삶을 통해 자신을 성찰함으로써 훌륭한 인격을 형성하고 인간다운 삶을 살 수 있게 된다. 사람으로서의 품격 즉, 인격은 하루 아침에 갑자기 형성되는 것이 아니라, 평소에 꾸준히 마음을 닦고 행실을 바르게 해야 비로소 갖추어지게 된다. 위인이나 역사적인 인물들은 꾸준히 자신을 돌이켜 보고 반성하는 생활을 통해 인품을 갈고 닦은 사람들이었다. 물론 우리 모두가 그런 사람들처럼 존경을 받으며 살기는 어렵겠지만, 그러한 삶을 본받고 추구하려는 자세를 가지는 것만으로도 그 의미는 크다. 왜냐하면, 인간은 원래 미래를 지향하며 '되어 가고 있는 존재' 이고, 그런 자세를 가지고 부단히 나아가야만 삶의 방향을 잃지 않고 가치 있는 생활을 할 수 있기 때문이다.

한편, 반성을 할 때에는 올바른 자세와 건전한 방법으로 해야 한다. 잘못을 뉘우치면서 스스로를 학대하거나 자포자기하는 것은 자칫 열등의식에 사로잡히기 쉽다. 잘못의 원인을 이성적으로 파악하고 개선하여 더 나은 사람이 되고자 노력하는 뉘우침이 필요하다. 또, 반성할 때에는 무엇을 기준으로 할 것인가도 깊이 생각해야 한다. 독단이나 편견, 또는 그릇된 어떤 주장에 의한다면 이는 또 다른 잘못을 범하는 일이 된다. 따라서 충분히 숙고하여 설정된 삶의 목표나 계획, 잘 검토된 역사적 경험, 올바른 가치관, 진리나 객관적 학문과 이론, 성현의 깨우침 등에 의거하여 반성하는 자세가 필요하다.

매일 일기를 쓰거나 생활의 지침이 되는 좌우명을 정해 놓고 항상 자신을 되돌아보며 명상의 시간을 가지는 것도 좋은 방법이다. 그리하여 고칠 것은 고치고, 같은 잘못을 반복하지 않고 착실하게 살아가는 것이 반성하는 참된 자세이다.

–중학교 3, 《도덕》 중에서

현재 교과서에서 죄와 용서, 그리고 진정한 반성에 관한 글은 매우 중요하게 다뤄지고 있습니다. 청소년기는 그 어느 때보다 감정의 기복이 심하고 절제가 되지 않는 경우가 많습니다. 자신의 힘을 과시하려 하기도 하고, 상대방을 곤경에 빠뜨리기도 합니다. 또한 또래 집단과 어울리다 보면 뜻하지 않게 범죄를 저지르곤 합니다.

진정한 반성은 일단 자신이 범한 잘못을 해결하는 가장 좋은 방법입니다. 자신의 잘못을 인정하고 그에 맞는 처벌을 받을 마음의 준비가 필요하다는 것입니다. 반성을 한다는 것은 자신의 행동에 책임을 진다는 것이고 그러한 자세가 있을 때 용서를 받을 수 있기 때문입니다. 여기서 용서란 자신의 잘못을 무조건 없었던 일로 한다는 뜻이 아닙니다. 순순히 용서받을 수 있는 경우도 있고, 벌로써 책임을 져야 용서받을 수 있는 경우도 있으며, 마음으로는 용서할 수 있지만 법률적으로는 용서받을 수 없는 경우도 있을 것입니다.

반성은 용서받기 위한 수단이 아니라 자신의 잘못을 책임지는 용기입니다. 이러한 의미에서 반성은 다음에 똑같은 일을 저지르지 않겠다는 자신과의 약속이기도 합니다.

3. 기출 문제 속에서 만난 죄와 용서, 종교의 문제

논술에 있어 자주 언급되는 주제 중의 하나가 종교입니다. 최근에만 해도 2009 연세대 모의논술, 2009 외국어대 예시, 2008 숙명여대 수시, 2008 서강대 수시에서 직, 간접적으로 종교에 대한 주제를 다룬 문제가 출제되었습니다. 그리고 2007년 이전 "종교가 인간에게 어떤 영향을 끼친다고 생각하는가?"(숙명여대), "미국 테러 사건이 과연 '문명의 충돌'이라 생각하는가?"(연세대), "종교는 무엇이며 그 종교를 믿는 이유는 무엇인가?" "기독교, 이슬람교, 불교의 공통점과 차이점에 대해 설명하시오."(연세대), "이슬람 문화권과 기독교 문화 사이에 일어나고 있는 문화 충돌의 원인과 해결책에 대해 말해 보시오."(연세대)라는 주제로 논술 문제가 출제되기도 했습니다. 그렇다면 왜 이렇게 종교 문제는 출제 비중이 높은 걸까요? 아마도 이것은 루터로부터 그 대답을 찾을 수 있을 것입니다. 인간의 삶은 유한하며 언젠가 죽을 수밖에 없는 존재입니다. 하지만 누구나 오래 살고 싶어하며 영생을 동경합니다. 따라서 인간은 자신의 능력을 초월하는 존재를 믿고 의지하게 됩니다. 하지만 종교가 이러한 역할을 충실하게 담당하고 있는 것만은 아닙니다. 그 본래의 역할에서 벗어나 오히려 세상에 너무나 깊이 관여를 할 때도 있습니다. 중세 면벌부를 팔아 재원을 충당했던 것과 마찬가지겠지요. 따라서 여러분들은 종교의 본질과 그것이 왜곡된 현상에 대하여 신중히 생각해 봐야 할 것입니다.

종교는 오랜 역사 속에서 변하지 않고 지속되어 왔기에 인간은 '종교적 존재'라고 불리기도 합니다. 하지만 신이 있다면 우리는 필연적으로 아래와 같은 의문을 갖게 될 것입니다.

"왜 이 세상 어디에나 악이 존재하는 것일까? 만약 신이 존재한다면 그는 왜 이런 악을 방치하고 있는 것일까? 그는 모든 것을 다 알고 있으므로 악의 존재를 모르고 있을 리가 없다. 그는 무엇이든지 할 수 있으므로 악의

횡포를 내버려 둘 리가 없다. 또한 그는 선한 존재이므로 악을 원할 리도 없다. 그렇다면 왜 이 세상에는 그토록 무수한 악이 날로 번창해 가고 있을까? 신은 과연 존재하는 것일까?"

이 질문은 1998년도 서강대학교 정시 논술고사 문제이기도 했습니다. 신의 존재 유무에 대한 생각은 사람에 따라 다를 수 있기 때문에 이 문제는 자신의 생각을 너무 한편으로 치우치지 않게 논술하는 것이 중요합니다. 또한 개인적인 생각을 묻는 문제 정도로 보이지만 평가 기준은 답변이 얼마나 객관성과 논리성을 갖추고 있느냐에 초점이 맞추어져 있기 때문에 감정에 치우치는 생각이나 개인적인 생각으로 일관하지 않는다면 좋은 답안을 작성할 수 있을 것입니다.

실전 논술

논술 문제

case 1 다음 글을 읽고 주어진 조건에 따라 논술하시오.

가 나를 잡은 녀석은 작은 내 키를 보고 나를 어리게 봤어요. 난 항상 또래에 비해 유난히 작았기 때문에 그 녀석의 말이 기분 나쁘지는 않았어요. 내 의지와 다르게 떨리는 몸과 고개를 푹 숙이고 있는 나의 모습이 내 자신을 한심하게 만들었어요. 나는 아무 말도 하지 않고 가만히 있었어요. 그 때 이 아이들에게 둘러싸여 있던 다른 친구가 맞는 소리가 들렸어요. 정의감? 카리스마? 그런 건 필요 없어요. 그저 나만이라도 여기서 벗어났으면 하는 바람뿐이었죠.

"야 ! 너 몇 살이냐니까?"

나는 대답하기 싫었어요. 이런 아이들과 말을 섞는다는 사실도 싫었고, 어리고 약해 보이는 내 자신도 싫었어요. 그 때 누군가 말했어요.

"그냥 놔둬. 재 우리랑 동갑이야."

"엥? 정말? 그렇다고 그냥 보내는 건 아니지. 야, 친구야. 너 돈 좀 있냐? 우리가 피씨방에 가야 하걸랑."

친구? 흥! 껄렁 껄렁하게 말하는 그 녀석이 너무 싫었지만 내 입은 떨어질 줄을 몰랐어요. 그런데 누가 나를 아는 걸까요? 무거운 고개를 들어서 나를 쳐다보고 있는 아이를 보았어요.

'역시 너구나.'

정혁이었어요. 내 친구였던 정혁이. 항상 내 옆에서 든든하게 나를 지켜 줬었는데 지금은 너무 멀리 떠나 버렸죠. 유치원 때부터 3학년 때까지는 줄곧 같이 다녔는데 4학년에 올라가면서부터 정혁이가 갑자기 변했어요. 다른 반이었어도 항상 같이 다녔는데 언젠가부터 서로 모른 척하는 어색한 사이가 되었어요. 그리고 5학년이 되었을 때 정혁이가 나쁜 친구들과 어울린다는 소문을 들었고 그날 나는 소문의 실체를 보았어요. 나는 정혁이를 똑바로 쳐다봤지만 정혁이는 나를 보지 않았어요. 나를 잡고 있던 녀석이 계속 말했어요.

"야, 너 돈 좀 있냐고!"

"……."

"뒤졌는데 나오면 나한테 죽었어."

아무 대답을 하지 않자 그 녀석은 화가 난 모양이었어요. 내 바지 호주머니에 손을 넣더니 아무 것도 나오지 않자 가방을 뺏어서 뒤졌어요. 가방 안주머니에는 일주일치 용돈이 들어 있었는데 그 녀석이 돈을 발견했어요.

"여기 있네. 넌 죽었어."

그 녀석은 내 가슴과 팔에 멍을 만들었어요. 난 울지 않았어요. 정혁이 앞에서 우는 게 너무 부끄러워서 꾹 참았어요. 내가 맞고 있을 때 정혁이는 나를 보지 않았어요. 다른 친구들과 히죽대면서 재밌는 이야기라도 하고 있는 것 같았죠. 내 몸에 멍들고 있을 때 나의 옛 친구는 웃고 있었어요. 나는 지금도 그 웃음이 잊혀 지지 않아요.

—《루터가 들려주는 죄와 용서 이야기》 중에서

나 6학년이 된 지 얼마 되지 않아 갑자기 이사를 가게 된 민수는 먼 거리를 걸어서 학교에 다녔습니다. 학교로 가는 길에는 주택가 골목을 지나게 되는데, 그 곳을 지날 때면 민수는 무척 기분이 좋았습니다. 그 골목에 있는 파란 대문 집 대문 틈에 꽂혀 있는 신문 때문이었습니다.

언제부터인가 민수는 그 신문을 뽑아 들고 읽는 데 재미를 붙였습니다. 그래서 어떤 때는 아예 신문을 가방에 넣어 집으로 가져오곤 했습니다.

그러던 어느 날, 그 날도 신문을 뽑아 들고 어제의 프로 야구 경기 결과를 살펴보고 있는데, 누가

"얘, 꼬마야!"

하고 민수를 불렀습니다. 파란 대문 집 아주머니였습니다. 덜컥 겁이 난 민수는 신문을 등 뒤로 감추었습니다. 순간, 가슴이 콩닥콩닥 뛰기 시작했습니다. 민수는 꾸중 들을 각오를 하고 고개를 푹 숙였습니다.

그런데 아주머니께서 상냥하게 말했습니다.

"학교에서 신문이 필요한가 보구나. 이 신문과 바꾸지 않을래?"

민수는 등 뒤에 감추었던 신문을 내밀고 아주머니가 건네는 신문을 받아들었습니다. 그것은 재미있게 꾸며진 어린이 신문이었습니다. 민수는 눈물이 핑 돌았습니다. 남의 물건에 함부로 손대면 안 된다는 것을 그 아주머니는 꾸중과 벌 대신에 너그러움으로 깨닫게 해 주셨던 것입니다.

— 초등학교 6, 《도덕》 중에서

1. 제시문 (가)의 상황에 처한 '나' 의 입장에서, 제시문 (나)의 '파란 대문 집 아주머니' 를 비판하는 내용을 논술하시오. (600자 내외)

2. 여러분이 (나)에 등장하는 아주머니의 입장이 되어서 (가)에 나오는 정혁이와 친구들에게 '약한 친구에게 폭력을 쓰고, 그런 친구의 돈을 함부로 빼앗지 말아야' 한다는 주장을 어떻게 설득할 것인지 논술하시오.(600자 내외)

생각 쓰기

생각 쓰기

생각 쓰기

case 2 (가)에 제시된 상황을 바탕으로, 제시문 (나) (다)를 참고로 하여, '죄, 벌, 반성, 용서'에 대한 자신의 생각을 논술하시오. (1,300~1,400자)

가 아침에 교실 앞에서 이야기를 나누던 미진이가 짝꿍과 계속 이야기를 하고 있었어요.

"원래 마정혁 무리가 애들 때리고 돈 뺏는 거 선생님들도 다 알고 있었대. 그런데 학교 이미지가 나빠지니까 서로 쉬쉬하고 있었던 거라고."

"네가 그걸 어떻게 다 알아?"

"엄마가 신문 읽어 줬어. 우리 엄마 말로는 저런 애들이 어렸을 때 혼쭐이 나야한대. 감옥에 확 넣어서 정신 차리게 해야 한다고 그랬어. 나중에 어른이 되면 더 큰 범죄를 저지를 수 있다고."

"아무리 그래도 살인을 한 것도 아니고……."

"어머! 애 말하는 것 좀 봐. 너 혹시 마정혁 좋아하는 거 아냐. 살인은 더 안 돼지. 그리고 살인만 죄는 아니잖아. 마정혁이랑 그 무리들이 애들한테 못된 짓을 얼마나 많이 했니? 돈을 빼앗고 죽을 만큼 때리지. 흉기만 안 들었다뿐이지 강도랑 다를 게 뭐가 있니? 어휴, 정말 왜 그렇게 나쁜 짓을 하고 돌아다니는지 몰라. 하여간 나쁜 짓 하는 애들은 경찰 아저씨들이 다 잡아야 한다니까."

"야, 너도 얼마 전에 나쁜 짓 했잖아. 학원에서 누가 필통 안 챙겨 간 거 그냥 네 가방에 넣었잖아. 그리고 나한테 자랑해 놓고서……."

"그게 왜 나쁜 짓이야? 안 챙겨 간 주인이 바보지. 그리고 내가 그 필통을 몰래 챙겼다고 해서 경찰서에 가지는 않아. 그렇게 따지면 너는 뭐 나쁜 짓 안 했니?"

"내가 뭘?"

"오늘 아침에 나랑 학교 오면서 지나가는 거미 밟았잖아. 그 거미가 너한테 무슨 잘못을 했다고 밟아 죽이니?"

"내가 그 거미를 밟고 싶어서 밟았니? 모르고 그런 거지! 너 억지 부리지마! 그렇게 따지면 죄를 안 짓고 사는 사람이 어디 있니? 사람이 태어난 것 자체가 죄겠다."

"그래, 맞아. 죄를 안 짓는 사람은 없을 거야. 분명히 선생님이 조용히 시청각 자료 보라고 했는데, 너네는 지금 떠들고 있잖아. 하지 말라는 짓을 하고 있으니까 죄를 짓는 거지. 안 그래?"

미진이와 짝꿍이 교실에서 시끄럽게 떠들자 반장인 효진이가 째려보며 말했어요. 반장 효진이는 공부만 잘하는 줄 알았는데 말하는 재치도 뛰어나요. 그러자 지기 싫어하는 미진이가 계속 말했어요.

"반장, 선생님이 조용히 하라고 한 게 한두 번이니? 그리고 그런 금지 조항은 대한민국 법에는 없을 거야. 그런데 어째서 내가 죄를 지었다는 거야?"

"죄라는 기준을 어떻게 나누느냐에 따라 달라지겠지. 지금 여기서 더 시끄럽게 했다가 선생님께 걸리면 넌 벌을 받을 거야. 벌을 받는다는 의미가 뭐겠니? 죄를 지었으니 벌을 받는 거야. 꼭 헌법에 적혀 있다고 해서 죄가 되는 것은 아니야. 넌 떠들면서도 양심의 가책을 느끼지 않겠지만 난 양심의 가책을 느끼거든. 이런 경우를 보면 내가 너보다 더 도덕적이라고 할 수 있겠지?"

"뭐, 뭐야! 그럼 난 양심도 없고 도덕적이지 않는 사람이라는 거야?"

"그거야 뭐 법으로 정해진 게 아니니까 개인의 차이겠지. 예를 들어 버스 노약자석에 네가 앉았는데 할머니가 버스를 타셨어. 넌 피곤했기 때문에 자리를 양보하지 않았지. 그래도 넌 할머니께 미안하지 않을 거야. 하지만 만약 내가 똑같은 상황이고 자리를 비켜 드리고 싶지만 너무 피곤해서 못 일어났다면 죄를 지은 것처럼 할머니께 미안해할 거야. 할머니께 자리를 양보하지 않았다고 해서 경찰서에 가는 것도 아닌데 계속 마음은 불편하고⋯⋯ 누군가가 용서해 주길 바라겠지. 하지만 어느 누구도 나를 용서해 줄 사람은 없어. 그런 차이지."

"나 원 참! 너 사람 한순간에 나쁜 애로 만드는 재주가 있구나?"

"그러니까 더 양심의 가책을 느끼기 전에 조용히 방송이나 보고 있어 줄래?"

김효진. 네가 승자이다. 어렸을 때부터 야무진 성격과 전교 1, 2등을 하는 효진이를 우리 엄마는 유치원 때부터 며느리감으로 점찍었어요.

—《루터가 들려주는 죄와 용서 이야기》 중에서

(나) 인간은 신이 아니므로 모든 일에 완전할 수는 없다. 우리 언행에 잘못이 있을 수 있고 또 옳고 그름을 잘못 판단할 수 있다. 우리에게 자기의 언행이나 판단에 대한 반성이 필요한 이유가 여기에 있다. 우리는 이러한 성찰의 자세를 통해 자신의 인감성을 닦아 보람 있고 인간다운 삶을 지향하면서 살아가는 것이다. 그래서 옛날의 현인들은 과이불개 시위과의를 가르쳤고, 일일삼성과 일일신 우일신을 강조

하여 우리를 일깨우고자 하였다.

'반성'이란 흔히 '뉘우치다', '돌이켜 보다'라는 뜻으로 쓰이고 있다. 그러나 참 의미의 반성은, 단순히 어떤 잘못을 후회하는 정도를 넘어 '자기 자신을 깊이 고찰한다'라는 뜻을 지니고 있다. 다시 말하면, 반성의 궁극적 의미는 자기의 삶을 되돌아보고 자기 자신과 그 삶의 모습을 스스로 대상화하여 분석하는 것을 뜻한다.

우리가 반성하는 삶의 자세를 가져야 하는 이유는 무엇일까? 먼저, 비록 잘못을 저질렀다고 하더라도 다시는 그와 같은 일을 되풀이하지 않기 위하여 반성이 꼭 필요하다. 우리 청소년들은 아직 배우는 과정에 있는 학생이기 때문에, 모르는 것도 많고 잘못을 저지르는 경우도 있을 수 있다. 그러므로 항상 생각하고 반성하며 바른 길을 찾는 지혜를 쌓아 가야 한다. 반성하는 삶이란, 바람직한 삶을 살고 있다는 뜻이 아니라 바람직한 삶을 살려고 노력한다는 의미이다. 비록 잘못을 저지르더라도 반성을 통하여 잘못을 깨닫고, 다시는 그러한 일을 되풀이하지 않도록 최선을 다하는 삶인 것이다.

— 중학교 3, 《도덕》 중에서

다 오늘날 인류는 몇 가지 중요한 문제에 당면하고 있다.

첫째, 선진 공업국과 후진국 사이의 경제 격차가 크게 심해지고 있다. 이는 최근 세계화의 흐름과 관련하여 해결되어야 할 과제이다.

둘째, 과학 기술의 발달과 공업화는 심각한 환경 문제를 불러일으켜 전 인류의 생존을 위협하고 있다. 모든 민족과 개인이 공존 공생하는 사회, 서로의 존엄성이 보장되는 사회를 이룩하는 데 힘써야 한다.

셋째, 세계는 하나의 지구촌으로 가까워지고 있으나, 종교와 인종의 갈등, 경제적 불평등에 따른 지역 간의 분쟁은 21세기를 맞은 오늘날에도 여전히 계속되고 있다.

넷째, 지구상에 마지막 남은 분단국가인 우리나라의 평화적 통일도 우리 민족은 물론 인류가 공동으로 해결해야 할 과제이다.

— 중학교 2, 《사회》 중에서

생각 쓰기

생각 쓰기

case 3 다음 글을 읽고 주어진 조건에 따라 논술하시오.

가 둘째 시간이 끝나고 쉬는 시간이었습니다. 담임선생님께서 우유를 나누어 주시고, 실험 준비를 하기 위해 자료실로 가셨습니다.

선생님께서 나가시자 교실 안은 금세 시끄러워졌습니다. 우유가 먹기 싫었던 동수는 아이들 모르게 창밖으로 슬쩍 손을 내밀어 우유갑을 아래로 떨어뜨렸습니다. 그리고는 우유갑이 떨어지는 것을 보려고 창문으로 얼굴을 살짝 내밀었습니다.

그 때, 꽃밭을 보살피고 계시던 교장 선생님께서 우유갑이 떨어지는 소리에 놀라 위를 쳐다보셨습니다. 순간, 교장 선생님과 동수의 시선이 마주쳤습니다. 깜짝 놀란 동수는 황급히 일어나 밖으로 나갔습니다.

동수의 이러한 행동을 본 사람은 은진이밖에 없었습니다.

잠시 후, 교장 선생님께서 교실로 들어오셨습니다. 아이들은 교장 선생님께서 들어오신 줄도 모르고 계속 떠들고 있었습니다.

"모두들 자리에 앉아요."

교장 선생님의 말씀에 아이들은 서둘러 자리에 앉았습니다. 교실은 금방 조용해졌습니다.

교장 선생님께서는 터진 우유갑을 들어 보이며 물으셨습니다.

"조금 전에 이 우유갑을 창밖으로 던진 학생이 누구지?"

교장 선생님께서 되풀이해서 물었지만, 아무도 나서지 않았습니다.

순간, 은진이의 가슴은 쿵쾅거렸습니다.

때마침 담임선생님께서 실험 자료를 가지고 교실로 들어오셨습니다. 동수도 선생님의 뒤를 따라 들어와 슬며시 자리에 앉았습니다. 교장 선생님께서는 동수를 쳐다보며 다시 한 번 물으셨으나, 동수는 모르는 척했습니다. 교장 선생님께서는 크게 실망하신 듯했습니다.

교장 선생님께서는 담임선생님께 이번 일에 대하여 말씀하셨습니다. 교장 선생님께서 나가시자, 선생님께서는 조용히 말씀하셨습니다.

"참 이상하군요, 던진 사람도 없는데 우유갑이 저절로 떨어졌다니. 우유갑을 창밖으로 던진 것도 잘못이지만, 우유갑을 던진 사람이 자기 잘못을 숨기는 것, 그것을 보고도 모르는 척하는 행위도 다 잘못입니다. 자신을 속이는 것은 자신의 양심을 버리는 것입니다. 잘못을 뉘우치지 않는 사람, 자신에게 솔직하지 못한 사람은 반드시 후회하게 될 것입니다. 한 번 정직하지 못한 말과 행동을 한 사람은 그것을 감추기 위하여 거짓된 말과 행동을 계속해야 하기 때문입니다. 또, 정직하지 못한 것이 알려지면 주변 사람들로부터 믿음을 잃게 될 것입니다. 언제라도 좋으니, 자신의 정직하지 못한 행동이 부끄럽게 느껴질 때, 조용히 선생님을 찾아오기 바랍니다."

은진이는 선생님의 말씀을 들으며 동수의 표정을 살펴보았으나, 동수는 평소와 다름없이 태연해 보였습니다.

수업이 끝날 때까지, 동수가 어떤 생각을 하고 있는지 궁금하여 은진이는 공부가 제대로 되지 않았습니다.

'동수는 자신의 행동을 본 사람이 없을 것이라고 생각하고 끝까지 속이려는 것일까? 설령 본 사람이 있다 해도 의리 때문에 절대 선생님께 말씀드릴 수 없을 것이라고 생각하고 있는지……. 아니면, 지금 말씀드리면 꾸중을 들을까 봐 겁이 나서 나중에 말씀드리려는 것일까?'

수업이 끝나고 집으로 오는 길에 은진이는 동수에게 우유갑을 던진 일에 대해 넌지시 물어보았습니다. 그런데 동수는 자신과 아무런 관련이 없다는 듯이,

"그런 걸 왜 나한테 묻니?" 하며 오히려 화를 냈습니다.

선생님께서는 오늘 있었던 일에 대해 스스로 잘못을 뉘우치고 솔직히 말해 주기를 기다리십니다. 그러나 동수의 태도를 보니, 동수는 선뜻 자신의 잘못을 뉘우치고 솔직하게 말할 것 같지 않습니다.

오늘 있었던 일에 대해 잠자코 있으면 자신도 정직하지 못한 사람이 된다고 생각하니, 은진이는 어떻게 해야 할지 몰라 잠이 오지 않았습니다.

— 초등학교 5, 《도덕》 중에서

나 "그동안 나쁜 짓 많이 해서 미안해. 너무 싫었어. 집 나간 엄마도 싫었고, 술만 마시는 아빠도 싫었고. 친구들이 곁에 있지만 엄마를 돌아오게 만들 수 있는 건 아니잖아. 이 세상에서 나 따위 존재는 아무 필요 없는 거라고, 공부해도 소용없고 잘하고 싶은 것도 없었어. 싸움이나 하고 나쁜 애들이랑 몰려다니면서 돈이나 빼앗고……. 나쁜 짓이란 거 알고 있었어. 애들 때리고 돈 뺏으면서 기분 좋은 날은 없

었어. 가끔 아는 애라도 만날 때면 난 정말 숨어 버리고 싶었어. 그런데 더 웃긴 건 내가 애들을 때리면 때릴수록 돈을 빼앗으면 빼앗을수록, 아이들은 점점 나를 무서워했다는 거야. 엄마를 때리던 아빠의 기분이 그랬을까? 내가 아빠를 이기기 위해서는 아빠보다 더 힘이 세야 한다고 생각했어. 그래서 난 싸움을 멈출 수 없었어. 결국 이렇게 되었지만…….”

“그랬구나. 나랑 용태도 너한테 많이 미안해 하고 있어. 잘못을 한 사람은 너지만 우리가 너를 빨리 붙잡았으면, 네가 나쁜 길로 안 빠지게 도와줬으면 이렇게까지 되지 않았을 테니까. 어떻게 할 거야? 근철이는 내일부터 다시 학교 나온다던데. 근철이 부모님이랑 아무 얘기 없었어?”

“어. 아빠가 지금 합의금 구하러 다니시고 있어.”

“합의금을 주고 네가 다시 학교를 다닌다고 해도 네 마음이 편하진 않을 거야.”

“그렇겠지. 내 잘못이 모두 없어지지 않겠지. 나쁜 짓을 하기 전으로 다시 돌아갈 수는 있는 걸까?”

정혁이는 깊이 한숨을 쉬었어요. 그러자 효진이가 대답했어요.

“하나님의 은총을 기다릴 수밖에……. 하나님은 너의 죄를 모두 이해해 주실 거야. 그리고 용서를 빌자. 하나님께도 빌고, 너로 인해 상처 받은 모든 사람들에게도 용서를 빌자. 그러면 하나님은 너를 구원해 줄 거고, 사람들도 너에게 받은 상처를 치료할 수 있을 거야.”

“그래. 네가 우리한테 말한 것처럼 다른 친구들에게도 너의 진심을 보여 줘. 네 마음을 가두지 말고 열어 줘."

"난…… 난 그렇게 못해."

"아냐. 할 수 있어. 예전에는 네가 무슨 행동을 해도 가만히 있었지만 이제는 아니야. 네가 사람들에게 진심으로 용서를 구하고, 용서를 받을 수 있도록 나와 효진이가 도울 거야."

"내가 사과를 하면 사람들이 받아 줄까?"

정혁이는 자신 없는 목소리로 말했어요. 나도 확신할 수는 없었어요. 당장 우리 엄마만 해도 정혁이를 이해하고 용서할 수 있을까요?

"네가 진심을 보인다면 용서해 줄 거야. 너무 어렵게 생각하지 말자. 그리고 다른 사람들이 너를 용서해 주고 안 해주고 문제는 나중에 생각해야지. 넌 먼저 네 잘못에 대해 용서를 구하고 사과를 하는 게 우선이야. 그러니까 용기를 가져 봐. 근철이처럼 돈으로 해결하는 것보다 훨씬 좋은 방법일거야."

자신이 없는 나와 정혁이와는 달리 효진이는 확신에 찬 목소리로 말했어요. 그래요. 돈으로 해결하는 것보다 진심으로 용서를 구하는 게 더 좋을 지도 모르겠어요. 오늘 목사님은 면벌부를 돈으로 사서 구원을 받는 것보다 하나님에 대한 믿음으로 구원을 받는 은총이 더 중요하다고 그랬어요.

—《루터가 들려주는 죄와 용서 이야기》 중에서

1. (가)의 동수와, (나)의 정혁이의 죄는 어떤 차이점과 공통점이 있는지 설명하시오. (300~ 400자)

2. (가), (나)에서 용서를 받기 위해서 중요한 것은 무엇인지 논술하시오.

생각 쓰기

생각 쓰기

생각 쓰기

실전 논술

예시 답안

case 1

1. 아주머니가 민수에게 훈계함으로써 민수의 잘못을 지적하는것은 후에 잘못된 행동을 다시 저지를 수 있게 합니다. 아주머니는 민수에게 벌을 주지 않고 따뜻한 말로 타이르고 있습니다. 잘함과 잘못함을 몰라서 저지른 행동에 대해 벌보다 말로 타이르는 태도가 민수의 잘못을 스스로 깨닫게 할 수 있습니다.

그러나 모든 잘못에 대해 말로만 타일러서 해결할 수 있는 것은 아닙니다. 아주머니처럼 말로만 타일러서 잘못을 뉘우치게 한다면, 제시문 (가)의 '나' 가 만난 친구들은 자신의 잘못을 뉘우치지 못할 수도 있습니다. 약한 친구를 폭력으로 괴롭히고 돈까지 빼앗는 행동은 단순히 말로 훈계해서 고쳐지지 않을 수 있기 때문입니다. 남의 것을 빼앗거나 훔치는 것이 나쁜 행동임을 알면서도 저지른 뒤에 벌을 받지 않고 훈계만 받는다는 과거 경험을 악용해서 또다시 잘못된 행동을 할 수도 있기 때문입니다.

그리고 아주머니처럼 말로만 타이르게 된다면 오히려 죄를 저지르는 것에 대한 두려움이 없어져서 똑같은 잘못을 다른 사람들에게 저지를 수 있게 됩니다. 처음부터 잘못에 대해서 냉정하게 벌을 주었다면 그런 행동을 하지 않을 수도 있었는데 말로만 훈계함으로써 잘못을 뉘우치지 못하고 같은 잘못을 다시 저지를 수 있게 됩니다. 그러므로 아주머니처럼 훈계로써 용서하는 태도는 항상 바람직한 것은 아닙니다.

2. 약한 친구를 괴롭히고 친구의 돈을 강제로 빼앗는 것은 잘못된 행동입니다. 왜냐하면 그것은 사회적으로 비도덕적인 행위이며 법적으로 처벌을 받을 수 있기 때문입니다. 만약에 정혁이와 친구들이 어린 시절 짧은 생각으로 잘못을 한 것이라고 할지라도, '바늘 도둑이 소도둑 된다' 는 속담처럼 어린 시절의 잘못된 행동이 어른이 될 때까지 이어질 수 있습니다.

그리고 약한 친구가 정혁이와 친구들의 괴롭힘 때문에 상처를 받고 학교에 다니지 않게 된다면, 정혁이와 친구들이 그 잘못에 대한 책임을 져야 하는 경우도 있습니다. 결국 한순간의 잘못으로 인해 평생을 죄책감 속에서 살아가는 고통을 겪을 수 있습니다.

세상의 모든 사람들이 약한 사람을 괴롭혀서 범죄를 저지른다면 사회는 무법천지가 될 것입니다. 그렇게 되면 우리 사회는 약육강식이 지배하는 동물의 세상과 다를 바가 없을 것입니다.

case 2 사람은 죄를 짓는다는 사실을 부정할 수 없습니다. 기독교에서는 인간이 태어난 것 자체가 죄라고까지 합니다. 평생 동안 단 한 번도 죄를 짓지 않았다는 사람이 있다면, 그 사람은 신이거나 거짓말쟁이일 것입니다. 문제는 그 죄를 처음부터 악의를 갖고 한 일이냐, 아니면 자신도 모르게, 또는 어쩔 수 없이 지은 죄이냐의 차이일 것입니다.

(가)를 보면 마정혁 무리는 주변 친구들의 돈을 빼앗고 때리기까지 합니다. 이것은 처음부터 나쁜 의도를 가진 범죄입니다. 이것은 피해를 당한 친구들이 정혁이를 용서한다고 해서 단순히 해결될 수 있는 문제가 아닙니다. 남의 것을 함부로 빼앗거나 폭력을 사용한 것은 반드시 그에 따르는 벌을 받아야 합니다. 만약 이렇게 명백한 범죄행위마저 무조건 용서한다면 우리 사회의 정의는 유지되기 어려울 것입니다.

하지만 나쁜 일인 줄 알면서도 친구들의 돈을 빼앗고 폭력을 행사했지만, 진심으로 뉘우치고 반성한다면, 조금 더 관용을 베풀어 가벼운 벌을 줄 수는 있을 것입니다. 하지만 우리 사회를 유지하기 위한 가장 기본적인 질서를 파괴하는 행동이 쉽게 용서되어서는 안 될 것입니다. 이것은 (다)에서 언급하고 있는 '공존 공생하는 사회, 서로의 존엄성이 보장되는 사회' 를 위해서라도 반드시 지켜져야 할 것입니다.

(가)에서 김효진이 제기한 양심의 가책은 위의 예와는 조금 다를 수 있습니다. 자신이 처한 상황에서 어쩔 수 없었기 때문에 다른 사람을 배려하지 못했거나, 자신도 모르는 실수였다면 진정한 반성과 사과를 통해 용서받을 수 있을 것입니다. 이것은 (다)에서 언급한 '잘못을 저지르더라도 반성을 통하여 깨닫고, 다시는 그러한 일을 되풀이하지 않도록 노력하는 삶' 을 위해서 필요한 것입니다. 악의를 가진 나쁜 의도가 아니거나, 자신도 모르게 한 실수에 대해서까지 지나치게 엄한 벌이 주어진다면 우리 사회는 살아가기 힘든 사회가 될 것입니다. 물론 이때도 고

의가 있었던 없었던 간에 상대방이 당한 피해가 크다면 쉽게 용서할 수는 없을 것입니다. 자신이 모르고 한 일이라도 피해자의 입장에서 큰 상처를 받았다면 그에 따른 처벌은 필요합니다.

'죄는 미워하더라도 사람은 미워하지 말라' 는 말이 있습니다. '죄' 자체는 분명 그에 따른 책임을 물어야 합니다. 하지만 그 사람이 진심으로 반성하고 책임질 자세가 되어 있다면, 그에 대해서는 용서할 수 있을 것입니다.

인간은 크고 작은 죄를 지으며 살아갈 수밖에 없습니다. 잘못을 저지른 어린 아이에게 따끔한 회초리보다는 따뜻하게 감싸 안아 주는 사랑이 더 큰 의미가 있듯이, 진정한 용서는 우리 사회를 보다 더 아름답게 만들어 줄 것입니다.

case 3

1. (가)에서 동수는 우유가 먹기 싫어서 버린 것에 불과합니다. 하지만 이것은 소중한 음식을 버린 잘못이고, 함부로 아무 곳에나 쓰레기를 버린 잘못이라고 할 수 있습니다. 그러나 이것을 범죄행위라고까지 할 수는 없습니다.

(나)의 정혁이는 아이들의 돈을 빼앗고 폭력을 휘둘렀습니다. 이것은 다른 사람을 괴롭힌 것으로, 사회질서를 어지럽히는 아주 위험한 범죄입니다. 설사 초등학생이 저지른 일이라 할지라도 쉽게 용서할 수 없는 일입니다.

(가)의 동수와 (나)의 정혁이는 다른 사람에게 피해를 주고 있습니다. 물론 동

수가 우유를 버린 일은 정혁이가 폭력을 쓴 것과는 다른 경우이지만 주변 사람에게 피해를 주는 것에 있어서는 공통점이 있습니다.

2. 용서를 받기 위해서 가장 중요한 것은 진정한 자기반성과 용기입니다. 당장 벌을 받지 않기 위한 거짓 반성은 더 큰 죄를 짓는 일입니다. 그것은 인간의 양심을 저버리는 행동이기 때문입니다. 누구나 죄를 지을 수 있지만 경우에 따라 범죄가 되지 않을 수도 있습니다. 사람을 죽이는 일은 어떤 경우에도 용서받지 못할 일입니다. 하지만 전쟁터에 나간 군인이 조국을 지키기 위해 적군을 죽였다고 해서 죄가 되지는 않습니다.

예를 들면 임진왜란 때 이순신 장군이 왜군을 물리쳤다고 하지, 왜군을 살해했다고 하지는 않습니다. 그런데 만약 이순신 장군이 개인적인 감정으로 왜군을 죽였다면 그것은 결코 용서받을 수 없는 일이 될 것입니다. 이러한 기준은 자신의 양심에 따라 달라질 수 있습니다. 거짓 반성은 바로 이러한 양심에 더 큰 죄를 짓는 일입니다.

용서를 받기 위해 또 하나 중요한 덕목은 용기입니다. 용기가 없다면 아무리 깊이 반성했다 하더라도 그것을 밖으로 드러낼 수가 없습니다. 표현하지 않는 사랑은 진정한 사랑이 아니듯이, 진심으로 용서를 구할 용기가 없다면 진정한 반성도 아닐 것입니다.

무엇보다 죄를 짓지 않는 것이 가장 중요합니다. 그러나 불가피하게 죄를 지었다면 진심으로 반성하는 것이 중요합니다. 그리고 이 모든 것을 할 수 있게 하는 원동력은 바로 용기입니다.

Abitur

철학자가 들려주는 철학이야기 098

석가모니가 들려주는 해탈 이야기

저자_**조훈성**
공주대학교 대학원 국어교육학과에서 석사학위를 받았고, 공주대학교 대학원에서 국어국문학전공으로 박사 과정을 수료했다. 현재는 공주대학교에서 강사로 있으면서 연희극예술에 관련한 비평 활동도 하고 있다.

배경 지식 넓히기

釋迦牟尼

석가모니와 '해탈'

석가모니 주요 개념

1. 석가모니를 만나다

1) 석가모니는 누구인가 — 시대와 생애

불교는 약 2,500년의 역사를 지닌 세계의 종교 중의 하나입니다. 기원전 6세기에 석가모니가 펼쳤던 교리는 북인도에서 시작되어 우리나라를 비롯해서 중국, 일본, 티베트, 스리랑카, 동남아시아 등까지 전파되었고, 오늘날에는 유럽과 북미까지 불교의 가르침이 널리 퍼지고 있습니다. 그만큼 석가모니의 가르침이 현대를 살아가는 우리들에게 인간으로서 겪는 수많은 괴로움으로부터 정신적인 치유와 회복의 의미를 부여하고 있기 때문일 것입니다. 또한 한 개인의 정신을 고도로 수련함으로서 과거 서양인들이 맹목적으로 추종했던 신에 대한 믿음에서 벗어나, 불교에서는 주체적으로 자신의 내면을 성찰하고 자비와 비폭력을 토대로 보다 높은 도덕심을 함양할 수 있다는 것을 발견하게 했기 때문일 것입니다.

한편 불교는 참선 수행을 통한 내면 성찰을 중요하게 여깁니다. 그렇게 얻어진 평정심으로 깨달음을 얻는데, 그 깨달음은 지혜와 자비심을 갖춘 부처가 될 수 있게 합니다.

석가모니(釋迦牟尼)와 부처(Buddha)

우리는 석가모니와 부처라는 말을 혼용하고 있는데, 이 둘은 서로 다른 의미를 가지고 있습니다. 먼저 석가모니라는 말은 '석가'와 '모니'를 구분할 필요가 있습니다. 석가는 북인도에 살던 샤키아라는 부족의 명칭이며, 모니는 성자를 의미하는 무니(muni)의 음역입니다. 따라서 석가모니는 '샤키아족 출신의 성자'라는 의미가 됩니다. 한편, 석가모니의 본명은 고타마 싯다르타(Gautama Siddahrtha)로서 고타마는 '가장 훌륭한 황소'라는 의미를 가지고, '싯다르타'는 '뜻을 이루다'라는 의미를 가지고 있습니다.

그리고 부처(Buddha)는 깨달은 사람이라는 뜻입니다. 한자로는 불타(佛陀)로 음역되며, 각자(覺者) 등으로도 불리어집니다. 또 '부처'라는 한자의 '불(佛)'은 약칭된 것으로 눈을 뜬 인간, 득도한 인간, 진리를 깨달은 인간, 인격을 완성한 인간이라는 의미를 가지고 있습니다.

불교가 성한 시대의 여러 성자들을 모두 'buddha'라고 불렸지만, 이제는 불교와 발전과 함께 불교에 있어 최고의 사람을 부처라고 부르게 되었습니다. 한편 불교의 교리에 따르면 과거, 현재, 미래의 부처가 각각 있고, 십방(十方)의 부처가 있어서 부처의 수가 수없이 많다고 합니다. 아미타불(阿彌陀佛)이나 약사불(藥師佛) 등 수많은 부처가 설정된 것을 본다면, 부처라는 용어는 '깨달음을 얻은 선각자(先覺者)'로 이해하면 될 것입니다.

① 석가모니의 생애

석가모니(釋迦牟尼, B.C. 624~B.C. 544)는 지금으로부터 약 2500년 전에 히말라야 산맥 기슭에 있는 샤키아국의 왕족으로 태어났습니다. 석가모니는 태어나자마자 곧바로 사방으로 일곱 걸음을 떼며 "나는 깨달음을 위해 태어났다. 이번 생(生)이 현상 세계에서의 마지막 탄생이다"라고 외쳤다고 합니다. 이러한 전설은 석가모니가 후에 "태어나고, 병들고, 늙고, 죽는 것이 괴로움이다"라고 말한 것처럼 자신의 태어난 것은 육체를 지닌 존재로서 윤회(輪廻)를 마치고 열반(涅槃)으로 향하는 마지막 단계임을 분명히 깨닫고 있었다는 것을 알려 줍니다.

천상천하유아독존(天上天下唯我獨尊)
중국 송나라 때, 도언이 쓴 《전등록》에 따르면, 석가모니는 태어나자마자 한 손으로 하늘을 가리키고, 다른 한 손으로 땅을 가리키며 두루 일곱 걸음을 걸어 "세상천지에서 오직 나만이 홀로 존귀하다"고 말하였다고 합니다. 오늘날 이 말은 '인간성의 존엄과 실존'을 표현한 것으로 해석하고 있습니다.

한편, 석가모니는 왕자로 태어났기 때문에 아주 유복한 생활을 할 수 있었습니다. 하지만 어릴 때부터 삶의 허무함과 고통에 대해서 깊은 관심을 보였습니다. 석가모니는 왕궁 안의 안락한 생활에 만족하지 않고 궁 밖의 바깥세상을 끊임없이 동경했습니다. 왕은 어쩔 수 없이 석가모니에게 바깥세상을 잠시 보고 올 수 있도록 허락하게 됩니다. 하지만 이것은 결정적으로 석가모니의 깨달음을 위한 출가를 결정짓는 계기가 됩니다.

② 생로병사를 보다

불교에서는 석가모니의 출행을 '사문유관(四門遊觀)'이라고 합니다. 즉 석가모니가 출가하기 이전 카필라 성 동서남북의 네 문을 통해 교외에 나가 '생로병사(生老病死)'의 고통 속에 살고 있는 인간을 보게 된 것을 말합니다. 이러한 사실을 알게 된 석가모니는 삶에 대하여 깊은 생각에 빠지게 됩니다. 석가모니는 우연히 북쪽 성문 밖에서 이러한 '생노병사'의 고통에서 벗어난 것 같은 한 수도자의 기품 있고 생기 넘치는 모습을 보게 됩니다. 석가모니는 속세의 괴로움을 떠난 삶에 대한 즐거움을 깨달은 것입니다. 석가모니는 인간의 '괴로운 현실'에서 벗어나고자 스물아홉 살이 되던 해에 왕자의 자리를 버리고 진리를 찾아서 궁궐을 떠나게 됩니다.

석가모니는 자신의 안락한 삶을 떠나 고통받는 모든 인간을 구원할 수 있는 진리의 방법을 찾는 것이 자신의 역할임을 깨닫고 수행자의 길을 택한 것입니다.

열반(涅槃, nirvana)
'열반'은 불교에서 수행을 통해 도달하는 궁극적 경지를 말합니다. 그 어원은 nir(out)+va(to blow), 즉 '불어서 끔', '소멸'이라고 합니다. 다시 말해, '타오르는 번뇌의 불길을 소멸시켜서 깨달음의 지혜인 보리(菩提)를 완성한 경지'라는 의미입니다. 열반은 생사(生死)의 윤회와 미혹의 세계에서 해탈(解脫)한 깨달음의 세계이기도 합니다. 그래서 '열반'은 불교의 표현으로 '깨달음'과 '죽음'을 의미하는 용어로 쓰입니다.

③ 깨달음을 향한 고행과 해탈

석가모니는 보살로서 혹독한 고행의 시기를 겪게 됩니다. 고행은 육체와 욕망을 정신적 방해물로 여기는 것이어서 그러한 수행은 자기 스스로의 존재를 부정하는 혹독한 육체적 정신적 고행을 의미합니다. 이러한 석가모니의 깨달음의 수행 중에 악마가 유혹을 하는 이야기가 전해집니다. 우루벨라의 세나니라는 마을에서 고행 명상을 하던 석가모니에게 마을의 처녀가 우유죽을 공양을 합니다. 격렬한 고행으로 몸이 많이 쇠약해져 있던 석가모니에게 우유죽은 새로운 활력을 주었습니다. 그리고 석가모니는 깨달음을 얻을 때가지 꼼짝도 않겠다고 맹세한 후, 보리수 아래 큰 바위 위에서 가부좌를 틀고 49일 동안을 먹지도 움직이지도 않았습니다. 그때 악마는 고행으로 명상하고 있는 석가모니 곁으로 다가와 탐욕, 배고픔과 목마름, 쾌락 등으로 괴롭힙니다. 하지만 석가모니는 이런 악마의 유혹에 동요하지 않고 '깨달음'을 위한 고행을 계속합니다. 이 악마와의 싸움은 석가모니의 고행에 대한 내적인 갈등과 그 갈등의 극복을 담고 있습니다. 이를 통해 비로소 석가모니는 '부처'가 될 수 있게 된 것입니다.

석가모니는 보리수 아래서 깨달은 진리를 사람들과 같이 하고자 마음먹었습니다. 서른다섯의 나이에 깨달음을 얻어 그의 나이 80세에 이를 때까지 45년 동안을 중생들에게 자신이 깨달은 진리를 전하며 거리를 순례합니다. 인도에서 석가모니를 모르는 사람이 없을 정도로 그의 명성을 나날이 높아졌고, 그의 설법에 귀를 기울여 가르침을

보살
(菩薩, boodhisattva)
'보살'은 산스크리트로 '깨달음을 추구하는 이'라는 뜻입니다. 불교에서는 역사상의 부처인 고타마 싯다르타가 깨달음을 얻기 전의 상태, 또는 현세나 내세에서 부처가 되도록 확정되어 있는 다른 모든 사람을 가리키는 말로 '보살'이라는 용어가 쓰이고 있습니다. 그러므로 누구나 보살이 될 수 있고, 누구나 보살일 수 있습니다. 한편, 보살은 자비(慈悲, karuna)의 가치를 지혜(智慧, prajna)의 가치에 대등하도록 고양시킵니다. 그러므로 보살은 다른 사람에게 자신이 쌓은 공덕(功德, punna)을 전해 줌으로써 자비를 실천합니다.

받고자 귀의하는 자도 수없이 늘어났습니다.

이렇게 활발히 자신의 깨달음을 전도하던 석가모니는 자신의 죽음을 예감하고, 교단의 질서에 관한 지침에 대해 제자 '아난'에게 다음과 같이 전합니다.

"아난아, 너 스스로를 너의 등불로 삼고, 또 너 자신을 네가 의지할 곳으로 삼아서 살아라. 법을 너의 등불로 삼고, 법을 너의 의지할 곳으로 삼아라. 그밖에 어느 것도 네가 의지할 곳이 아니니다."

또, 자신의 임종을 지키는 사람들에게 "이별이란 우리에게 가깝고 소중한 모든 것에서 피할 수 없는 것이다. 태어나고, 생겨나고, 모든 것은 무엇이나 그 자체 안에 소멸할 성질을 포함하고 있다"라고 설법한 후 제자들이 지켜보는 가운데 조용히 세상을 떠났다고 합니다.

다르마(dharma)

다르마(dharma)를 음역해서 달마(達磨)라고 하는데, 이는 '불법(佛法)'이라는 의미를 가지고 있습니다. 원래는 '지킴', '유지함' 등의 뜻으로 쓰이는데 힌두교, 불교, 자이나교 등에서 다양한 의미로 사용되는 중요한 개념입니다. 불교에서는 부처가 선언한 우주의 원리로 모든 시대의 모든 사람에게 공통된 보편적인 진리를 뜻합니다. 한편, 다르마(法)와 부처(佛) 및 승가(僧伽 : 불교 교단)는 불교 신앙의 주요 개념인 '삼보(三寶)'를 이룹니다.

2) 석가모니의 사상

①석가모니의 깨달음

석가모니가 깨달은 진리의 내용에서 가장 중요한 것은 인간의 삶은 괴로움으로 가득 차 있다는 것을 알게 된 것입니다. 즉, 사람은 태어나고, 늙고, 병들어 죽을 수밖에 없다는 것, 모든 생명은 영원히 살 수 없다는 것을 깨달은 것입니다. 그리고 이러한 괴로움의 근본 원인은 우리 마음속에 있는 탐욕과 그른 생각 때문이라고 말했습니다. 그래서 깨달음을 향한 수행을 통하여 인간은 이 모든 괴로움의 원인을 알고 마음을 다스려야 한다고 이야기하고 있습니다. 불교에서는 석가모니의 깨달음에 대해서 크게 세 부분으로 나누고 있는데, 그 첫 번째 깨달음은 자신의 전생을 돌이켜 보는 것이고, 다음으로 죽음과 환생을 통한 '업(業)' 에 대해 바로 아는 것입니다. 자기 존재의 고귀와 비천, 흥망은 '인연' 의 끊임없는 고리 안에 있는 행동의 결과라는 것입니다. 마침내 석가모니는 불법의 큰 세 가지를 알게 되는데, 그것은 사성제(四聖諦)와 삼법인(三法印), 그리고 연기법(緣起法)입니다. 이로써 석가모니는 윤회와 환생의 굴레에서 벗어나 열반에 이를 수 있는

업(業, karma)
불교에서는 사람이 일상에서 몸과 입과 뜻으로 짓는 선악의 모든 행동을 '업' 이라고 합니다. 이 '업' 때문에 과거와 현재와 미래가 끊임없이 순환되어 전생의 '업' 은 지금의 '응보(應報)' 를 가져옵니다.
업은 눈에 보이는 실체가 아니지만, 사람이 자신의 일상을 통하여 선악의 업을 쌓고 그것이 업인(業因)이 되어 업과를 받습니다. 우리는 이를 '인과응보(因果應報)' 라고 합니다.

부처가 되었던 것입니다.

②사성제(四聖諦)와 팔정도(八正道)

석가모니 사상에서 제일 먼저 알아야 할 것은 사성제(四聖諦)와 팔정도(八正道)라고 할 수 있을 것입니다. 사성제는 네 가지 숭고한 진리라는 뜻을 가지고 있습니다. 여기서 네 가지 진리는 연기설(緣起說)에 의해 설명되는 고(苦), 집(集), 멸(滅), 도(道)를 말하는데, 이것은 불교 교리에 있어서 가장 근간이 되는 교설이라 할 수 있습니다. 또 팔정도는 사성제 가운데 마지막인 이상 세계로 나아가가는 '도제(道諦)' 에서 깨달음의 경지로 나아갈 수 있는 여덟 가지 바른 자세를 말합니다. 먼저 사성제에 대한 석가모니의 깨달음을 알아보도록 하겠습니다.

> "스님들이여, '괴로움' 이란 무엇입니까? 태어남이 괴로움이고, 늙고 병들고 죽는 것이 또한 괴로움입니다. 늙고 병들고 죽는 것이 또한 괴로움입니다. 좋아하는 것과 헤어지는 것도 괴로움입니다. 원하는 것을 갖지 못하는 것도 괴로움입니다. 즉, 집착하고 쉬운 인간의 성격이 괴로움을 부릅니다."
>
> — 석가모니

왜 석가모니는 삶의 모습을 괴로움이라고 말했을까요? 여기에서 석가모니가 말하는 '괴로움' 은 우리들이 살아가는 이 현실 세계에서의 근본적이면서 필연적인 고통을 말하는 것입니다. 몸의 다쳐서 아픈 상처의 고통만을 이야기하는 것이 아니라, 벗어날 수 없는 삶의 연속에서 오는 필연적인 괴로움이라는 것입니다. 모든 삶의 모습은 필연적으로 생(生), 노(老), 병(病), 사(死)의 네 가지를 겪습니다.

석가모니가 말하는 그 '괴로움' 은 사람들은 결코 이 네 가지에서 벗어날 수 없는 필연의 괴로움을 겪을 수밖에 없다는 것을 말합니다. 이 네 가지 고통과 함께 사람은 인생에서 8고(八苦)를 겪습니다. 다섯째 고통은 '원증회고(怨憎會苦)' 로 사람이 살면서 좋은 것만 대하지 못하고 싫고 미워하는 것과 모일 수밖에 없는 고통을 겪는 것을 말합니다. 또, 여섯째는 '애별리고(愛別離苦)' 로 사람은 자신이 사랑하고 소중한 것과 평생 함께 같이 하지 못하고 이별하게 된다는 것을 말합니다. 그리고 일곱째는 '구부득고(求不得苦)' 인데 자신이 아무리 바라고 구하려고 해도 얻을 수 없는 것이 있다는 것을 뜻합니다.

마지막으로 이러한 것들 모두가 괴로움이니 오온(五蘊 : 색(色), 수(受), 상(想), 행(行), 식(識)) 등도 힘들고 어려운 괴로움이 따른다는 것입니다. 다시 말해, '고성제(苦聖諦)' 의 진리는 현실에 존재하는 것 자체가 커다란 하나의 고(苦)라는 사실을 깨닫는 것을 의미합니다.

"그럼 괴로움의 근원이 되는 진리는 무엇입니까? 그것은 사랑을 갈망하는 것입니다. 그것은 쾌락 및 끊임없는 탐욕과 밀접한 관계를 맺고 재생하게 됩니다. 그것은 성욕을 갈망하는 상태이고, 새로운 인생을 갈망하는 상태이고, 실재하지 않는 것과 괴멸적인 행위에 대한 갈망입니다."

— 석가모니

고성제를 깨달으면 집성제(集諦)에 이르게 됩니다. 여기서 '집(集)'은 모이고 쌓여 상승한다는 의미입니다. 석가모니는 괴로움의 근원이 모이고 쌓이는 것은 탐애(貪愛)와 갈애(渴愛)로 인한 것이라고 하였습니다. 이렇게 괴로움이 되는 원인을 밝히는 것이 '집성제(集聖諦)'로 이 괴로움의 원인을 알고 그 원인을 없애는 것이 깨달음을 얻을 수 있는 길이라고 말한 것입니다. 석가모니가 말한 것처럼 우리들은 그 무엇을 탐내는 마음이 끝이 없고, 또 그 무엇에 성내는 마음을 없애지 못하며, 그 무엇에 어리석을 때가 많습니다.

석가모니가 말한 '어리석음'이란 것은 사람들이 모든 것을 탐내고 집착하면서 깨닫게 못하는 것을 말합니다. 모든 인간의 인연은 언제가 흩어질 수밖에 없는 것이어서 영원히 소유할 수도 없거니와 내 것이 될 수도 없는데 사람들은 이를 깨닫지 못한다는 것입니다.

다음은 멸성제(滅聖諦)의 가르침입니다. 석가모니는 집성제에서 괴로움의 원인이 되는 일체의 번뇌 망상을 '멸제'에서 끊어 괴로움이 없는 세계, 즉 이상 세계로 나아가야 한다고 말하고 있습니다. 열반(涅槃)의 세계란, 괴로움(苦)의 원인이 되는 삼독(三毒)의 마음을 없앤 상태를 말합니다. 이 '멸진'의 세계는 '무명(無明)'을 밝히는 것으로 번뇌 망상을 털고 모든 사물은 무상(無常)을 벗어날 수 없음을 바로 알아야 한다는 것을 뜻합니다. 이 '무상(無常)'함을 바로 아는 것이야말로 괴로움의 원인이 되는 집착을 끊는 것이 됩니다.

마지막으로 도성제(道聖諦)는 괴로움이 없는 세계로 가기 위한 실천 방법을 알려 주고 있습니다. 여기서 '도(道)'는 이상 세계로 나아가는 방법을 말합니다. 다시 말해, 깨달음의 경지는 '도(道)'의 실천에 의하여 도달할 수 있다는 것을 석가모니가 말한 것입니다. 팔정도(八正道)는 바른 견해, 바른 사유, 바른 말, 바른 행위, 바른 생활, 바른 노력, 바른 마음가짐, 바른 선정입니다.

여기서 중요한 것은 석가모니가 '깨달음'에서 중요하게 여긴 것이 바로 '수행'이라는 것입니다. 아무리 '병'의 원인을 알았다고 한들 그 병을 치료하지 않으면 아무 소용이 없는 것처럼, 석가모니는 '실천'을 중요하게 여겼습니다. 실천은 석가모니의 가르침에 따라 이를 지키고 삼가야 할 '계(戒)'를 수행하며 올바른 삶을 찾는 것을 말합니다.

③삼법인(三法印)

삼법인 사상은 모든 현상과 존재에 대한 참모습에 대하여 석가모니가 깨달음을 세 가지로 설명한 것을 말합니다. 여기서 '법인(法印)' 이란 법의 도장이라는 뜻입니다. 다시 말해 석가모니의 진리가 바로 법이며 도장(印)은 진리로써 인증하는 증표를 의미합니다. 삼법인은 불교에서 말하는 연기(緣起)를 잘 설명하고 있습니다. 석가모니가 말한 '괴로움' 은 육체적 고통뿐만 아니라 슬픔이나 우울 따위의 감정 혹은 일상생활에서 경험한 불만과 모호함, 모순 등을 아우를 수 있습니다. 석가모니는 이러한 인생의 덧없음이 '괴로움' 의 원인이 된다고 했습니다.

삼법의 '제행무상(諸行無常)' 은 모든 만물의 태어나고 사라지는 변화를 이야기합니다. 다시 말해서 '제행무상' 은 모든 것은 그렇게 덧없이 항상 인연으로 변화한다는 의미를 가집니다. 하지만 사람들은 그러한 '무상(無常 : 덧없음)' 을 깨닫지 못하고 영원불멸의 자아(自我)나 영혼이 실재한다고 믿으며 현실 세계는 고정된 것으로 착각하여 생에 집착하게 됩니다. 석가모니는 이러한 집착이 인간의 모든 고뇌를 만든다고 했는데, 이것이 바로 '일체개고(一切皆苦)' 입니다. 그렇다면, 모든 만물의 존재는 덧없이 그렇게 항상 변화하고 실체 없는 것에 집착하여 고뇌하는데, 이 모든 현상의 존재는 끊임없이 '법(法)' 의 관계 맺음으로서 만들어집니다. 다시 말해, '존재' 는 '인연' (因緣)에 의해 생긴 것이고 이것은 고정된 실체란 없다는 말이 됩니다. 이를 불교에서는 '제법무아(諸法無我)' 라고 합니다.

석가모니가 삼법인에서 말한 것처럼 우리는 모든 사물이 끊임없이 변하고 있으며, 그 모든 것이 무상하다는 것을 잘 알고 있습니다. 원자에서 우주에 이르기까지 변하지 않는 것은 아무 것도 없다는 것을 과학의 증명을 통해 알고 있습니다. 이런 무상의 법칙은 과학적 지식을 이야기하고자 제시한 것이 아닙니다. 석가모니는 '무상' 을 깨닫는 것이 참다운 삶의 가치를 발견하고 '행복' 의 의미를 찾을 수 있다고 생각한 것입니다.

모두 언젠가는 죽게 됩니다. 하지만 죽음은 예정되어 있지도, 순서가 정해져 있지도 않습니다. 빈부귀천에 따라 죽는 것도 아니고, 나이 순서대로 죽는 것도 아닙니다. 이러한 '죽음' 에 대한 생각을 하면, 우리는 무상함에 대해서 이해할 수 있을 것입니다. 그래서 '무상' 은 집착을 버릴 것을 이야기 합니다. 하지만, 석가모니가 했던 '집착' 을 버리라는 말을 오해해서는 안 될 것입니다. 그것은 '삶의 소중한 의미' 를 버리라는 것이 아니라, 오히려 하루를 살더라도 더 소중히 하고 의미 있으며 가치 있는 삶을 살도록 노력하라는 말입니다.

④연기법(緣起法)

석가모니의 가르침은 우리에게 많은 교훈을 줍니다. 그것은 자신의 욕심을 경계하는 것에서 비롯된다고 할 수 있습니다. 그래서 행복의 가치를 자신의 내면에서 찾지 못하고 물질적인 소유에 집착하는 많은 현대인들에게 무소유의 삶을 성찰할 수 있게 합니다. 석가모니가 말한 대로 우리의 삶은 영원한 것이 아닙니다. 끝없는 탐욕을 부려 자신이 바라는 모든 것을 얻고자 하지만 결국, 그것은 영원할 수 없습니다. 그러므로 자신의 마음을 깨끗이 갈고 닦는 것이 중요합니다. 마음속의 행복이야말로 석가모니가 말한 진정한 행복이라는 사실을 깨달아야 합니다.

석가모니의 '자비심(慈悲心)'은 자신의 마음을 깨끗이 갈고 닦는 데서 얻어집니다. 그러한 마음의 수행에서 얻어지는 '자타불이(自他不二)'의 깨달음, 즉 자신과 다른 사람은 결코 둘이 아니라는 생각은 불교의 기본 원리인 '연기법'과 관련이 있습니다. 다시 말해, '인연(因緣)'을 소중히 하는 마음은 자신을 소중한 것처럼 다른 사람의 소중함도 알게 된다는 것을 말합니다. 이러한 자비의 실천에 있는 '연기법'은 불교에서 중요하게 다루어지고 있습니다.

"연기를 보는 자는 법을 보고, 법을 보는 자는 연기를 본다."

— 《중아함경(中阿含經)》, 〈상적유경(象跡喩經)〉 중에서

"연기를 보는 자는 법을 보고, 법을 보는 자는 부처님을 본다."

— 《도간경(稻歌經)》 중에서

여기서 볼 수 있듯, 연기(緣起)는 '다른 것과 관계를 맺어 일어나는 것' 이라고 할 수 있는데, 세상 만물은 홀로 존재하는 것이 없다는 뜻으로 이해하면 될 것입니다. 불교 경전에서 비유하는 말처럼 물은 산소와 수소로 이루어져 있고, 한 톨의 쌀에도 모든 인연들이 모여 있다고 할 수 있습니다. 그러므로 '연기'는 만물의 존재를 설명해 줍니다. 따라서 석가모니의 '연기'에 대한 깨달음을 제대로 알기 위해서는 '서로 관계하는 것이 무엇이며' 그렇게 '관계하여 일어나는 것이 무엇인지'를 아는 것이 중요합니다. 이러한 '연기'의 깨달음은 단지 한 현상에 대한 '관계 맺기'만을 이야기하는 것이 아니라, 정신 가치의 '소통'까지를 의미하는 것입니다. 이러한 내외의 '연기'에 대한 깨달음의 조화가 바로 석가모니가 말하는 참된 삶을 살 수 있게 할 것입니다. 한편, '연기'는 소중한 관계 맺기로서 생명을 중시하고 자연을 사랑하는 마음, 자연과 공존한다는 생각과도 연관될 수 있을 것입니다.

2. 기출문제 속에서 만난 석가모니

석가모니의 사상과 관련한 주제는 대학 논술시험에서 제시 문항으로 자주 출제되었을 뿐만 아니라 불교 사상과 관련하여 연관된 제시 문항으로도 적지 않게 출제되었습니다. 여기서는 2001 대입 중앙대 논술고사 예시문과 2004 대입 이화여대 논술고사 예시문를 중심으로 석가모니의 사상과 연결시켜보도록 하겠습니다.

(가) 부처의 가르침의 근본적인 세 가지 진리를 살펴보면 다음과 같다. 첫째, 모든 삶은 고통이다. 둘째, 삶의 기원과 고통의 원인은 욕망이다. 셋째, 욕망을 제거함으로써 고통을 제거할 수 있다. 이는 곧 삶=욕망=고통이라는 등식으로 설명될 수 있다. 실제로 인간과 동물 등 모든 살아 있는 존재에서 볼 수 있듯이, 삶이란 살고자 하는 맹렬한 욕망, 다른 생물체로부터 자신을 보호하고 스스로 먹이를 구하고자 살생을 하려는 욕망에 의해 지탱되는 것이다. 존재 안에 지속적으로 남아 있으려는 욕망, 세상과 떨어져 한 개체로서 남아 있으려는 욕망, 서구인들이 말하는 개인화의 욕망이 근본적인 욕망이다.

다른 한편, 욕망이란 결코 충족될 수 없고, 우리는 채워지지 않는 욕망으로 고통스러워한다. 게다가 살아 있는 생명체들이 자기 몫으로 지니는 병과 노쇠함으로 인한 육체적인 고통은 채워지지 않는 욕망에서 오는 고통을 배가시킨다.

간단히 말해, 사물을 명철하게 바라본다면, 삶이란 근본적으로 고통이다. 삶에 참다운 환희의 순간은 매우 드물다. 하지만 분명한 것은 인간은 모든 욕망의 만족을 통해서 언젠가 행복에 이를 수 있다는 희망을 갖는다는 점이다. 그렇지만 이것이 우리로 하여금 살아가게 하는 동인(動因)이긴 하나 헛된 환상에 불과하다. 그러므로 인간이 해야 하는 일은, 고통에서 벗어나는 것이다. 그렇다면 우리는 어떻게 해야 하나? 논리적 해법에 따르면, 살고자 하는 욕망, 행복하고자 하는 욕망을 포함한 인간의 모든 욕망을 제거하는 것으로 충분하다. 인간이 이 경지에 이른다면 욕망과 고통에서 해방될 것이다. 그리고 우리는 해방의 상태이자 무고통과 행복의 상태인 이른바 '니르바나'의 경지에 도달할 것이다.

(나) 대다수의 인간들은 철학적 사유와 성찰을 회피한다. 그들에게 행복의 길은—적어도 그 방향성에 있어서—단순하다. 행복에 이르기 위해 사람들은 물질적 욕망과 만족, 즉 인간이 원하는 모든 것을 어느 정도 축적하기만 하면 되는 것이다.

그런데 우리는, 행복해지기 위해 필요한 모든 상품을 생산하고, 경제 행위의 주체에 상품(물건과 서비스의 형태로)을 제공하는 것을 임무로 삼는 선진화된 산업사회에 살고 있다. 진정한 문제는 이러한 물질을 획득하는 방법에 있다. 이 정도 삶의 상태나 수준도 커다란 행운이라고 말할 수 있다. 오늘날 우리가 살고 있는 자유주의 사회는 전반적인 부의 증식을 목적으로 삼고 그 반대급부로 개인적 생활수준의 향상을 도모한다.

그리하여 행복해지기 위해 욕망을 가져야 하고 특히 그것을 마음껏 충족시킬 힘을 지녀야 한다. 사실상 욕망의 실현은 만족(이러한 만족의 축적은 바로 행복을 뜻한다)을 가져다 주는 반면, 충족되지 않은 욕망은 인간을 고통스럽게 만든다. 내가 더 많은 욕망을 지닐수록, 그리고 욕망을 채울 능력이 크면 클수록, 나는 더 행복해질 수 있기 때문에 욕망이란 좋은 것으로 여겨진다. 바로 이것이 소비사회의 이상 또는 이데올로기이다.

소비사회는 물질적 안락을 가져다 준다는 구실 아래 끊임없이 새로운 상품과 새로운 욕망을 창출하고, 새로운 욕망을 유발하기 위해 광고라는 특별한 테크닉을 구사하고 있다. 그런데 인간이 많은 욕망을 추구하는 것(그만큼 많이 향유할 수 있기 때문에)을 좋다고 생각하지 않는다면, 자꾸 새로운 욕망의 대상을 만들어낸다는 것은 어리석은 짓이다. 왜냐하면 인간이 새로운 욕망의 대상에 다다를 수 없다면, 그것은 또 다른 좌절감을 낳게 할 것이기 때문이다.

"욕망한다는 것은 좋은 것이다." 이것은 바로 현대사회의 믿음이자 슬로건이다. 인간은 근본적으로 욕망의 동물이고, 각 개인은 그들이 지니는 욕망으로 차별화되고 정의되기 때문이다. 인간은 욕망을 통해서 자신의 개성을 확인하므로, 교육이 어린이의 욕망을 계발해야 하는 이유—욕망의 계발이 그의 존재를 마음껏 꽃피우게 하기 위해—가 여기에 있다.

— 2001 대입 중앙대 논술고사 문제 중에서

위의 (가) 글과 (나) 글은 각각 욕망의 억제, 욕망의 추구를 정당한 태도라고 주장하고 있습니다. (가) 글은 필립 반 덴 보슈가 쓴 《행복에 관한 10가지 철학적 성찰》에 있는 내용입니다. 이 책에서는 인간이 추구하는 궁극적인 목적 '행복'을 정의하고, 그것에 대하여 서로 대립되는 견해들을 동양과 서양의 전통적인 철학 사상으로부터 이끌어 내서 그 중요한 내용을 보여 주고 있습니다. 인간이면 누구나 추구하는 행복이란 근본적으로 인간의 내면에서 솟아나는 욕망, 또는 의지 등과 밀접한 관련을 맺는다는 점을 말하고 있습니다.

제시글 (가)와 (나)는 욕망에 대해서 극단적으로 대립하는 견해입니다. (나) 글은 현대 산업사회를 사는 사람들의 '욕망관'에 대해 말하면서 '욕망'을 소비사회의 이데올로기라고 표현하고 있습니다. 결국은 욕망은 행복해지기 위해서 필요하다는 말을 하고 있습니다. 이는 부(富)의 증대가 개인 생활수준의 향상을 가져 온다는 자유주의적 이념과도 관련되어 있다고 할 수 있습니다.

제시글 (가)는 동양의 종교인 불교의 '욕망'에 대한 입장을 쓰고 있습니다. 불교에서는 '욕망'을 제거하는 것만이 열반에 도달하는 방법이라고 말합니다. 불교의 관점에서 볼 때 열반이란 인간이 도달할 수 있는 궁극의 목표가 됩니다. 이 관점으로 볼 때 인간의 욕망이란 결코 충족될 수 있는 것이 아닙니다. 인간의 삶 자체를 고통으로 간주하는 불교는 욕망을 갖는 것은 채워질 수 없는 것을 채우려고 하는 어리석은 행위라고 말합니다. 그러므로 불교는 욕망을 충족시키려 하기보다는 욕망을 억제하는 것이 진정한 행복에 이르는 길임을 강조하고 있습니다.

그렇다면 인간의 행복이란 욕망을 충족시켜야 가능하다는 일종의 소비사회의 이데올로기와, 욕망을 억제해야만 궁극적인 행복에 이를 수 있다는 종교적 이상에서 우리는 어떤 선택을 해야 할까요? 두 견해는 우리의 삶에 있어서 어느 쪽이든 그대로 수용하기에는 한계가 있는 관점이라고 할 수 있습니다. (가)의 글처럼 철학적 성찰을 통해서 인간의 욕망으로부터 절제하다는 것은 매우 어려운 과제임에 틀림없습니다. 특히 현대사회는 적절한 경제활동과 소비생활, 그리고 그것을 통한 일상적 필요의 충족과 삶의 수준의 향상을 위한 노력이 필요합니다. 또한 국가와 사회도 진보를 위한 과학 기술, 경제발전 등을 위해서는 욕망의 절제보다는 욕망의 충족이란 노력이 필요할 것입니다. 그렇다고 할 때 불교의 '욕망의 절제' 라는 점은 적절한 답이 될 수 없을 것입니다. 바로 문명의 발달과 그것의 향유에 대해 '불교' 는 지나치게 소극적이라는 점에서 문제인 것입니다.

반면 (나) 글처럼 "욕망한다는 것은 좋은 것이다" 라는 소비사회의 이데올로기는 어느 정도 경제의 발전과 개인의 삶의 수준 향상에는 기여하겠지만, 그것이 도를 지나치면 향락과 퇴폐로 빠질 수 있다는 문제가 있습니다. 또 현대 문명이 아무리 발달하였다고 할지라도 모든 욕망을 충족시켜줄 수 없습니다. 또 욕망을 그런 방식으로 무한정 추구하게 된다면, 인간은 물질 만능주의에서 자기 소외와 한정된 재화를 소유하는 데 있어서 균형의 질서를 잃어버리게 될 것입니다. 그렇다고 할 때 우리는 글 (가)와 글 (나)의 입장을 조화하고 조정시킬 필요가 있을 것입니다.

다음은 대학교에서 내놓은 예시 답안입니다. 참고하길 바랍니다.

(예시 답안)

제시문 (가)는 종교적 이상(理想)의 차원에서 욕망을 부정하고, (나)는 소비사회의 이상의 차원에서 욕망을 긍정한다. 물론 이 둘을 같은 차원에 놓고 논의하는 것은 쉽지 않다. 하지만 전자는 삶=욕망=고통이라는 등식을 전제로 하여 삶의 욕망, 행복의 욕망까지도 부정한다는 점, 후자는 행복을 위해 욕망이 필요하고 또 그것을 마음껏 충족시킬 힘을 가져야 한다고 하는 점에서 상호 대립적이며 논의해 볼 여지는 있다.

우선 우리의 삶에 있어서 어떤 욕망을 품는다는 것은 필연적이다. 왜냐하면 욕망이란 삶을 죽음으로부터 격리하여 주는 가장 원초적이고도 지속적인 원동력이 되기 때문이다. 그리고 인간의 삶을 행복하고 유익하게 하려는 노력과 그것의 성취는 기본적 욕구 이상의 것이다. 그러므로 욕망이란 인간의 삶의 안정과 행복의 증진을 위하여 꼭 있어야 될 뿐 아니라 그것을 지속적으로 다듬는 것이 필요한 것임에 틀림없다.

그러나 인간의 욕망이란 절도가 없을 때에는 돌이킬 수 없는 문제를 일으킨다. 인간을 괴롭혀 왔거나 현재에도 괴롭히고 있는 수많은 전쟁과 살육, 개인과 집단의 이기주의, 자연환경의 파괴 같은 문제들뿐 아니라 마약, 도박, 사치, 충동, 향응과 수뢰 등의 타락의 현상들 역시 그 근원에는 욕망의 무절제라는 문제가 내재되어 있는 것이다.

따라서 인간의 욕망을 계발함으로써 창의적이고 개성적인 인간의 창조, 사회의 발전이라는 것이 가능하다 하여도 욕망의 과도한 추구로 인한 타락과 파멸의 가능성을 경계하지 않으면 안 된다. 그렇다고 인간의 욕망을 고통의 근원이라고 하여 그를 모두 제거하는 것만이 옳다고 한다면 가난과 질병의 퇴치, 안락한 물질적 조건의 획득과 향상, 전쟁과 살육의 근절, 인격의 고양과 제도의 개선을 통한 사회적 환경의 점차적 개선과 같은 인류 문명의 과제를 포기하거나 외면하는 것이나 다름없는 것이다.

따라서, 예컨대 우리는 이런 문제로부터 자유로운 인간형을 맹자의 '대장부' 에서 찾을 수도 있을 것이다. 대장부란 근본적으로 욕망에 기초한 인간 문화의 발전과 그것의 지향을 부정하는 인간이 아니다. 그러나 그 마음은 부귀로 음탕하게 되지 않으며, 빈천하다 하여 움직이지 않을 뿐 아니라, 위협적인 무력으로도 굴복시키지 못하는 것이다. 대장부는 일종의 부동심(不動心)의 인간으로서 자신의 사적인 욕망에 대해서는 확고한 통제력을 지니는 한편, 공적인 의리를 실천하는 데서는 전체 사회의 이익과 행복을 진정으로 증진함에 누구보다도 투철한 자각을 지닌 인물이기 때문이다.

— 중앙대학교 문예창작학과 교수 신상웅

아래의 제시문은 2004 대입 이화여대 논술 고사 문제 현대 소비사회의 다양한 일면들을 보여 주고자 제시한 예시문입니다. (가) 글은 장 보드리야르(Jean Baudrillard)의 《소비의 사회》(1970)로 현대 소비사회의 특성을 묘사하고 있습니다. 또 (나) 글은 헤르만 헤세(Hermann Hesse)의 《석가모니, 한 인도의 시》(1922)라는 작품이고, (다) 글은 정약용의《목민심서》(1818)에서 발췌된 글입니다.

(가) 소비의 시대인 오늘날에는 상품의 논리가 일반화되어 노동과정이나 물질적 생산품뿐만 아니라 문화, 섹슈얼리티, 인간관계, 심지어 환상과 개인적 욕망까지도 지배하고 있다. 모든 것이 이 논리에 종속되어 있는데, 그것은 단순히 모든 기능과 욕구가 이윤에 의해 대상화되고 조작된다고 하는 의미에서뿐만 아니라 모든 것이 진열되어 구경거리가 된다는 즉, 이미지, 기호, 소비 가능한 모델로 환기되고 유발되고 편성된다는 보다 깊은 의미에서이다.

소비 과정은 기호를 흡수하고 기호에 의해 흡수되는 과정이다. 기호의 발신과 수신만이 있을 뿐이며 개인으로서의 존재는 기호의 조작과 계산 속에서 소멸한다. 소비 시대의 인간은 자기 노동의 생산물뿐만 아니라 자기 욕구조차도 직시하는 일이 없으며 자신의 모습과 마주 대하는 일도 없다. 그는 자신이 늘어놓은 기호들 속에 내재할 뿐이다. 초월성도 궁극성도 목적성도 더 이상 존재하지 않게 된 이 사회의 특징은 '반성'의 부재, 자신에 대한 시각의 부재이다. 현대의 질서에서는 인간이 자신의 모습과 마주하는 장소였던 거울은 사라지고, 대신 쇼윈도만이 존재한다. 거기에서 개인은 자신을 비춰 보는 것이 아니라 대량의 기호화된 사물을 응시할 따름이며, 사회적 지위 등을 의미하는 기호의 질서 속으로 흡수되어 버린다. 소비의 주체는 기호의 질서이다.

소비의 가장 아름다운 대상은 육체이다. 오늘날 육체는 광고, 패션, 대중문화 등 모든 곳에 범람하고 있다. 육체를 둘러싼 위생, 영양, 의료와 관련한 숭배 의식, 젊음, 우아함, 남자다움 혹은 여자다움에 대한 강박관념, 미용, 건강, 날씬함을 위한 식이요법, 이것들 모두는 육체가 구원의 대상이 되었다는 사실을 증명한다. 육체는 영혼이 담당했던 도덕적, 이데올로기적 기능을 문자 그대로 넘겨받았다. 오늘날 육체는 주체의 자율적인 목적에 따라서가 아니라, 소비사회의 규범인 향락과 쾌락주의적 이윤 창출의 원리에 따라서 다시금 만들어진다. 이제 육체는 관리의 대상이 된다. 육체는 투자를 위한 자산처럼 다루어지고, 사회적 지위를 표시하는 여러 기호 중의 하나로서 조작된다.

(나) 그는 애정을 담은 눈길로 흘러가는 강물 속을 들여다보았다. 속이 맑게 들여다보이는 초록빛 강물은 온갖 불가사의한 무늬를 만들어 내며 수정처럼 빛나고 있었다. 찬연히 빛나는 진주들이 물 속 깊은 곳에서 솟아올라 물거품을 내며 거울 같은 수면 위를 헤엄쳐 다녔다. 그 물거품 속에는 하늘의 푸른빛이 고스란히 담겨 있었다. 강물은 초록색, 하얀색, 투명한 하늘색, 그런 형형색색의 눈으로 그를 바라보고 있었다. '나는 이 강물을 얼마나 사랑하는가! 이 강물은 나를 얼마나 황홀하게 해 주는가! 나는 이 강물에 얼마나 감사하고 있는가!' 그는 마음속으로부터 새로이 깨어난 음성이 자신을 향해 말하는 것을 들었다. 그 음성은 이렇게 말하고 있었다. '이 강물을 사랑하라! 그 곁에 머물러라! 강물로부터 배우라!' 그는 강물의 가르침을 배우기 위해 강물이 들려 주는 말에 귀를 기울이기로 했다. 강물의 비밀을 이해할 수 있다면, 더 많은 비밀, 나아가 모든 비밀까지도 이해할 수 있으리라는 생각이 들었다.

(다) 언기를 탐내는 자는 만족함이 없으니, 모두가 사치를 좋아하는 일념 때문이다. 만약 마음이 담담하여 만족할 줄 알면 세상 재물을 구해서 어디에 쓰겠는가. 청풍명월(淸風明月)은 돈으로 사는 것이 아니요, 대 울타리 띠 집에도 돈 쓸 일이 없고, 책을 읽고 도(道)를 이야기하는 데도 돈이 필요하지 않으며, 자신을 깨끗이 하고 백성을 사랑하는 데도 돈이 필요하지 않다. 다

만 사람을 구제하고 만물을 이롭게 하는 데는 돈을 남기지 않는 것이다. 이처럼 마음을 가다듬고 성찰하면 세상 맛에서 초탈하게 될 것이니 탐욕스러운 마음이 또 어디로부터 나오겠는가?

— 2004 대입 이화여대 논술고사 문제 중에서

(가) 글은 오늘날의 소비사회 안에서 소비 물자와 상품으로 둘러싸인 인간과 사물, 인간과 자연, 심지어는 자신과 자신의 관계조차도 상품으로 변화된 현실을 묘사하고 있습니다. 상품의 생산이 인간의 삶을 풍요롭게 하면서도, 그러한 풍성함과 소비의 일반화가 기호의 질서로 표현되는 관념적 허구의 세계 속으로 인간을 밀어 넣을 수 있다는 것을 이야기하고 있습니다. 한편, (나)의 글은 근원적 실재로서의 자연의 존재를 보여 주면서 인간이 반성을 통해 자연의 질서를 깨달을 수 있음을 밝히고 있습니다. 마지막으로 (다) 글은 사물이 인간의 존재와 건실한 관계를 유지하고 있는 질박한 삶의 태도를 권장하고 있는데, (나)와 (다)의 삶의 태도는 (가)의 소비사회 안에서 통용되기 어려운 가치일 수 있습니다.

그래서 위의 (나)와 (다)의 제시글은 자연과의 만남이나 남을 돕는 행위마저도 여행 상품이나 자선 상품과 같은 자본 상품의 판매 논리 안에 있는 (가)의 소비사회를 반성해 볼 수 있는 근거가 될 수 있습니다. 다시 말해, 오늘날 인간 삶에 있어 소중한 가치로 여겨져야 할 자신의 존재, 자연과의 만남, 절제, 타자에 대한 배려와 같은 것들이 어떻게 자리 잡을 수 있을지를 생각해 봐야 할 것입니다.

실전 논술

논술 문제

case 1 다음 글을 읽고 주어진 조건에 따라 논술하시오.

(가) 석가모니는 지금부터 약 2500년 전에 히말라야 산맥 기슭에 있는 카필라 성에서 태어났다. 석가모니의 본래 성은 고타마이고, 이름은 석가모니였다. 왕자로 태어난 그는 아주 유복한 생활을 할 수 있었음에도 불구하고, 어릴 때부터 삶의 허무함과 고통에 대해서 깊은 관심을 보였다.

어느 날, 그는 동쪽 성문 밖에서 늙은 노인을 보고, 인간은 누구나 나이가 들면 힘없고 초라해진다는 것을 알았고, 남쪽 성문 밖에서 병자를 보고는 인간은 누구나 병에 걸려 괴로워한다는 사실을 알았다. 또, 서쪽 성문 밖에서 죽은 사람을 장사 지내러 가는 광경을 보고는 인간은 언젠가 죽게 된다는 것을 알았다. 이러한 사실을 알게 된 그는 삶에 대해서 깊은 고민에 빠지게 되었다. 그러던 중, 북쪽 성문 밖에서 생사의 고통을 떠난 수행자의 밝고 생기에 넘치는 모습을 보고 기품 있는 모습과 즐거움을 알게 되었다. 그 후 삶에 대하여 깊이 생각하던 석가모니는 스물아홉 살이 되던 해에 왕자의 자리를 버리고 진리를 찾아서 궁궐을 떠났다. 삶에서 고통 받는 모든 인간을 구원할 수 있는 진리의 방법을 터득하기 위해 길을 떠난 것이다.

보리수 밑에서 깊이 고민하면서 도를 닦던 그는, 인간을 괴롭게 하는 모든 것이 밖에 있는 것이 아니라 마음속에 있는 것이라는 진리를 깨달았다. 그는 그 진리를 사람들에게 전해 주려고 애쓰다가, 여든이 되던 해에 제자들이 지켜보는 가운데 다음과 같은 말을 남기고 세상을 떠났다.

(……)세상이 왜 괴로움으로 가득 차게 되었을까? 석가모니는 이 괴로움의 근본 원인이 우리 마음속에 있는 쓸데없는 욕심이나 나쁜 생각에 있다고 말한다. 인간의 모든 괴로움의 원인을 알고 마음을 다스린다면, 진리를 깨달아 열반(涅槃, nirvana)에 이를 수 있다고 본 것이다.

— 중학교 1, 《도덕》 중에서

나 가정

박목월

지상에는
아홉 켤레의 신발.
아니 현관에는 아니 들깐에는
아니 어느 시인의 가정에는
알전등이 켜질 무렵
문수(文數)가 다른 아홉 켤레의 신발을

내 신발은
십구문 반
눈과 얼음의 길을 걸어

그들 옆에 벗으면
육문 삼의 코가 납짝한
귀염둥아 귀염둥아
우리 막내둥아.

미소하는
내 얼굴을 보아라.
얼음과 눈으로 벽(壁)을 짜올린
여기는
지상.
연민한 삶의 길이여.
내 신발은 십구문 반.

아랫목에 모인 아홉 마리의 강아지야
강아지 같은 것들아.
굴욕과 굶주림과 추운 길을 걸어
내가 왔다.
아버지가 왔다.

아니, 십구문 반의 신발이 왔다.

아니, 지상에는

아버지라는 어설픈 것이

존재한다.

미소하는

내 얼굴을 보아라.

— 중학교 2, 《국어》 중에서

1. (가)의 '괴로움' 과 (나)에서 제시된 아버지의 '괴로움' 에 대해서 이야기 해 보시오.

2. (나)의 아버지에게 석가모니의 깨달음은 어떤 의미가 있을지 써 보시오.

생각 쓰기

생각 쓰기

생각 쓰기

case 2 **제시문 (나)를 보고 제시문 (가)와 (다)의 문제는 어디에서 기인하고 있는지 써 보시오.**

가 유엔 산하 '기후 변화에 관한 정부 간 패널(IPCC)'이 지난 주말 발표한 '기후 변화 보고서'는 지구온난화가 21세기 인류가 직면한 최대의 도전임을 극명하게 보여 줬다. 이 문제에 제대로 대처하지 못할 경우 지구촌의 지속 가능한 발전은 물론이고 인류의 존립마저 위태로워진다는 것이 보고서의 섬뜩한 경고이다.

보고서에 따르면 금세기 말까지 지구의 평균기온은 섭씨 1.8~6.4℃ 올라가 인류는 심각한 물 부족과 가뭄, 폭염에 시달릴 전망이다. 또 100년 내 북극의 빙하가 지도에서 사라지면서 해수면이 평균 18~59㎝ 상승, 태평양의 섬나라뿐만 아니라 중국의 상하이, 아르헨티나의 부에노스아이레스 같은 도시가 침수될 가능성이 있다고 한다.

화석연료를 태울 때 발생하는 이산화탄소, 프레온 가스 등 각종 온실가스 배출에 따른 지구온난화의 주범이 인간이라는 점은 보고서의 핵심 메시지다. 지구온난화는 인간의 활동 탓일 확률이 90% 이상이라고 보고서는 명시했다. 인간의 온실가스 배출 활동을 규제하지 않는 한 기후 대재앙은 피할 수 없다는 뜻이다. 지구온난화로 인한 이상기후는 이미 눈앞의 현실로 나타나고 있다. 올겨울 지구촌은 유례없는 이상 난동을 경험했다. 우리나라도 100년 만에 가장 따뜻한 겨울을 맞고 있다.

— ○○일보, 2007년 2월 5일자 사설 중에서

나 석가모니의 가르침은 우리에게 많은 교훈을 주고 있다. 우리는 항상 마음속에 욕심을 다스리지 못해서 고통을 겪는다. 그리고 행복을 내 마음 속에서 찾지 않고 밖에서 찾으려고 애쓰기도 한다. 석가모니의 가르침에 따르면, 우리의 삶은 영원한 것이 아니고, 그러므로 항상 자신의 마음을 잘 다스리면서, 마음속의 행복이 진정한 행복이라는 사실을 깨달아야 한다. 또, 생명을 중시하고 자연을 사랑하는 태도도 석가모니의 가르침이다. 인간은 자연과 공존한다는 생각을 가지고, 항상 겸손한 자세로 자신의 삶을 반성해야 한다.

— 중학교 1, 《도덕》 중에서

다 자연과의 조화

숨이 턱턱 막힐 정도로 더운 여름에는 옆에 사람이 있는 것조차 싫어집니다. 해마다 여름은 왜 이리 더워지는 건지, 지구에 일이 나도 단단히 난 것 같습니다. 무분별한 소비와 개발이 인간에게 경고음을 보내고 있는 것이 아닐까요? 안심하고 마실 수 있는 물이 사라져 가고, 공기도 더러워지고 있습니다. 점점 더 많은 식물과 동물이 지구에서 자취를 감추고 있습니다. 열대 우림의 55%가 이미 사라졌고, 매년 2만 7천여 종의 동식물이 지구에서 자취를 감추고 있답니다. 하루에 74개 종이, 1시간마다 3개 종이 멸종되고 있다는 말이 됩니다. 그 결과, 전세계는 환경 문제와 기상 이변으로 고통을 받고 있습니다.

지구상에서 살아가는 생명체는 인간만이 아닙니다. 인간은 수많은 동식물과 더불어 살아가는 존재입니다. 따라서, 인간의 권리만을 생각하고 지구상에 같이 존재하는 자연을 존중하지 않는다면, 인간의 권리도 제대로 보장받을 수 없을 것입니다. 자연과의 조화와 공존을 추구하는 일은 전 인류의 과제일 수밖에 없습니다.

— 초등학교 6, 《읽기》 중에서

생각 쓰기

생각 쓰기

생각 쓰기

생각 쓰기

case 3 **제시문 (나)의 글쓴이의 입장을 정리해 보고, 제시문 (가)의 '바람직한 삶의 자세'라는 입장에서 청소년 '윤리 마비'의 문제를 이야기해 보시오.**

가 그렇다면 자신의 참다운 모습을 깨닫는 방법은 무엇일까? 석가모니는 그 방법을 다음과 같은 여덟 가지로 제시하고 있다. 올바른 견해로 올바르게 생각하고, 올바른 말씨로 올바르게 행동하고, 올바른 생활로 올바르게 노력하고, 올바른 기억으로 올바르게 수행하는 것이다.

이러한 방법으로 열심히 노력하면, 석가모니가 말하는 인생의 진리를 발견할 수 있다. 진리를 깨달은 상태를 불교에서는 해탈(解脫)이라고 한다. 석가모니는 바로 이 해탈을 온전하게 이룬 분이고, 불교인들은 해탈을 위해 노력하는 사람들이라고 볼 수 있다. 또, 마음을 갈고 닦아서 마음속에 있는 쓸데없는 욕심이나 나쁜 생각을 몰아내는 것을 해탈이라고 말하기도 한다. 석가모니는 나쁜 마음을 가지게 하는 원인으로 세 가지를 들었다. 첫째는 욕심이고, 둘째는 화를 내는 것이며, 셋째는 어리석음이다. 이와 같은 세 가지 나쁜 마음의 원인을 잘 다스려야 바람직한 삶을 살 수 있다.

— 중학교 1, 《도덕》 중에서

나 한 젊은 여가수의 자살 사건이 마치 무슨 해프닝처럼 며칠 사람들의 입에 오르내리다가 이제는 언제 그런 일이 있었느냐 싶게 가물가물 잊혀 가고 있다. 사건이 많은 시대에는 망각의 능력을 최대한 발동하는 것이 생존 전략일 수 있다. 뇌의 기억 용량에는 한도가 있다. 일정량 이상의 정보들을 '다운로드' 시키려 들면 뇌는 '다운' 된다. 기억하지 말라, 얼른얼른 비우고 잊어버려라, 라는 것이 정보 홍수 시대의 명령이고 생존 비결이다. 그러나 이 명령 때문에 우리는 기억하고 생각해야 할 중요한 일들까지도 망각이라는 이름의 쓰레기 소각로에 던져 넣는다.

자살한 가수는 수많은 '내일' 을 가지고 있었던 20대 젊은이다. 죽을 이유가 없어 보이는 젊은 재능들과 나이 어린 청소년들이 지금 한국에서처럼 잇달아 자기 파괴의 길을 선택해야 하는 사회라면 그건 정상 사회가 아니라 '문제 있는 사회'다. 세상의 모든 빛나는 아침이 모두 자기 것처럼 보이는 시절이 청소년기다. 그런데 그 모든 빛나는 아침들을 한 순간 쓸쓸한 허무 속으로 몰아넣는 세력은 누구이고 무엇인가. 이것은 우리가 망각의 쓰레기통에 던져 넣을 문제가 아니라 한 가수의 죽음 앞에서 반드시 생각해 보아야 할 사회적 질문의 하나다.

어른들은 요즘 청소년들이 일련의 '마비 증세' 를 보이고 있다고 말하기를 좋아한다. 그 마비 신드롬에는 폭력 성향, 윤리 감각의 마비, 도덕 불감증, 정신적 공허, 정서 파탄 같은 것들이 곧잘 포함된다. '요즘 아이들은 해도 될 일과 해서는 안 될 일을 구분하지 못하고 슬프다는 것이 어떤 것인지도 잘 모른다. 나의 언동이 타인에게 어떤 상처를 줄 것인지에 대한 배려의 감각도 없다' 이런 지적들이 자주 제기된다. 그러나 지적하는 일만이 어른 사회의 능사는 아니다. 문제가 있다면 그 문제의 원인들을 찾아보고 대책을 강구하는 것이 어른들이 해야 할 더 중요한 일이다. 어른들 자신은 마비되어 있지 않은가. 문제를 뻔히 보면서도 손쓸 생각을 하지 않는다면 어른 사회의 무감각과 책임 방기는 누가 따질 것인가.

아이들을 어떻게 키울 것인가. 지금과 같은 온갖 쓰레기 정보, 폭력과 섹스가 넘쳐나는 영상, 게임, 광고, 인터넷 매체 환경에 아이들을 무한 방치해도 되는가. 이것은 우리 사회가 송두리째 잊어 버리고 있는, 잊어 버리고 있을 뿐 아니라 마치 그런 문제는 존재하지 않는다는 듯이 적극적으로 감추고 기피하는 질문이다. 게임 산업진흥책은 열심히 논하면서도 그것의 어두운 그늘에서 멍들고 시들어 가는 아이들에 대해서는 어떤 의미 있는 대책도 세우지 않는 것이 우리 어른 사회다. 성장기의 아이들에게는 육체의 건강과 정신의 건강이 모두 필요하다. 어떤 부모도 아이들에게 독약을 먹이거나 해로운 음식을 먹이지 않는다. 몸의 건강에 좋은 음식이 필요하다면 정신의 건강도 마찬가지다. 성장기의 아이들에게는 건강한 정신의 콘텐츠가 균형 있게 공급되어야 하고 그 공급의 책임은 어른들에게 있다.

문제의 가수를 죽음으로 몰고 간 것이 일부 네티즌의 무자비한 '악플' 이었다는 지적들이 있다. '악플' 은 폭력의 일종이다. '악플' 을 날리는 아이들의 폭력 성향은 공격 호르몬 테스토스테론의 과잉 때문인가. 아니다. 청소년들의 충동적 폭력 성향과 윤리적 감각의 마비는 쓰레기, 폭력, 섹스, 상업주의로 넘치는 매체 환경과 깊은 상관관계를 갖고 있다. 학문적으로 입증된 바 없는 얘기라고? 천만의 말씀이다.

미국 쪽 연구를 보면 이 상관관계에 관한 약 3500개의 연구 논문들 가운데 "별 관계없다" 라고 주장하는 논문은 18편에 불과하다. 미국 아이들은 18세가 되기까지 10만개 이상의 폭력, 섹스, 상업주의 메시지에 노출된 매체 환경에서 자라는 것으로 조사되어 있다. 지금 미국 사회의 부모들은 이 문제를 심각한 화두로 삼고 있다. 우리는? 우리 부모들은?

— 경향신문 2007년 2월 5일자

도정일, 〈'쓰레기 정보' 를 먹는 아이들〉 중에서

생각 쓰기

생각 쓰기

생각 쓰기

case 4 다음 글을 읽고 주어진 조건에 따라 논술하시오.

가 친해지고 싶은 친구가 있을 때엔 어떤 마음이 되나요? 그 친구가 좋아하는 것을 자세하게 알고 싶어지겠죠. 친구가 좋아하는 것을 자신도 좋아하려고 노력하고, 친구를 기쁘게 해 주려고 할 것입니다. 우리가 인권을 대할 때도 마찬가지입니다. 인권과 친해지려면 인권이 소중히 여기는 것에 대해 잘 알고 그것을 아낄 줄 알아야 합니다. 지금부터 인권이 소중히 여기는 가치에는 어떤 것이 있는지 알아보겠습니다. 생명은 그 무엇과도 바꿀 수 없습니다. 누구나 이 말에 동의할 것입니다. 그래서 생명을 소중히 여기는 것은 당연히 모든 인권 활동의 출발점입니다. 생명의 가치를 존중하지 않는다면 다른 어떤 고귀한 이상과 가치도 생겨날 수 없을 테니까요. 그런데 인권이 생명에 관심을 가지는 것은 단순히 "목숨만 부지하면 된다"는 소극적인 자세에 머무르는 것이 아닙니다. 육체적 생명을 건강하게 유지하는 것은 물론이고, 적극적이고 긍정적이며 발전적인 삶을 창조하고 유지할 수 있도록 하는 데에 생명을 존중하는 참 의미가 있습니다. 육체적 건강을 유지하기 위해서는 환경 파괴, 의료 시설의 부족, 부적절한 보건 정책 등 생명을 위협하는 요소들을 문제 삼고 해결하려고 노력해야 합니다. 또, 성 감별에 의한 고의적인 낙태, 국가가 개인의 생명을 빼앗는 행위인 사형 제도 등에 대해서도 깊이 생각해 봐야 할 것입니다.

— 중학교 1, 《도덕》 중에서

나 세계 인권 선언은 "모든 인간은 자유롭다"는 말로 시작됩니다. 자유는 우리 각자가 자기 삶의 주인이 되어, 하고자 하는 바를 스스로 선택한다는 것을 의미하며, 인간다운 생존을 추구하기 위해서 존재합니다. 이를 위해서 우리 모두는 자유롭게 생각하고 표현할 수 있어야 하고, 노예나 예속 상태로부터 자유로워야 하고, 고문이나 잔인하고 비인도적인 처우나 처벌을 받지 말아야 하고, 함부로 체포나 구금, 추방을 당하지 말아야 하고, 사생활이나 통신에 간섭받지 않아야 하고, 이동과 거주의 자유 및 집회와 결사의 자유를 누릴 수 있어야 합니다. 이러한 우리의 자유가 제한되는 경우는, 오직 다른 사람이 똑같이 가지고 있는 자유를 해치지 않기 위해서일 때뿐입니다. 그러나 지금도 세계 곳곳의 많은 사람들의 자유를 빼앗겨 억압받고 고통당하고 있습니다.

사람들이 처음 만날 때에 흔히 묻는 말이 있습니다. "고향이 어디예요?", "학교는 어딜 나왔죠?", "종교는 있나요?", "나이는 어떻게 돼요?" 등과 같은 질문들인데, 간단해 보이는 이런 질문 하나하나가 차별의 요소가 될 수 있는 것이 현실 생활입니다. 모든 사람은 "권리에 있어 평등하다"고 하지만, 성별, 나이, 출신 지역, 종교, 피부색, 빈부 등과 같은 차이를 이유로 갖가지 차별이 행해지고 있습니다. 차별이 끼치는 해악 중의 하나는 차별받는 사람이 사회참여의 기회를 빼앗기거나 사회에 온전하게 참여할 수가 없게 된다는 점입니다. 예를 들자면, 여성이라고 해서 해고의 우선순위가 된다든지, 또는 승진의 기회가 제한된다든지 하는 경우입니다.

차별에는 남녀 차별, 장애인 차별, 인종 차별 등 우리가 인식하고 있는 유형만 있는 게 아닙니다. 사회의 변화에 따라 새로운 유형의 차별은 언제든지 등장할 수 있습니다. 예를 들어, 최근에는 에이즈 환자에 대한 차별이나 외국인 노동자에 대한 차별 등에 대해 주목을 하기 시작했습니다. 인권을 지키기 위해서는 이미 있는 차별에 대해서나 새롭게 등장하는 불평등 요소에 대해서 촉각을 세우고 적극적으로 고치려는 자세가 필요합니다.

— 초등학교 6, 《읽기》 중에서

1. 생명의 가치를 소중하게 여기는 것이 모든 인권 활동의 출발점이 되는 까닭은 무엇인지 써 보시오.

2. 글의 내용으로 미루어 볼 때, '차이'와 '차별'은 어떻게 다른지 이야기해 보시오.

생각 쓰기

생각 쓰기

생각 쓰기

실전 논술

예시 답안

case 1

1. (가)에서 석가모니는, 모든 만물은 태어나고, 늙고, 병들어 죽을 수밖에 없다는 것, 모든 생명은 영원히 살 수는 없다는 것을 깨달았습니다. 다시 말해 석가모니는 삶이란 궁극적으로 괴로움에서 벗어나지 못한다고 말했습니다. 그 괴로움의 원인은 모든 것이 영원할 수 없는데도 영원한 삶에 대해 집착하는 데서부터 오는 번뇌와 어리석음에 있다고 하였습니다. (나)의 아버지는 힘겨운 일상을 살아가는 생활인으로 돌아온 시인이 가장으로서, 아버지로서 느끼는 괴로움을 이야기하고 있습니다. 여기서 아버지는 자식들에 대한 막중한 책임의식을 통해 스스로를 확인하고 있습니다. 다시 말해 아버지는 생활의 고달픔 속에서 막내에 대한 애정, 가족에 대한 책임감을 느끼고 있으며, 얼음과 눈으로 벽을 짜 올린 집에서 자신의 가족을 보며 '연민' 하고 있습니다. 이 시에서 얘기하는 '지상' 이라는 공간은 바로 연민의 길로 이어져 있는 것이어서 벅찬 가장의 의무를 질 수밖에 없는 '괴로움' 을 말해 주고 있습니다.

2. (나)의 아버지는 시인으로서의 가난을 숙명적인 것으로 받아들이고 있습니다. 그 말은 곧 자신의 경제적 무능이란 자신의 능력 부재에서 오는 것이 아니라는 것을 뜻합니다. 가난은 시인으로서 살아가기 때문에 어쩔 수 없이 겪게 되는 것이라고 여긴다는 뜻입니다. (나)의 아버지는 그런 점에서 석가모니가 말한 '번뇌' 와 '어리석음' 에서 벗어나기 위한 '아버지' 의 모습입니다. '고성제' 의 진리처럼 현실에 존재하는 것 자체가 커다란 하나의 괴로움이라는 사실을 깨닫고 있는 것입

니다. 그렇다면 (나)의 아버지는 시인으로서 자신의 삶에 대한 선택을 긍정하고 받아들일 수 있는 모습이 필요합니다. 자신을 한숨짓게 하는 고달픈 삶은 시인으로서 살아가기 때문에 어쩔 수 없이 겪게 되는 것입니다. 이 시에서 '미소하는 내 얼굴을 보아라' 라고 하는 것은 가장으로서 가질 수밖에 없는 고뇌와 울분을 내면으로 삭이며 포용하는 아버지의 모습을 담고 있습니다. 그것은 석가모니가 말한 무상함 속에서 삶의 집착이 아닌 '삶의 소중한 의미' 를 깨닫는 자세를 엿보게 해주는 미소라고 할 수 있을 것입니다.

case 2 제시문 (가)는 유엔의 '기후변화보고서' 를 근거로 지구온난화로 이상기후 현상이 벌어지고 있는 상황에서, 이 문제에 제대로 대처하지 못할 경우 인류의 존립마저 위태로워진다는 것을 말하고 있습니다. 제시문 (다)는 인간의 무분별한 소비와 개발이 자원을 고갈시키고 자연을 파괴하므로써 전세계는 환경문제와 기상이변의 고통을 받고 있다는 것을 말하고 있습니다. 제시문 (가)와 (다)는 공통적으로 환경문제와 기상이변을 다루고 있습니다. 이러한 '지구온난화' 와 '자연의 심각한 훼손' 은 모두 인간의 무분별한 소비와 개발에서 비롯된 것입니다. 인류의 존립이 위태로울 정도로 악화된 현 상황을 되짚어 생각해 보면 결국 인간 스스로가 자초한 일이었다는 것을 알 수 있습니다. 글 (가)와 (다)의 문제는 제시문 (나)의 석가모니의 가르침을 교훈으로 삼을 필요가 있습니다. 석가모니는 마음속 욕심을 경계하라고 하였습니다. 하지만 현대인들은 행복의 가치를 자신의 내면에서 찾지 못하고 물질적인 소유에 집착하여 '욕심'을 절제하지 못하고 있습니다. 즉, 그 욕심의 결과는 글 (가)와 (다)의 문제들을 야기해 결국은 인간이 그 결과물인 고통을 고스란히 받게 되고 말았습니다. 인과응보라 할 만합니다. 다시 말해서 제시문 (나)는 행복을 마음에서 찾지 못한 현대인들은 생명을 중시하고 자연을 사랑하는 태도를 가져야 한다고 말하고 있는 것입니다. 인간과 자연은 별개의 것이 아니라 서로가 공존하여 '조화로운 세계'를 만들어야 한다는 점을 피력하고 있습니다.

case 3

제시문 (나)는 한국 사회에서 나이 어린 청소년들의 충동적 폭력 성향과 윤리적 감각의 마비에 대한 우려를 쓰고 있습니다. 글쓴이는 청소년들의 이러한 충동적 폭력 성향과 윤리 감각의 마비가 '온갖 쓰레기 정보'로 가득한 인터넷 매체 환경에서 기인된다고 보고 있습니다. 이러한 매체 환경을 조성한 것은 청소년이 아니라 바로 한국 사회의 어른들이라고 질타하고 있습니다. 또, 성장기의 아이들에게 육체의 건강과 정신의 건강이 필요한데, 우리 사회는 이것에 대한 의미 있는 대책을 세우지 못하고 있다고 이야기했습니다.

한편, 정보 홍수 시대에서 우리는 기억하고 생각해야 할 중요한 일들을 쉽게 망각해 버릴 때가 많습니다. 다시 말해 이는 '문제 있는 사회'에서 그 '문제'를 제대로 해결하지 못하고 금세 그것을 잊고 그 잘못을 반복한다는 이야기입니다. 청소년에 대한 배려의 감각이 없는 어른 사회는 이에 무감각하고 책임을 방기하고 있습니다. 그런데, 제시문 (가)의 석가모니의 가르침은 이러한 제시문 (나)에서 제기되는 청소년의 '윤리 마비' 문제에 있어서 좋은 교훈이 될 수 있습니다. 석가모니는 자신의 참다운 모습을 깨닫는 방법을 찾을 것을 이야기했습니다. 제시문 (나)에서 나이 어린 청소년의 '윤리 마비'와 어른들의 무관심에 대한 문제는 석가모니의 '참다운 삶을 위한 방법'을 통해 개선할 수 있을 것입니다.

먼저 석가모니는 나쁜 마음을 가지게 되는 원인을 크게 세 가지로 보고 있습니다. 그것은 첫째가 욕심이고, 둘째가 화를 내는 것이며, 셋째가 어리석음이라고 하였습니다. 이 세 가지 원인은 청소년들의 '윤리 마비'의 모습을 고스란히 담고 있습니다. 그렇다면 이 나쁜 마음을 버리고 바람직한 삶의 자세를 갖기 위해서는 다시 석가모니가 말한 바처럼 올바른 견해로 올바르게 생각하고, 올바른 말로 올바르게 행동하고, 올바른 생활로 올바르게 노력하고, 올바른 기억으로 올바르게 수행하는 것이 필요할 것입니다. 이를 통해 나쁜 마음의 원인을 잘 다스릴 수 있고, 바람직한 삶을 살 수 있습니다.

case 4

1. 제시문 (가)에서 보면, 생명의 가치를 존중하지 않는다면 다른 어떤 고귀한 이상과 가치도 생겨날 수 없다고 했습니다. 즉, 인권의 활동은

크고 거창한 것에 있는 것이 아니라 내 가까이 있는 생명에 대한 소중함과 건강함을 느끼는 것에서 시작됩니다. 이러한 생명의 가치를 소중하게 여기는 것은 나아가 적극적이고 긍정적으로 생명을 존중하는 데 있습니다.

2. 글 (나)에서처럼 우리 사회에서는 성별, 나이, 출신 지역, 종교, 피부색, 빈부 등과 같은 차이를 이유로 갖가지 차별이 행해지고 있습니다. 국어사전에는 차이(差異)를 서로 같지 아니하고 다른 정도나 상태라고 말하고 있고, 차별(差別)을 둘 이상의 대상을 각각 등급이나 수준 따위의 차이를 두어서 구별함이라고 밝히고 있습니다. 즉, 차이는 원래부터 다른 것으로 존재하는 것이고, 차별은 인위적으로 구별하여 규정한다는 뜻을 담고 있습니다. 차별은 차별받는 사람의 사회참여를 가로막아 그 기회를 빼앗거나 기회를 주었다 해도 제대로 참여할 수 없게 합니다. 예를 들면, 여성이나 이주 노동자들 같은 사회적 약자와 소수자의 사회참여의 기회를 제한한다든지 이를 박탈하는 것입니다. 차별에는 남녀 차별, 장애인 차별, 인종 차별 등 우리가 알고 있는 것뿐만 아니라 사회의 변화에 따라 최근에는 에이즈 환자에 대한 차별이나 외국인 노동자에 대한 차별 등도 있습니다.

앞으로 우리 사회는 다양한 차원에서 다양한 가치가 공존하는 사회로 나아가야 합니다. 다원화된 사회는 각자의 개성이 존중되고 이해되는 조화로운 세계를 지향합니다. 현재 우리 사회는 그런 다양한 가치의 '차이'를 제대로 수용하고 받아들이지 못하고 있습니다. 그래서 그러한 다양한 가치의 차이가 공존할 수 있는 공동체를 지향해야 합니다. 차별을 차이로 바로잡고 그 차이를 인정하고 존중해 줄 수 있는 사회를 말입니다.

Abitur

철학자가 들려주는 철학이야기 099

칼 포퍼가 들려주는 열린사회 이야기

저자_**박기호**

고려대에서 교육학 석사를 받았다. 윤리학과 철학에 대해 고민하며 살아오다가 대입논술을 지도하게 되었다. 그 결과 부엉이 눈으로 논제 분석하기, 매트릭스법으로 제시문 읽기, 마인드맵으로 개요 짜기, 토피카로 차별화하기 등의 독특한 논술방법론으로 대입논술과 로스쿨 LEET 논술에서 마감강사가 되었다. 경향신문 대입논술 출제 집필진으로 활동한 바 있으며, 현재 유명 대입학원과 로스쿨 전문학원에서 논술을 지도하고 있다. 저서로는 《아비투어 철학논술 맥루한이 들려주는 미디어 이야기(초급)》, 《快(쾌) 논술 LEET 시리즈》 전4권, 《대학별논술 예상문제집》 전25권, 《4개년간 논술기출문제해설》, 《논술자세잡기》 등이 있다.

배경 지식 넓히기

Karl Raimund Popper

칼 포퍼와 '열린사회'

칼 포퍼 주요 개념

1. 칼 포퍼를 만나다

1) 칼 포퍼는 누구인가 — 생애

칼 포퍼는 1902년 7월 28일 오스트리아의 수도 빈에서 태어났습니다. 칼 포퍼가 70세 때 쓴 자서전에 의하면 그는 아버지의 영향을 많이 받았다고 합니다. 특히 칼 포퍼는 아버지의 서재에서 책을 읽고 함께 토론하기를 좋아했습니다.

흥미롭게도 칼 포퍼는 네다섯 살에 이미 깊은 사랑에 빠질 정도로 조숙했으며, 열두 살 무렵에는 철학적 문제로 고민할 만큼 똑똑한 아이였습니다. 제1차 세계대전이 발발한 1918년, 포퍼는 김나지움(중, 고등학교에 해당함)에 다녔으나 학교에 별 흥미를 느끼지 못하고 곧 학교를 떠나게 됩니다. 뒤이어 칼 포퍼는 비엔나 대학의 청강생으로 들어갔다가 1922년에 정식 학생으로 입학하게 됩니다.

대학을 졸업한 이후 칼 포퍼는 다양한 삶을 경험하게 됩니다. 초등교사 자격증을 획득했으나 졸업 후 2년 동안 캐비닛 제작 견습공 생활을 했으며,

후에는 고아들을 위한 사회사업에 종사했습니다. 그러다가 1925년에 교육대학에서 다시 공부를 시작하여 1928년에 철학 박사학위를 취득하고, 이듬해에는 중등학교 수학 및 물리학 교사자격증을 획득했습니다.

칼 포퍼가 학계에서 유명세를 타기 시작한 것은 1934년 《탐구의 논리》가 출간되면서부터입니다. 이 논문이 학계에 알려지자 영국의 캠브리지, 옥스퍼드 대학을 비롯한 여러 대학에서 그를 초청하기 시작했습니다. 1937년부터 뉴질랜드에서 교수 생활을 시작한 포퍼는 철학 교수로서 인식론에 대한 본격적인 연구에 몰두하게 됩니다.

1938년 3월, 히틀러가 오스트리아를 침공하자 뉴질랜드에 머물면서 대표작 《열린사회와 그 적들》과 《역사주의의 빈곤》 집필을 마치게 됩니다. 전쟁이 끝난 1946년 1월에는 런던 경제정치대학으로 자리를 옮겼으며, 1949년 논리학 및 과학적 방법론 정교수가 된 이래 정년퇴직을 할 때까지 교수로 일했습니다. 은퇴 후에도 런던 근교에서 연구 활동에 몰두하였고 영국 왕실로부터 학문적 공로를 인정받아 작위를 수여받았습니다.

이렇게 파란만장한 삶을 산 칼 포퍼는 생을 마감하는 1994년까지 《탐구의 논리》(1934), 《열린사회와 그 적들》(1945), 《역사주의의 빈곤》(1957), 《추측과 논박》(1963), 자서전 《끝없는 탐구》(1976), 에세이집 《삶은 문제해결의 연속이다》 등 무수한 저서를 남겼습니다.

2) 칼 포퍼의 사상

① 반증가능성 – 사람은 누구나 틀릴 수 있다

어떻게 보면 '열린사회와 그 적들'에서 말한 칼 포퍼의 이론은 매우 단순하다고 할 수 있습니다. 이를 한 문장으로 정리하자면 "세상에 절대적으로 옳은 이론이나 완벽한 이념적 모델은 존재하지 않는다"는 것입니다. 즉, 포퍼에 의하면 연구자 또는 학자는 '보다 나은 진리'를 찾아가는 것이지 완전한 사회, 완벽한 이념, 절대 진리를 창조할 수는 없다는 것입니다.

이렇게 본다면 진정한 과학적 지식이란 그것이 진리가 아닐 가능성 즉, '반증가능성(Falsifiability)'이 열려 있는 이론이라고 할 수 있습니다. 반증가능성은 칼 포퍼의 사상을 대표하는 핵심적인 개념입니다. 그렇다면 반증가능성의 원리란 정확하게 어떤 것일까요?

원래 반증이란 '어떤 사실이나 주장이 옳지 아니함을 그에 반대되는 근거를 들어 증명하는 행위 또는 그런 증거'를 의미합니다. 어느 가설이 반증가능성을 가진다는 것은 그 가설이 어떠한 실험이나 관측에 의해서 반증될 가능성이 있다는 것을 의미합니다. 예를 들어 '모든 까마귀는 까맣다'는 명제가 있다고 합시다. 대부분의 사람들은 살면서 검은 까마귀만을 봤기 때문에 이 명제가 올바른 것이라고 생각하기 쉽습니다. 그러나 우리가 살아가면서 검은 까마귀만 보았다 하더라도 반증가능성의 원리에 따르면 모든 까마귀가 반드시 검다고 말할 수 없습니다. 우리가 전 세상의 까마귀를 모두 뒤져 정말 모든 까마귀가 검은지 알아내거나 흰 까마귀를 찾아내기 전까지는 이 명제의 옳고 그름을 가를 수 없는 것입니다. 이때 '모든 까마귀는 까맣다' 는 명제에 흰 까마귀가 존재할 가능성을 제시하고 정말 흰 까마귀가 단 한 마리라도 있다면 이 명제는 거짓이 됩니다.

이처럼 칼 포퍼의 반증가능성 원리에서 보면 이 세상의 모든 명제는 하나의 가설적 추측에 불과하며, 이 명제는 반박이 가능하다는 전제 아래서만 의미를 지닙니다. 즉, 과학적 이론을 제기하려면 먼저 '어떤 경우에 이 이론이 유지될 수 없는지' 에 대해 답변할 수 있어야 한다는 것입니다.

나아가 칼 포퍼는 진정한 과학과 그렇지 못한 과학은 '어떤 이론이 진리가 아닐 가능성을 열어 놓았는가' 에 의해 구분된다고 주장했습니다. 진리가 아닐 가능성 즉, 반증가능성을 열어 놓은 이론만이 진정한 과학적 지식이라는 것입니다. 만약 어떤 이론이 스스로 반증을 시도하지 않거나 반증가능한 가설에 대답할 수 없다면 그것은 과학적 지식이 아닌 '비과학' 또는 '사이비 과학' 이 된다고 칼 포퍼는 말했습니다.

이러한 반증가능성의 원리는 과학 분야 전반에 걸쳐서 적용이 가능합니다. 포퍼는 반증가능성을 과학 분야에 적용하면서 우선 진실한 과학 이론은 다수의 증거에 의해 확증되는 것이 아니라, 반증 가능한 가설을 통해 구성된다고 주장합니다. 또한 하나의 가설이 반증 가능한 실험을 많이 할수록, 반증 실험에 많이 성공할수록 믿을 수 있는 이론이 된다는 주장에 이르게 됩니다. 칼 포퍼는 과학이라면 너무나 당연한 원리에도 대담한 반증을 가할 수 있어야 한다고 생각했습니다. 억지스러운 반증이라도 이는 결국 이론에 대한 신뢰를 더욱 확고히 하는 계기가 될 수 있다는 것이죠.

과학이 항상 올바른 진리를 제시하기 때문에 객관적이고 믿을 수 있다는 것은 우리의 편견일 수 있습니다. 오히려 과학은 틀릴 수 있고(반증 가능하고), 틀렸다는 그 사실을 받아들일 수 있기 때문에 계속 성장 발전하며 좀 더 올바른 진리를 향해 나아갈 수 있는 것입니다. 인간 능력의 한계를 인정하고 다른 사람들과의 부단한 토론과 이성적인 반증을 거치는 가운데 진정한 과학으로 성립될 수 있는 것입니다.

② 열린사회 — 진리를 향해 가기 위한 전제조건

반증가능성의 원리를 통해 기존 이론을 발전시키고 새로운 진리를 형성하기 위해서는 중요한 전제 조건이 필요합니다. 바로 반증가능성이 현실화될 사회적 조건입니다. 칼 포퍼는 이 사회적 조건으로 열린사회를 제시했습니다.

열린사회에서 '열림'이란 원래 심리학에서 개인의 본성, 성격을 설명하기 위해 사용한 개념입니다. 보통 '열린 사람'이라고 할 때, 우리는 다른 사람의 의견을 잘 경청하여 이해하려고 하며, 자신의 단점이나 잘못을 지적

할 때 그 비판을 겸허하게 받아들일 수 있는 사람을 떠올릴 것입니다. 이런 성격의 사람일수록 합리적 사고 및 논리적 일관성에 의해 생각합니다. 다른 사람의 의견을 평가할 때도 자신의 생각과의 유사하다는 것보다 그 자체의 가치를 객관적으로 평가하려고 합니다.

반대로 '닫힌 사람'은 다른 사람의 말을 듣지 않고 자기주장만을 펼치는 사람, 다른 사람과 협력하지 않고 권위나 독단에 의거해 문제를 해결하려는 사람을 떠올리게 됩니다. 이런 성격의 사람들은 사고의 폐쇄성 때문에 논리적 일관성 없이 자기주장의 정당성만을 고집하는 경우가 많습니다. 또 다른 사람의 견해에 대해 자신이 주장한 것과 '일치하는가, 일치하지 않는가' 만을 따져 평가의 객관성을 잃어 버리고 맙니다. 이처럼 '열림'과 '닫힘'의 성격은 한 사회 안에서 상호 공존하기 힘들고 끊임없이 갈등 관계에 놓이게 된다는 것을 알 수 있습니다.

앞에서 살펴본 열린 사람과 닫힌 사람을 이해했다면 칼 포퍼가 말하고자 하는 '열린사회'가 어떤 것인지 쉽게 알 수 있습니다. 칼 포퍼는 '열린 정신'에 바탕을 둔 사회를 '열린사회', '닫힌 정신'에 바탕을 둔 사회를 '닫힌사회'라고 이름 지었습니다.

어떤 사회가 열린사회인가 닫힌사회인가를 구별하는 가장 쉬운 방법은 그 사회의 구성원이 도덕과 법률에 대해 어떤 태도를 갖는가를 살펴보는 것입니다.

닫힌사회에서 사회의 도덕과 법률은 마치 자연법칙과 같이 절대적인 것이어서 비판이 불가능한 것으로 여겨집니다. 도덕과 법률이란 원래 사람들 사이의 조화로운 관계 유지를 위해 필요한 수단의 성격을 가지고 있습니다. 그런데 이것을 절대적인 것으로 인식하면 어떤 문제가 발생할까요? 아마도 법과 도덕이라는 수단을 활용하여 사회를 보다 풍요롭게 만들어야겠다는 능동적인 사고보다는 법을 두려워하고 법의 권위에 무조건 굴복하며 억지로 지켜야만 하는 대상으로 인식하게 될 것입니다.

또 법과 도덕이 절대적이기 때문에 이를 만들고 집행하는 집단 즉, 정부의 권위와 힘이 지나치게 강해지는 문제가 발생합니다. 닫힌사회에서는 국가만이 우리가 어떻게 해야 역사에 있어 올바른 방향으로 갈 수 있는지를 알고 있다고 믿습니다. 반대로 개인들은 그렇지 못하다고 봅니다. 결국 국가만 옳고 그름을 판단할 수 있기 때문에 개인의 삶을 일일이 간섭하고 통제하는 것이 필요하다는 전체주의의 논리가 나옵니다. 그리고 대화와 타협보다는 힘에 의한 폭력과 제재가 효과적인 설득 수단이라고 믿게 합니다.

그러나 열린사회에서는 도덕과 법률을 필요에 따라 언제든 변경할 있는 약속과 같은 것으로 봅니다. 도덕과 법률은 사람들 사이의 수많은 토론과 시행착오를 통해 점차 개선될 수 있습니다. 우리의 경험 부족 때문에 많은 혼란과 실수가 일어나지만 토론을 통한 세세한 조정들을 거쳐 오류는 점차 없어지며 사회는 발전하게 된다고 믿습니다. 열린사회일수록 법률과 도덕

즉, 올바름과 그릇됨을 판단하는 주체는 법을 잘 알고 있는 소수 엘리트 집단이라기보다는 대부분의 평범한 사람들입니다.

칼 포퍼가 말하는 열린사회는 자유로운 개인의 집합체를 의미하여, 나아가 자유로운 개인들이 스스로 합리적이라고 생각하는 판단을 내리고 그 판단과 행위에 책임을 지는 사회입니다. 이때 '자유로운 개인'이란 각각의 개인이 사회 다수의 의견과 다른 판단을 내릴 수 있는 자유를 가졌음을 의미합니다.

아테네의 페리클레스는 "오직 소수의 사람만이 정책을 발의할 수 있다 해도 우리 모두는 그것을 비판할 수 있다"고 말한 바 있습니다. 열린사회로의 출발은 여기에서 시작됩니다. 국가라는 거대한 조직에서 마을의 작은 반상회에 이르기까지 모든 조직에서 비판이 사라지면 남는 것이라곤 통제와 규제 그리고 부정뿐일 겁니다. 이렇게 되면 우리는 어쩔 수 없이 지도자의 독단과 횡포를 지켜보아야 합니다. 설사 그가 효율적인 조직 운영에 관한 철두철미한 신념을 가진 현자(賢者)라 할지라도 인간의 자유를 향한 갈증을 만족시켜 주지 못할 것이므로 그 사회는 닫혀 있는 것입니다. 인간의 이성적이고 역동적인 힘이 발현될 수 있는 기회조차 봉쇄해 버리는 것이 바로 닫힌사회며, 칼 포퍼는 이러한 사회의 유형으로 전체주의(全體主義), 공리주의(功利主義), 유토피아주의(utopianism)가 지배하는 사회라고 지적했습니다.

공리주의(功利主義)

행위의 기준을 '최대 다수의 최대 행복' 즉, 사회의 최대 다수 구성원의 최대 행복을 구하는 윤리, 정치관으로 주로 19세기 영국에서 널리 알려진 윤리관입니다. 공리주의라는 말에서도 알 수 있듯이 이익 또는 유용성을 최대의 가치로 여기는 사상입니다.

공리주의에 반대하는 사람들은 공리주의가 우리의 근원적인 도덕심에 어긋나는 내용을 담고 있다고 비판합니다. 예컨대 유용성 우선의 관점은 이익의 최대치를 위해서 약속을 어기는 행위를 정당화할 수도 있다고 비판했습니다. 또한 많은 사람들은 최대 다수의 최대 행복의 추구는 다수의 이익을 위해 소수의 권리를 침해할 수 있다는 우려를 표명하기도 합니다.

공리주의는 크게 양적인 쾌락 및 유용성을 중시하는 벤담의 양적 공리주의와 질적인 면을 중시한 밀의 질적 공리주의로 나눌 수 있습니다.

③ 열린사회와 그 적들 — 인간 사회의 오류들

'열린사회' 는 그렇게 쉽게 만들어지는 것이 아닙니다. 또한 너무도 부당해 보이는 '닫힌사회' 라는 것에 많은 사람들이 매료되고 빨려든다는 것입니다. 닫힌사회는 유교적 사고관이 지배했던 조선시대의 전통적인 공동체만이 아니라 지금 우리가 살고 있는 현재의 사회를 의미하기도 합니다.

오스트리아 출신 유대인이었던 칼 포퍼는 개인이 완전히 무너진 전체주의 사회를 경험했습니다. 인류 역사상 최대 비극이라 말하는 제2차 세계대전을 당시 인류 역사상 가장 잔혹한 학살, 아우슈비츠로 대표되는 유대인 대학살이 일어났던 사실은 여러분도 익히 들어 알고 있을 것입니다. 자그마치 600만 명에 달하는 유대인 학살 행위는 흔히 히틀러라는 사람에 의해 행해졌다고 이야기되곤 합니다. 이 어마어마한 수의 사람을 가스실 안에 가둬 죽음으로 몰고 간 이 끔찍한 사건은 과연 히틀러 혼자 행한 일일까요?

이러한 말도 안 되는 한 사람의 광기에 의해 어떻게 그 많은 사람들이 움직이는 것이 가능했을까요? 600만 명이라는 인원을 관리하기 위해서는 그에 버금가는 사람들이 동원되어야 했을 것입니다. 그 사람들은 누구였을까요? 독일의 국민으로 이루어진 군인, 정부의 하층 관료, 또는 노동자들이라고 봐야겠지요. 그렇다면 유대인 대학살은 히틀러라는 악인의 결정에 의한 것이기는 했지만 여기에는 무수한 일반 시민의 협조와 동조가 있었다는 것을 알 수 있습니다. 어떻게 이런 일이 가능했을까요? 어떻게 평범한 일반인이 무고한 유대인을 살상하는 데 동조자로 참여할 수 있었던 것일까요?

칼 포퍼는 '닫힌사회'라는 개념으로 이를 설명했습니다. 제1차 세계대전 이후의 독일은 칼 포퍼가 말한 닫힌사회의 성격이 짙었습니다. 권력자에 대한 비판이 사라지고 민주주의에 대한 국민들의 관심이 줄어 갔습니다. 특히 90%에 달하는 엄청난 지지 속에 히틀러는 민주주의적 제도를 통해 당의 집권에 성공합니다. 히틀러는 탁월한 정치 전략으로 사람들의 이성적인 판단을 무력화하는 데 성공했던 것입니다. 이에 사람들은 비판적 의식이 약화되기 시작했고 히틀러가 제시하는 장밋빛 미래에 매료되었습니다.

독일 국민들은 지도자의 말을 무조건적으로 맹신하였고, 전체나 집단이 존재하지 않는다면 개인이란 전혀 존재할 수 없다는 전체주의적 의식에 지배를 받았습니다. 비판 의식을 상실한 국민은 국가와 민족을 숭배의 대상으로 여기고 개인이나 소수의 권리는 언제든지 희생할 수 있는 것으로 인식하게 됩니다. 무고한 600만 명의 사람들이 가스실에서 죽어 가는 것을 목격하면서도 어떠한 반대도 없었던 것은 닫힌 사고가 독일 국민들을 지배했기 때문입니다. 한 사회가 닫힌사회로 전락했을 때, 어떤 끔찍한 일이 벌어질 수 있는지 독일 유대인 학살의 역사가 잘 보여 줍니다.

칼 포퍼는 '전체주의' 야말로 열린사회를 위협하는 '적(敵)' 이라고 진단했습니다. 그리고 전체주의적 사고를 뒷받침해 주는 공통적인 특징을 '역사주의' 에서 찾았습니다. 역사주의란 '역사의 목적을 미리 정하고 역사가 올바르기 위해서 이러저러한 방향으로 나아가야 한다고 생각하는 닫힌 방법론' 을 의미합니다.

칼 포퍼에 의하면 플라톤과 헤겔, 마르크스 등은 이러한 역사주의를 갖고 있었던 대표적인 사람들이었습니다. 이들은 모두 유토피아를 제시하는 것을 통해 자신들이 올바른 미래를 예측하고 있다고 믿었습니다. 역사가 변화할 수 있는 가능성을 부정하고 반드시 한 방향으로만 가야 한다는 독단에 빠진 것이죠. 칼 포퍼는 바로 그런 이상을 추구하는 과정에서 사람들은 자연스럽게 절대 권력자에게 순종하게 되고 독재 권력의 탄생에 동조하게 된다고 지적했습니다.

전체주의 (全體主義)

개인보다는 전체를 더 중시하는 이념으로 일반적으로 개인주의와 대립되는 개념으로 쓰였습니다. 즉, 전체주의란 개인의 이익보다 집단의 이익을 강조하여 권력자의 정치권력이 국민의 정치생활은 물론, 경제, 사회, 문화생활의 모든 영역에 걸쳐 실질적인 통제를 가하는 것을 말합니다. 전체주의에는 파시즘과 공산주의를 포함하고 있지만, 이 양자를 일괄적으로 규정하기는 매우 곤란합니다.

전체주의라는 용어가 널리 쓰이기 시작한 것은 1930년대 후반부터인데, 당초에는 이탈리아의 파시즘, 독일의 나치즘, 일본의 군국주의(軍國主義) 등을 가리키는 말로 사용되다가 제2차 세계대전 이후의 냉전 체제하에서는 공산주의를 지칭하는 말로 사용하기도 했습니다.

④ 사회, 자유로운 개인들의 집합

우리는 종종 '재는 너무 개인주의적이야!' 라는 말을 듣곤 합니다. 우리가 일상생활에서 흔히 사용하는 '개인주의자' 라는 말은 다른 사람을 생각하기보다는 '자기밖에 모르는 사람' 이라거나 지나치게 자기중심적이어서 '인간미가 없는 사람' 의 의미일 겁니다.

그러나 여기서 우리가 오해하는 것이 있습니다. 바로 개인주의를 쉽게 이기주의와 일치시키고 있다는 것입니다. 다음의 글을 참고해 봅시다.

그렇지만 개인주의는 이기주의와 엄격하게 구별되지 않으면 안 됩니다. 일상생활에서는 개인주의가 이기주의와 같은 의미로 사용되는 경우도 있지만, 열린사회의 특성을 이루는 개인주의는 집단주의의 반대 의미로만 사용

됩니다. 또한 우리는 집단주의가 이기주의와 대립하는 것도 아니고 이타주의와 동일한 것도 아니라는 것을 기억해야 합니다. 계급적 이기주의 같은 집단적 이기주의나 단체적 이기주의는 매우 일반적인 현상이며, 이것은 집단주의 자체가 이기주의와 대립되지 않는다는 것을 명확하게 나타냅니다. 그러므로 이기주의나 이타주의는 집단주의나 개인주의 어느 것하고도 결합될 수 있는 것입니다.

—《칼 포퍼가 들려주는 열린사회 이야기》 중에서

단어의 의미를 이렇게 정리하면 개인주의를 이기주의와 일치시킬 수 없다는 것을 이해할 수 있겠죠. 어쩌면 우리가 개인주의를 이기주의로 오해하는 것은 여전히 우리 사회가 닫힌사회의 성격을 많이 가지고 있다는 것을 의미하는 것인지도 모릅니다. 집단에서 튀는 행동을 하면 따돌림을 당하고 어렸을 때부터 권리와 자유의 중요성을 교육받기보다는 집단에서 살아남는 법, 집단에 순종하면서 사는 법을 배우다 보니 자연스럽게 개인주의를 나쁜 것, 이기적인 것으로 이해하는 것입니다.

칼 포퍼는 나치즘으로 대표되는 전체주의를 열린사회의 적으로 간주하면서 이를 극복할 새로운 사회 모델로 '개인'에 주목합니다. 즉, 전체에 복종하고 희생되는 개인이 아니라 어떠한 굴레로부터도 자유롭고 독립적인 개인의 집합으로서 사회를 고민하게 됩니다. 특히 칼 포퍼는 서구 문명사를 연구하면서 이타주의와 결합한 개인주의의 중요성에 주목합니다.

'사회계약설' 에 대해 들어 본 적이 있나요? 사회계약설을 잘 이해하면 칼 포퍼가 무슨 말을 하고자 하는지 알 수 있습니다. 우리는 '사회계약설' 하면, 이내 홉스나 로크, 루소 등을 떠올리지만 그보다 더 중요한 것은 과연 사회계약설의 핵심과 그 역사적 의미가 무엇이냐는 것입니다.

사회계약설은 단순하게 그 권력체를 구성하는 구성원들의 계약을 통해서 이루어진 사회나 국가라는 뜻입니다. 다시 말해, 모든 권력은 개인의 동의와 만족이라는 새로운 기준을 통해서만 탄생할 수 있게 되었으며, 그 기준을 만족시키지 못하는 권력은 언제라도 부정될 수 있게 된 것입니다.

칼 포퍼가 지향했던 '자유로운 개인의 집합으로서의 사회' 도 이와 유사하다고 할 수 있습니다. 칼 포퍼는 이를 '추상 사회' 라고 이름 지었습니다. 칼 포퍼 또한 개인이 사회보다 선행한다고 보고 사회는 개인이 모여 만들어진 의존적인 단위로 보고 있습니다. 그러니까 계약의 주체인 개인은 사회 형성 이전에 존재했고, 계약 이전에 사회는 존재하지 않았다고 본 것이죠.

역사적으로 보더라도 한 사회를 이루는 개인들이 그 사회를, 그것도 '계약' 이라는 행위를 통해 주체적으로 구성한다는 이 개념은 결국 정치적으로 대의제 민주주의로 나아가는 기초가 되었습니다. 칼 포퍼가 말하고자 하는 사회도 바로 이런 것입니다. 일부 지도층이 모든 것을 결정하고 이것을 따르는 닫힌사회가 아니라 대중이 모든 것을 결정하는 열린사회로 바뀌기 위해서는 그만큼 집단보다 개인을 중시하는 풍조가 이뤄져야 된다고 합니다.

그렇다고 해서 칼 포퍼가 개인의 자유를 무한정 인정하는 자유방임주의 사회를 추구한 것은 아닙니다. 칼 포퍼는 《열린사회와 그 적들》에서 이런 말을 남겼습니다.

"자유에 아무런 제약이 없을 때 자유는 자멸한다."

보통 '자유의 역설'이라 불리는 문제점을 칼 포퍼는 잘 이해하고 있었습니다. 아무 제약이 없는 자유는 강자가 약자를 협박하여 그의 자유를 강탈할 자유를 주는 것일 수도 있습니다. 이 때문에 칼 포퍼는 모든 사람의 자유가 법의 보호 아래 있도록 하기 위한 범위 안에서 국가가 자유를 제한해야 한다고 주장하고 있습니다. 자유는 국가에 의해 보호되지 않는 한 유지될 수 없으며, 국가에 의해 보호되는 만큼 동시에 제한될 수밖에 없고, 따라서 우리에게는 국가의 권력 오용을 막을 자유가 필요하고, 자유의 오용을 막을 국가가 필요하다고 주장했던 것입니다.

자유방임주의(自由放任主義)
사회 전반의 개인 활동에 있어 국가의 간섭을 최대한 배제하고 개인의 자유를 최대한 보장하려는 경제 사상을 의미합니다. 자유방임주의 사상을 경제학적으로 체계화한 사람은 아담 스미스입니다.
스미스는 《국부론》(1776)에서 개인의 이익을 추구하는 자유로운 경제활동이야말로 사회적 부를 가져오는 것이며, 또 그 활동은 '보이지 않는 손'에 의해 부의 공정하고 효율적인 배분도 실현하며, 사회적 조화가 실현된다는 것을 이론적으로 증명하고자 하였습니다. 그러나 자본주의가 발전하면서 나타난 현실 상황은 스미스의 이론과 반대였습니다. 더 많은 이익을 얻기 위한 개인들 간의 이익 다툼이 심화되면서 엄청난 사회 혼란이 발생했기 때문입니다. 특히 19세기 제국주의 시대에 자본주의가 독점 단계에 들어서면서부터 자유방임주의는 지지를 잃고 말았습니다.

⑤ 칼 포퍼의 대안 — 비판적 합리주의와 점진적인 사회 발전

그렇다면 지금 우리는 열린사회에 살고 있을까요? 칼 포퍼의 주장에 귀 기울이며 우리가 속한 사회를 둘러볼 필요가 있습니다. 지도자의 말을 곧 절대적인 것으로 받아들이고 있지는 않은지, 개인의 자유보다는 전체 사회의 이익을 우선하는 규칙과 규제가 아직도 우리를 억누르고 있지는 않은지, 여전히 힘 있는 자에게만 유리한 사회인지, 권력에 대한 비판은 곧 사회로부터의 격리를 의미하지 않는지 살펴보아야 합니다.

우리는 지구라는 거대한 한 사회의 일원이 되어 살고 있습니다. 교통과 통신이 발달하면서 세계 구석구석까지 상품과 문화가 쉽게 넘나들고, 사람들은 뒤엉켜 서로에게 영향을 미칩니다. 그래서 개인은 이전의 세대보다

더 불안해 하고 때로는 원인도 모르는 불행을 감수해야 하는 일이 발생하고 있습니다. 그만큼 우리가 사는 사회는 복잡하고 그 변화를 예측하는 것이 불가능합니다.

이제는 전통적인 공동사회는 거의 사라졌다 해도 과언이 아니며, 서구사회를 비롯한 여러 사회에서는 이미 가족마저 해체되고 있습니다. 그리하여 남은 것은 개별적인 존재로서의 개인뿐입니다. 칼 포퍼가 바랐던 것은 새로운 세대들은 사회의 비합리적인 법률이나 도덕을 거부하고, 최대한의 자유를 향유하는 것이었습니다.

칼 포퍼는 우리가 진정한 열린사회로 가기 위한 조건으로 다음과 같은 것을 제시합니다. 첫째, 개인은 독자적인 판단에 대해 책임을 져야 합니다. 둘째, 사회는 점진적이고 부분적인 개혁을 이뤄 나가며 일부 집단에 의해 급진적으로 변화해서는 안 됩니다. 셋째, 사회의 중요한 판단이 '이성과 자유 및 타인에 대한 박애의 신념' 에 의존해야 한다는 조건이 만족되어야 합니다. 이 모든 조건이 충족되어야만 비로소 열린사회에 대한 논의가 가능하다고 주장합니다. 그러나 안타깝게도 칼 포퍼의 책에는 이런 조건들이 어떻게 충족될 수 있는지는 명확하게 나오지 않습니다. 또한 '점진적' 인 변화라고 했을 때, 무엇부터 점진적이어야 하는지 구체적으로 언급하지 않습니다.

이 모든 것은 칼 포퍼가 우리에게 남긴 숙제일지 모릅니다. 포퍼가 열린

사회의 조건으로 인간의 이성과 자유의 추구를 강조했다면, 우리는 어떻게 각 개인이 이성적 역량을 기를 수 있을 것인가부터 논의를 시작하는 것이 좋을 것 같습니다.

궁극적으로 칼 포퍼는 "합리주의는 비판의 자유, 사상의 자유 및 인간의 자유를 보장할 사회제도의 필요성에 대한 인식과 연결된다"고 하였습니다. 이것은 우리에게 이런 제도를 지지해야 하는 도덕적 의무와 같은 것을 의미합니다. 이것이 합리주의가 점진적 사회공학과 같은 정치적 요구와 연결되며, 사회의 합리화를 위한 요구 즉, 자유를 위한 계획과 이성에 의한 사회 지배의 요구와 결합되는 이유입니다. 그러므로 열린사회로 향한 우리의 길은 우리가 비판적 합리주의를 얼마나 참된 삶의 안내자로 간주하는가에 달려 있습니다.

—《칼 포퍼가 들려주는 열린사회 이야기》 중에서

앞서 우리는 칼 포퍼의 반증가능성을 살펴보며 '내가 틀리고 네가 옳을 수 있는 가능성을 항상 열어 놓아야 한다'는 내용에 주목한 바 있습니다. 그렇다면 칼 포퍼가 말한 열린사회도 미리 정해진 어떤 모델이 있다기보다는 끊임없는 탐구와 비판을 통해 만들어 가야 할 과제라고 보는 것이 맞겠지요. 누구에게나 자유가 중요하다면, 그것을 지킬 수 있는 힘은 합리적인 이성(理性), 비판적 합리주의에서 나오고, 그것은 모든 개개인이 가지고 있다고 했을 때, 결국 열린사회는 바로 '나' 로부터 시작되는 것이겠죠.

합리주의(合理主義)
합리주의란 비합리적이고 우연적인 것을 배척하고, 이성, 논리, 필연적인 것을 중시하는 태도를 말합니다. 그래서 합리주의는 이성주의 또는 이성론으로 불리기도 합니다. 또는 실천의 기준으로서 이성적인 원리만을 구하는 생활 태도를 가리킬 경우도 있습니다.
신학적인 계시론이나 미신적 운명론에 반대하여 가능한 한 자연 이성(自然理性)에 의해 인식하려는 입장을 말합니다. 따라서 합리주의는 서구 계몽 시대의 종교 비판에서 그 대표적 사상을 찾아볼 수 있습니다. 합리주의의 창시자는 '나는 생각한다. 고로 존재한다' 라는 명제를 통해 이성 중심적인 세계관을 제시한 데카르트입니다. 후에는 스피노자가 합리주의의 명맥을 이어갔다고 할 수 있습니다. 일반적 경향으로는 데카르트, 스피노자, 라이프니츠, C. 볼프 등 이른바 대륙의 합리론에서 전형적인 것을 볼 수 있듯이, 감각적 경험론을 혼란된 것이라 경시하고 수학적 인식을 원형으로 하는 것과 같은 논증적 지식을 중시했습니다.

3. 기출문제에서 만난 칼 포퍼

서울대는 2000년 논리논술 경시대회에서 칼 포퍼의 《열린사회와 그 적들》의 일부 내용을 제시하여 개인주의와 이기주의에 관한 학생들의 견해를 물었습니다. 여기서 고려해야 할 것은 일반적인 대입논술에서 흔하게 출제되었던 '개인주의와 집단주의 간의 관계' 를 단순 비교하는 문제가 아니라 '개인주의가 이기주의로 오해되어 비난받고 집단주의가 이타주의(혹은 역사주의)라는 미명 아래 권장되는 사태를 비판하고 건전한 개인주의적 삶을 옹호하라' 는 다소 복잡하고 입체적인 문제로 학생들 사고의 깊이를 평가하고자 했습니다.

많은 사람들은 아직도 개인주의를 이기주의와 동일시하고, 이타주의는 집단주의와 동일시하는데, 이것은 낭만주의적 관념의 영향이다.

이런 생각은 인간이 타인과의 관계 속에서 자신의 고유한 중요성을 어떻게 잘 드러낼 것인가 하는 주요한 문제를 명확하게 인식하는 데 방해가 된다. 우리는 흔히 우리 자신을 넘어선 어떤 것, 우리가 헌신할 수 있는 어떤 것, 우리가 그것을 위해 희생해도 될 어떤 목적을 지향해야만 한다고 여기는 것을 당연하게 받아들인다. 따라서 그와 같은 어떤 것은 바로 '역사적 사명'을 가지고 임해야 할 집단적인 것임에 틀림없다고 결론을 내린다. 그렇기 때문에 우리는 희생하라는 말을 듣게 되며, 동시에 그렇게 하면 훌륭한 거래를 한 것이라고 확신한다. 희생을 한다 하더라도 그 결과 명예와 명성을 얻게 된다는 말을 우리는 자주 듣는다. 우리는 역사의 무대에 등장하는 영웅, 곧 역사의 '주역' 이 될 것이요, 작은 위험을 무릅쓴 대가로 큰 보상을 얻게 된다는 것이다.

이것은 극소수 사람들만의 가치가 인정되고 평범한 사람들은 버림받은 시대의 미심쩍은 도덕률이요, 역사 교과서에 한자리 차지할 기회를 가진 정치적 귀족이나 지적 귀족들의 도덕률이라 하지 않을 수 없다. 그것은 도저히 정의와 평등주의를 찬성하는 사람들의 도덕률일 수가 없다. 역사적 명성이란 정의로운 것일 수 없는 것이요, 극소수의 사람들만이 획득할 수 있는 것이기 때문이다. 그들 못지 않게 존귀한 무수한 사람들은 언제나 잊혀지게 될 것이다.

한층 고차적인 보상은 후대만이 줄 수 있다는 윤리적 교설이 눈앞의 보상을 찾으라고 가르치는 교설보다 어떤 면에서 조금 우월하리라는 것은 인정해야 마땅할지도 모른다. 그러나 그 교설은 지금 우리에게 요구되는 것은 아니다. 우리에게는 성공과 보상을 거부하는 윤리가 필요하다. 그리고 이런 윤리는 굳이 창안해낼 필요도 없다. 그것은 새로운 것이 아니고, 이미 기독교가 가르쳤던 것이다. 적어도 초창기 기독교는 그러했다. 그것은 다시 우리 시대에 와서 산업에서의 협업뿐만 아니라 학문 활동에서의 협업이 가르치는 바이기도 하다. 다행스럽게도 낭만적인 역사주의적 명성의 도덕률은 이제 쇠퇴의 길에 접어든 것으로 보인다. 무명용사가 그것을 보여 준다. 희생은 익명으로 이루어졌을 때 더 소중할 수 있다는 것을 우리는 깨닫기 시작했다. 우리의 윤리 교육도 이 길을 따라야만 한다.

우리는 자기의 일을 행하도록 배워야만 하고, 우리가 자신을 희생할 때는 그 일 자체를 위해서이지 칭찬을 받거나 비난을 면하기 위해서는 아니라는 것을 배워야만 한다. 우리의 정당성은 우리의 일에서, 말하자면 우리가 하고 있는 일 자체에서 찾아야 마땅하며, 허구적인 '역사의 의미' 에서 찾으려 해서는 안 된다.

—《열린사회와 그 적들》 중에서

제시된 글에도 나와 있듯이 흔히 개인주의는 이기주의로, 이타주의는 집단주의로 오해되어 왔습니다. 이 같은 오해로 인해 지난날 '이타주의' 라는 미명 아래 전체를 위해 개인을 희생하라는 집단주의 윤리가 강요되기도 하였고, 각 개인의 개성 발휘라는 개인주의를 이기주의로 보고 비판하기도 했다고 칼 포퍼는 말했습니다.

이러한 내용을 이해했다면 이타주의의 이름 아래 집단주의적 사고가 강요하는 닫힌사회의 논리를 반대해야 한다는 주장을 펼칠 수 있습니다. '역사적 사명' 을 논하는 것도, 후대에 올 어떤 보상을 위해 희생하라는 윤리도 결국 극소수 지배층의 이익을 보장하기 위한 잘못된 통치 수단일 수 있기 때문입니다. 칼 포퍼에 따

이타주의(利他主義)
타인을 향한 선(善) 또는 이익이 되는 실천을 행동과 의무의 기준으로 삼는 입장입니다. 윤리적 이기주의, 그리고 부분적으로는 공리주의(功利主義)와 대립하는 개념이라고 볼 수 있습니다.
흔히 종교의 율법에서 자주 볼 수 있으나 이기주의와는 달리 완전한 학설 의 형태를 발견하기는 어렵습니다. 대표적으로 영국 감정학파(感情學派)와 그 밖의 많은 입장은 부분적으로 이타주의를 포함하나, 사실상 인간의 이기적 경향은 부정할 수 없으므로, 극단적인 이타주의는 오히려 독단(獨斷)이라는 비판을 받아 왔습니다.

르면 새 시대에 필요한 것은 행위에 대한 어떤 보상을 바라서가 아니라 진정으로 자신의 가치를 드러내는 일이고, 이를 추구하는 것이 개인주의 윤리라는 것입니다.

2005년 경인교대 논술 시험에서는 반증가능성의 원리를 교육적 상황에 어떻게 적용할 것인가에 대해 물었습니다. 반증가능성이 인간을 교육하는 데 어떤 긍정적인 면을 가지고 있는지 생각해 봅시다.

(가) 어떤 사람이 다양한 조건에서 수많은 까마귀를 관찰한 결과, 그 까마귀들이 모두 검은색이었다면 그는 이 사실을 토대로 '모든 까마귀는 검다'고 결론을 내릴 수 있다.

(나) X라는 장소에서 T라는 시간에 색깔이 검지 않은 까마귀가 발견되면, '모든 까마귀는 검다' 라는 명제는 거짓이 된다.

앞에서 우리는 반증가능성이 칼 포퍼 사상의 핵심을 이루는 내용이라고 배운 바 있습니다. 반증가능성을 다시 한 번 정리하여 그것이 인간을 교육하는 데 어떤 긍정성을 가졌는지 따져 보면 되는 문제입니다.

현대 과학은 인간의 경험을 중시하는 귀납적 방식에 의해 지배되는 경향이 강했습니다. 제시문 (가)는 이러한 귀납적 방식에 따른 연구 방법입니다. 수많은 까마귀를 관찰한 결과 까마귀는 검다는 가설을 세운 것입니다. 반면 제시문 (나)는 어떠한 가설도 반증가능성에서 자유로울 수 없음을 보여줍니다. 즉, 검지 않은 까마귀가 발견될 경우가 그것인데, 이처럼 일반적인 법칙은 반증가능성에 의해 부정될 수도 있고 반대로 더욱 치밀해질 수 있다는 점에 주목해야 합니다.

여기서 주의해야 할 것은 진리를 연구하는 인간의 태도가 (가)에 치중할 경우 진리의 발달이 고정될 우려가 있다는 것입니다. 몇 개의 사례를 통해 검은 까마귀를 검다고만 믿으면 새로운 사실을 발견하기 위한 시도는 더 이상 진행되지 않을 것입니다. 교육도 마찬가지입니다. 모든 인간에게 통용되는 교육 방법이나 철학은 있을 수 없습니다. 사람이란 모두 다르고 각자의 개성이 있기 때문입니다. 그런데 어떤 교육가가 경험상 자신의 교육법이 가장 좋은 성과를 얻었다고 하여 이것을 모든 사람들의 교육 방법으로 삼으려 한다면 어떻게 될까요? 성과는 둘째 치고 오히려 학생들을 삐뚤어지게 만들 수도 있을 겁니다.

따라서 교육자는 교육 과정에서 발생할 수 있는 다양한 변화 요인들을 염두에 두고 융통성 있게 각 아이들에게 맞는 교육 방법을 찾기 위해 최선을 다해야 합니다. 절대적인 교육 방법이나 지식이 존재하지 않는다는 것을 교육자가 인지하고 있어야 학생들도 올바른 가치관을 가질 수 있습니다.

귀납(歸納)적 방식

귀납은 개개의 사실이나 현상들을 포괄하는 결론을 이끌어 내는 추리 방법을 의미합니다. 귀납이라는 말은 원래 '이끌려 가다'는 뜻을 지닌 라틴어 'inductio, inducere'에서 비롯되었습니다.

귀납적 방식에는 여러 가지 유형이 있습니다. 여론조사에서 나타나듯이 표본적인 관찰이나 실험에 근거해 일반적인 결론을 이끌어내는 통계적인 추리도 있고, 사물이나 사태의 유사성에 근거하여 결론을 끌어내는 유비적인(analogically) 추리도 있습니다. 과거에 나타났던 일에 근거해 미래에 어떤 일이 일어날지를 예측하기도 하고, 현재의 사실들에 근거하여 과거의 사실들에 대한 결론을 이끌어 내기도 합니다. 이처럼 귀납은 주어진 사실이나 현상들에 근거해 새로운 정보와 지식을 얻을 수 있으므로 자연과학과 인문사회과학의 각 분야뿐만 아니라 일상생활에서도 흔하게 나타나는 사고방식입니다.

실전 논술

논술 문제

case 1 (가)의 내용을 참고하여 (나)의 문제를 해결하기 위한 올바른 방향에 대해 논술하시오. (400자 내외)

가 우리는 먼저 해결해야 할 문제에 부딪칩니다. 이때 잠정적인 해결로서 가설이 제시되고, 이것이 비판됩니다. 만약 제시된 해결이 비판을 받아들이지 않는다면 그것은 비과학적인 것으로 배제됩니다. 시도된 해결이 관련된 비판에 열려 있다면, 우리는 그것에 대한 반박을 시도합니다. 왜냐하면 모든 비판은 반박의 시도로 구성되기 때문입니다. 만약 시도된 해결이 비판에 의해 반박된다면, 다른 해결을 시도합니다. 그렇지 않고 제시된 해결이 반박을 견뎌낸다면, 우리는 그것을 잠정적으로 인정합니다. 그러나 우리가 비판을 견뎌 낸 해결책을 용인하는 것은 이를 최종적인 해결로 생각해서가 아니라, 더욱 논의하고 비판할 가치가 있는 것으로 생각하기 때문입니다. 그러므로 과학은 냉혹한 비판에 의해 통제되는 추측에 의해서 우리의 문제를 해결하려는 시도입니다. 우리는 어느 경우에도 절대적 진리에 도달할 수는 없습니다. 비판적 논의에 의해 보다 가까이 접근해 갈 뿐입니다.

—《칼 포퍼가 들려주는 열린사회 이야기》 중에서

나 ○○강의 물은 오랫동안 □□시의 상수원으로 쓰여왔다. 그래서 □□시 주민들은 ○○강을 깨끗이 보전하기 위해 많은 노력을 기울여 왔다. 그런데 최근 ○○강 상류의 △△군에 대규모의 산업 단지를 건설하겠다는 계획이 발표되었다. 그러자 □□시 주민들은 △△군에 산업 단지가 세워지는 것을 반대하여 행정부에 산업 단지 건설 계획을 중지할 것을 요청하였고, 이 사실을 알게 된 △△군 주민들은 산업 단지 건설 계획이 계속 추진되어야 한다고 주장하였다.

두 지역의 주민들은 서로의 주장을 내세우며 다툼을 그치지 않았다. 이와 같은 지역 간의 문제를 해결하려면 어떻게 하여야 할까?

— 초등학교 6-2, 《사회》 중에서

생각 쓰기

생각 쓰기

생각 쓰기

case 2 (가)의 내용을 참고하여 (나)에서 '나'(한병태)를 대하는 반장(엄석대)과 학생들의 행동이 왜 잘못되었는지 지적해 봅시다. (400자 내외)

가 칼 포퍼의 열린사회는 개인의 자유와 권리가 확보된 사회이며, 개인이 이성에 입각해서 스스로 판단을 내리고 자신의 행위에 대해 책임을 지는 사회라고 하였습니다. 이때 자유란 다수와 의견을 달리하고 자신의 길을 갈 수 있는 인간 진보의 원천으로서의 자유이며, 권리란 자신의 지배자를 비판할 수 있는 권리로 규정됩니다.

비판적 사회는 더 나아가 진리의 독점을 거부하는 사회입니다. 여기서는 아무도 독단적인 권리를 행사하지 못합니다. 비판받지 않아도 좋을 절대적 진리란 용인되지 않으며, 그런 면에서 아무도 그 자신의 심판자일 수 없습니다.

— 《칼 포퍼가 들려주는 열린사회 이야기》 중에서

나 나(한병태)는 그날, 전혀 새로운 성질의 반장(엄석대)을 만나게 된 것이었다.

"반장이 부르면 다야? 반장이 부르면 언지든 달려가서 대령해야 하느냐고?"

그래도 나는 사내다운 꿋꿋함으로 마지막 저항을 해 보았다.

그때, 알 수 없는 일이 벌어졌다. 그런 말이 떨어지자마자, 구경하고 있던 아이들이 갑자기 큰 소리로 웃어댔다. 내가 무슨 바보 같은 소리를 하였다는 듯, 그때껏 나를 을러대던 두 녀석과 엄석대를 포함한 많은 아이들 모두가 입을 크게 벌리고 떠들썩하게 웃어댔다. 나는 어리둥절했다. 겨우 정신을 가다듬어, 내가 한 말 어디가 그들을 그토록 웃게 만들었는지 생각하여 보고 있는데, 미화부장이라는 녀석이 웃음을 참으며 물었다.

"그럼 반장이 부르는데 안 가? 어디 학교야? 어디서 왔어? 너희 반에는 반장이 없었어?"

그런데 그 무슨 어이없는 생각의 변화였을까? 나는 문득 무엇인가 큰 잘못을 하고 있다는 느낌, 특히 담임 선생님께서 부르시는데 뻗대고 있었던 것과 흡사한 착각이 들었다. 어쩌면 그때까지도 멈춰지지 않고 있던 아이들의 왁자한 웃음에 기가 죽어, 그게 굴욕적인 복종인 줄 알면서도 석대의 말을 따랐는지도 모를 일이다.

(……)

"너는 저기 앉도록 해, 저기가 네 자리야."

그 갑작스러운 지시에 나는 약간 정신이 들었다.

"선생님이 저기 앉으라고 하셨는데……."

문득 되살아나는 서울에서의 기억으로 그렇게 대꾸하였지만, 얼마 전의 투지는 되살아나지 않았다. 엄석대는 내 말을 못 들은 척 넘어갔다.

"어이, 김영수, 여기 이 한병태와 자리 바꿔."

석대가 그 자리에 앉았던 아이에게 그렇게 말하자, 그 아이는 두말 하지 않고 책가방을 챙겼다. 그 아이의 철저한 복종이 다시 묘한 힘으로 나를 몰아, 잠시 머뭇거린 것으로 저항을 마치고 나도 자리를 옮겼다.

— 초등학교 5-1, 《국어 읽기》 중에서

생각 쓰기

생각 쓰기

case 3 (가)와 (나)가 공통적으로 제기하는 문제는 무엇인지 서술하고, 이를 극복하기 위한 방안을 논술하시오. (400자 내외)

가 인류의 역사에서 오랫동안 '왼손잡이'라는 말에는 부정적인 의미가 부여되어 왔습니다. 왼손잡이에 대한 관습화된 생각이나 표현은 왼손잡이를 억압하는 굴레로 작용합니다. 이러한 현상은 어느 시대, 어느 지역을 막론하고 보편적인 현상이었습니다. 특히 우리나라는 오른쪽과 오른손잡이가 되도록 사회로부터 무언의 압력을 받아 왔습니다. (……)

왼손잡이에 대한 우리나라 사람들의 부정적인 인식이나 편견은 예나 지금이나 별로 변한 것이 없습니다. 왼손잡이에 대한 기초적인 지식을 갖고 있는 사람도 많지 않습니다. 무조건 왼손잡이를 오른손잡이로 바꾸려고 하는 사회 풍조는 왼손잡이들에게 많은 스트레스를 줄 뿐 아니라, 자신감을 잃게 하고, 우울한 정서를 갖게 할 수 있습니다. 왼손잡이를 있는 그대로 인정해 주지 않는 사회 분위기는 왼손잡이들의 자아 정체성 형성을 가로막고 사회 구성원으로서 소외감을 느끼게 합니다.

왼손잡이는 장애가 아닙니다. 오히려 왼손잡이에 대한 억압과 편견, 고정 관념이 장애입니다. 왼손잡이들은 자신들이 왼손잡이여서 생활하기 힘든 것은 아니라고 말합니다. 사람들이 "어, 왼손잡이네!" 하고 말하는 것이나, 이상한 눈으로 쳐다보는 것이 견디기 힘들다고 합니다. 그런 의미에서 이런 사회적 편견이 왼손잡이들에게 많은 해를 끼치고 있는 셈입니다. 따라서, 이제부터라도 우리는 왼손잡이에 대한 편견이나 부정적 인식을 깨고 왼손잡이를 있는 그대로 인정하는 열린 마음을 가져야 합니다.

— 초등학교 6-1, 《국어 읽기》 중에서

나 사람들이 처음 만날 때에 흔히 묻는 말이 있습니다. "고향이 어디에요?", "학교는 어딜 나왔죠?", "종교는 있나요?", "나이는 어떻게 돼요?" 등과 같은 질문들인데, 간단해 보이는 이런 질문 하나하나가 차별의 요소가 될 수 있는 것이 현실생활입니다.

모든 사람은 '권리에 있어 평등하다' 라고 하지만, 성별, 나이, 출신 지역, 종교, 피부색, 빈부 등과 같은 차이를 이유로 갖가지 차별이 행해지고 있습니다. 차별이 끼치는 해악 중의 하나는 차별받는 사람이 사회 참여의 기회를 빼앗기거나 사회에 온전하게 참여할 수가 없게 된다는 점입니다. 예를 들자면, 여성이라고 해서 해고의 우선순위가 된다든지, 또는 승진의 기회가 제한된다든지 하는 경우입니다.

차별에는 남녀 차별, 장애인 차별, 인종 차별 등 우리가 인식하는 유형만 있는 게 아닙니다. 사회의 변화에 따라 새로운 유형의 차별은 언제든지 등장할 수 있습니다. 예를 들어, 최근에는 에이즈 환자에 대한 차별이나 외국인 노동자에 대한 차별 등에 대해 주목하기 시작했습니다.

인권을 지키기 위해서는 이미 있는 차별에 대해서나 새롭게 등장하는 불평등 요소에 대해서 촉각을 세우고 적극적으로 고치려는 자세가 필요합니다.

— 초등학교 6-2, 《국어 읽기》 중에서

생각 쓰기

생각 쓰기

case 4 (나)의 요지를 설명하고, (나)의 열린사회가 (가)의 정의 실현에 기여할 수 있을지 논술하시오. (400자 내외)

가 모든 사람이 골고루 권리를 누리고 발전하기 위해서는 '정의'를 늘 고려해야 합니다. 사회 구성원 모두의 적절한 생활 수준을 유지하기 위해 자원의 재분배를 꾀하는 것, 누구나 교육과 의료 혜택을 누릴 수 있도록 하는 것, 사회적 약자에 대한 특별한 보호 대책을 마련하는 것 등이 사회 정의와 경제 정의를 실현하기 위해 인권이 도모하는 일입니다. (……)

주변에 흔하기 때문에 오히려 눈에 잘 안 띄는 문제들, 가령 빈곤이나 실업, 차별과 편견 등에 대해 관심을 가지고 행동하는 것도 중요합니다.

— 초등학교 6-2, 《국어 읽기》 중에서

나 열린사회는 또한 전통적 공리주의를 거부하는 사회입니다. 최대 다수의 최대 행복을 추구하는 공리주의의 원리는 전체주의적 독재를 위한 구실이 될 수도 있으며, 다수의 행복을 위해서 소수가 희생하지 않으면 안 되는 것으로 생각될 수도 있기 때문입니다. 열린사회는 그러한 원리를 허용할 수 없습니다. 열린사회는 다수의 행복을 위하여 소수의 고통을 요구하지 않으며, 소수의 행복을 위하여 다수의 고통을 요구하지 않는 사회입니다. 사회를 위해서라면 개인은 희생될 수 있다고 전제하는 것은 열린사회의 기본 원리인 개인의 불가침성을 부정하는 것입니다.

칼 포퍼에 의하며 도덕적으로 해결해야 될 가장 긴급한 문제는 행복의 증대가 아니라 고통을 줄이는 문제입니다. 그러므로 최대 다수의 최대 행복을 추구하는 공리주의의 원리는 모두의 최소 고통을 추구하는 부정적 공리주의의 원칙으로 바꾸어지지 않으면 안 됩니다. 말하자면 이것은 행복의 극대화 원칙을 고통의 극소화 원칙으로 수정하는 것입니다. 이때 피할 수 없는 고통은 가능한 한 균등하게 감수해야 합니다.

—《칼 포퍼가 들려주는 열린사회 이야기》 중에서

생각 쓰기

생각 쓰기

생각 쓰기

case 5 (다)에서 주장하는 바를 요약하고, 이를 바탕으로 (가)와 (나) 각각의 긍정적 의미를 찾아 설명하시오. (400자 내외)

가 4.19 혁명은 정권을 지키기 위해 옳지 못한 방법으로 헌법을 고치고 부정선거를 한 자유당의 독재정치 때문에 일어났다.

이승만이 이끄는 자유당은 1960년 3월에 실시된 정 · 부통령 선거에서 야당의 선거 감시원을 투표소에서 쫓아내고 투표함을 바꾸었으며, 득표 수를 조작하여 발표하는 등 부정한 방법을 썼다. 이러한 방법으로 자유당의 이승만과 이기붕이 정 · 부통령으로 당선되자, 국민들은 일제히 분노하였고, 선거 결과를 받아들이지 않았다.

1960년 4월 19일, 서울의 대학생들이 '현실을 그냥 보고만 있을 수 없으며, 정의와 민주주의를 지키기 위해 일어나야 한다' 는 내용의 선언문을 낭독하고 시위를 시작하였다. 정부는 계엄령을 선포하고 시위를 진압하려 하였으나, 학생과 시민들은 이에 맞서 "3.15 부정 선거를 다시 하라!", "1인 독재 물러가라!" 고 외치며 시위를 계속하였다. 이 시위는 삽시간에 전국으로 퍼졌고, 일반 시민들, 심지어 고등학생들도 참여하기에 이르렀다. 마침내 이승만은 대통령직에서 물러났으며, 자유당 정권도 무너졌다.

4.19혁명은 자유 민주주의를 지키기 위해 학생과 시민들이 자발적으로 일으킨 것으로, 우리나라 민주주의 발전에 커다란 기여를 하였다.

— 초등학교 6-1, 《사회과 탐구》 중에서

나 "임금님께서는 지금 나라를 잘못 다스리고 계십니다. 나라는 이미 근본부터 망해 가고, 하늘 또한 임금을 버렸습니다. 백성들의 마음도 이미 임금님을 떠났습니다. (……) 벼슬이 낮은 사람은 술 마시고 즐기는 일에 정신이 팔려 있고, 조정의 높은 벼슬아치들은 패거리를 만들어 싸움을 일삼으면서 백성들의 재산을 긁어모으는 데에만 정신이 팔려 있으니, 나라가 제대로 될 까닭이 없습니다. (……) 원하옵건대, 하룻밤 사이에 깜짝 놀라 새 사람이 되듯 깨달으십시오. 지금부터라도 학문에 힘써 덕을 밝히시고, 백성이 새로운 희망을 가지고 생활하게 하십시오."

(……)

조선 시대의 이름 높은 선비였던 조식이 임금에게 오린 '을묘사직소' 즉, '단성소'라 불리는 상소문의 일부이다. 거리낌없이 임금에게 할 말을 다하며, 어진 정치를 베풀어 나라를 바로 세우도록 부탁하고 있다.

임금의 노여움을 사면 목숨마저 위태로웠던 시대에 이런 상소문을 올렸다는 것은 실로 놀라운 일이다.

(……)

조식을 만난 임금은 무척 기뻐하며 나라를 바로 다스리는 지혜가 무엇인지 물어보았다.

"나라의 근본이 곧 백성입니다. 백성을 으뜸으로 생각하고 정치를 펴는 것이 곧 어진 정치입니다."

조식은 거침없이 임금과 관리의 바른 길에 대하여 말하였다. 임금은 그의 높은 학식과 충성심에 감탄하여 늘 함께 있기를 청하였다.

— 초등학교 5-2, 《국어 읽기》 중에서

다 열린사회로의 이행이 기술의 발달만으로 자연스럽게 이루어지는 것은 아닙니다. 열린사회로 향한 효과적인 행위는 이성의 기초 위에서만 가능하다고 칼 포퍼는 강조합니다. 즉, 우리의 행위는 비판과 논증의 기초 위에서 결정되어야만 합니다. 합리성은 사람들이 의견을 달리할 때, 그들로 하여금 서로 잘못을 깨닫게 해서 의견 일치에 도달시킵니다. 왜냐하면 합리성은 자신들의 전제를 검증해 볼 수 있게 하고, 타당한 결론을 이끌어 낼 수 있게 하며, 그들의 노력을 상호 협조하게 하기 때문입니다.

(……)

궁극적으로 칼 포퍼는 "합리주의는 비판의 자유, 사상의 자유 및 인간의 자유를 보장할 사회제도의 필요성에 대한 인식과 연결된다"고 하였습니다. 이것은 우리에게 이런 제도를 지지해야 하는 도덕적 의무와 같은 것을 의미합니다. 이것이 합리주의가 점진적 사회공학과 같은 정치적 요구와 연결되며, 사회의 합리화를 위한 요구 즉, 자유를 위한 계획과 이성에 의한 사회 지배의 요구와 결합되는 이유입니다. 그러므로 열린사회로 향한 우리의 길은 우리가 비판적 합리주의를 얼마나 참된 삶의 안내자로 여기는가에 달려 있습니다.

— 《칼 포퍼가 들려주는 열린사회 이야기》 중에서

생각 쓰기

생각 쓰기

생각 쓰기

예시 답안

case 1 ○○강을 사이에 두고 □□시와 △△군의 대립이 심각하다. 하지만 양쪽 다 정당성을 가지고 있기 때문에 자기 입장만을 고집하다가는 결코 합의에 이를 수 없고 감정의 골만 깊어질 수 있다.

이런 문제를 해결하기 위해서는 (가)의 태도가 도움이 될 수 있다. (가)에서 말하는 것처럼 우선 자신의 입장만이 옳다는 생각은 버리는 것이다. 이럴 때만이 대화와 타협을 통해 모두 만족할 수 있는 해결 방안에 이를 수 있을 것이다. 그리고 각 고을은 자신의 입장이 틀릴 수 있다는 것을 바탕으로 각 고을의 견해를 비판적으로 검토해 보아야 할 것이다. 각각의 주장에서 긍정적인 면은 무엇이고 부정적인 면은 무엇인지 면밀하게 살피고 문제점을 극복할 수 있는 대안을 공동으로 모색하는 과정이 필요하다. 그렇게 된다면 이전보다 진전된 합리적인 해결 방안을 도출할 수 있을 것이고, 미진한 부분이 있다면 다시 입장을 비판적으로 검토하여 더 나은 해결책을 모색하려는 노력을 기울일 수 있다.

case 2 (나)의 교실에서 반장은 누구도 거스를 수 없는 절대적인 존재이다. 반장이 자리를 옮기라고 하면 불만이 있어도 묵묵히 이를 따라야만 한다. 엄석대는 반장이라는 권력을 이용하여 자신의 급우들을 부하처럼 거느리고 모두에게 복종을 강요한다. 하지만 (가)의 견해에 따르면 이는 잘못된 것이다. 인간에게는 모두 스스로의 문제를 선택하고 그에 따른 책임을 질 권리가 있다.

만약 우리가 무언가를 선택할 자유를 빼앗기게 된다면 우리는 자유인이 아니라 명령에 따라 움직이는 노예와 같은 존재가 되고 말 것이다. 다른 학생들의 태도 또한 문제다. 그들은 엄석대의 행위가 잘못된 것이라는 점을 알면서도 아무런 비판도 하지 않았다. 오히려 전학온 '나'(한병태)에게 은연중에 자신들과 똑같이 반장에게 복종할 것을 요구하고 있다. 이런 행동은 자신들뿐만 아니라 남의 자유와 권리도 빼앗는 행동이므로 엄석대와 다를 바 없이 닫힌사회를 유지하는 데 일조하고 있다.

case 3 (가)와 (나)는 공통적으로 사회 차별의 문제를 다루고 있다. (가)는 왼손잡이를 비정상적인 것으로 보고 있다면 (나)는 성별, 나이, 출신 지역, 피부색, 건강 상태에 따라 나타나는 다양한 사회적 차별의 문제점을 지적하고 있다. 이러한 차별은 차별받는 사람으로부터 사회에 동등하게 참여할 수 있는 기회를 박탈하고, 사회의 적극적인 주체가 아니라 소극적인 주변인으로 전락시키는 문제를 양산한다.

이러한 차별의 문제가 해결되기 위해서는 무엇보다 인간을 바라보는 관점이 변화되어야 한다. 인간은 본질적으로 어떤 기준으로도 나눌 수 없는 독립적인 존재다. 인간은 서로 다를 뿐, 더 우월한 존재를 따질 수 없다. 상호 간의 차이를 인정하고 서로를 동등한 주체로 보는 사회 풍토가 마련되어야 차별로 인한 문제는 사라질 수 있다. 또한 이런 사회 풍토를 뒷받침하기 위해 차별을 금지하는 사회적 제도의 마련도 시급하게 요구된다.

case 4

(나)는 열린사회를 실현시키기 위한 방안으로 '부정적 공리주의' 의 원칙을 설명하고 있다. 부정적 공리주의는 최대 다수의 최대 행복이라는 '전통적 공리주의' 를 비판하고 사회의 이익을 위해 어떠한 개인도 희생할 수 없다는 점을 분명히 하고 있다. 부정적 공리주의를 주장한 포퍼는 오히려 사회가 다수의 행복 증진에 치중하기 보다는 사회가 소수 약자의 고통을 나누는 데 기여해야 한다고 주장하고 있다.

이런 열린사회의 사고관은 현대사회의 정의를 실현하는 데 기여하는 바가 크다. (가)에도 나와 있듯이 현대사회는 자원의 공정한 재분배를 통해 사회의 빈부격차를 줄이는 것이 일차적인 과제이다. 단 한 사람의 희생도 거부하며 사회적 약자의 고통을 사회가 분담하려는 열린 태도를 가졌을 때, 공정한 분배의 정의가 실현될 수 있다.

case 5

(다)는 열린사회가 시간이 지나면 저절로 찾아오는 것이 아니라 사회의 권위와 부정에 가하는 끊임없는 비판을 통해 만들어진다고 보고 있

다. 즉, 비판적 합리주의를 통해 끊임없이 사회의 문제점을 밝혀내고, 상호 협조를 통해 그 문제점을 해결해 나갈 때 열린사회는 만들어진다는 것이다.

이런 점에서 보면 (가)와 (나)는 열린사회로 나가기 위한 비판적 합리주의가 무엇인지 잘 보여 주고 있다. (가)는 민주주의 국가의 최고 권력자인 대통령이 부정을 저질렀을 때, 국민들이 그것을 어떻게 바로잡을 수 있는지 보여 준다. 4.19 통해 어떠한 권력자도 법 앞에서 부정을 저지를 수 없고, 국민이 요구하면 언제든지 물러나야 한다는 민주주의 정신을 구현했다. (나)도 마찬가지다. 국민을 잘 보살피지 못하는 왕에 대해 침묵하지 않고 질책과 비판을 가하는 것이 문제를 해결할 수 있는 가장 빠른 길이라는 것을 일깨워 준다.

Abitur

철학자가 들려주는 철학이야기 100

마르크스가 들려주는 자본론 이야기

저자_박기호
고려대에서 교육학 석사를 받았다. 윤리학과 철학에 대해 고민하며 살아오다가 대입논술을 지도하게 되었다. 그 결과 부엉이 눈으로 논제 분석하기, 매트릭스법으로 제시문 읽기, 마인드맵으로 개요 짜기, 토피카로 차별화하기 등의 독특한 논술방법론으로 대입논술과 로스쿨 LEET 논술에서 마감강사가 되었다. 경향신문 대입논술 출제 집필진으로 활동한 바 있으며, 현재 유명 대입학원과 로스쿨 전문학원에서 논술을 지도하고 있다. 저서로는 《아비투어 철학논술 맥루한이 들려주는 미디어 이야기(초급)》, 《快(쾌) 논술 LEET 시리즈》 전4권, 《대학별논술 예상문제집》 전25권, 《4개년간 논술기출문제해설》, 《논술자세잡기》등이 있다.

배경 지식 넓히기

Marx, Karl Heinrich

마르크스와 '죄와 용서'

마르크스 주요 개념

1. 마르크스를 만나다

1)마르크스는 누구인가 — 시대와 생애

마르크스 Marx, Karl Heinrich는 산업혁명의 열기가 온 유럽을 뒤덮고 있던 1818년 5월에 독일의 트리에라는 도시에서 태어났습니다. 그의 아버지는 꽤 성공한 법관이었기에 마르크스는 유복한 가정에서 어린 시절을 보낼 수 있었습니다. 나중에 노동자와 가난한 사람들을 위해 평생을 보낸 점을 생각하면 매우 의외라고 생각할 수도 있습니다.

마르크스는 법률을 공부하기 위해 대학에 진학했지만 얼마 지나지 않아 철학으로 전공을 바꾸게 됩니다. 당시 독일에는 헤겔이라는 유명한 철학자의 사상이 지성계를 뒤흔들고 있었던 시기입니다.

대학 졸업 후에는 지역 신문에 정치 문제와 관련된 기사를 기고하면서 독일 사회의 문제점들, 특히 노동자들의 열악한 처지에 대해 관심을 가지게 됩니다. 정부에 비판적인 기사를 쓰던 마르크스는 신문이 폐간되는 등 정치적인 탄압을 받게 되었고 이 때문에 프랑스를 거쳐 결국 영국으로 망명하게 됩니다.

마르크스는 영국에서 공산주의 운동과 저술 활동에 열정적으로 참여하게 됩니다. 공산주의동맹과 세계노동자협회와 같은 단체를 설립하는데 큰 역할을 했으며, 이제는 전 세계적인 고전으로 인정받고 있는 《공산주의 선언》과 《자본론》과 같은 저서를 남기기도 하였습니다.

마르크스는 망명지인 영국에서 1883년 3월 14일 숨을 거두었지만 그의 사상은 20세기를 거쳐 지금까지 큰 영향을 끼치고 있습니다.

18세기 중반, 영국에서 개발된 증기기관이 전 세계를 혁신적으로 바꾸게 됩니다.

산업혁명은 가장 먼저 면직물 공업 부문에서 시작되었습니다. 증기기관이 기계를 돌리는 힘으로 사용되자, 현대적 의미의 기계를 이용한 생산 즉, 수공업 대신 '공장제 기계공업' 이 가능하게 된 것입니다. 이전과는 비교할 수 없을 만큼 빠른 속도로 대량의 물건을 만들어낼 수 있는 기틀이 마련된 것입니다.

또한 증기기관은 운송 수단에도 커다란 혁신을 가져왔습니다. 산업혁명 이전에는 기껏해야 말을 이용한 마차나 돛을 이용한 배로 물건과 사람을 실어 나르던 수준이었지만 증기기관을 이용한 기관차와 증기선이 발명되어 더 많은 물건을 빠른 속도로 멀리까지 운송할 수 있게 되었습니다. 빠른 운송 수단의 발달은 세계의 거리를 단축시켰고 국제적인 규모의 무역이 본격적으로 시작되었습니다.

무역이 전 세계적으로 이루어지게 되자 면직물에 대한 수요는 더욱 폭발적으로 증가하게 되었습니다. 돈이 있는 사람들은 앞다퉈 공장을 열었고, 인클로저 운동 등으로 인해 농사지을 곳이 없어진 농민들은 돈을 벌 수 있는 공장을 찾아 도시로 몰려들기 시작했습니다. 여기저기 일할 사람들이 충분했기 때문에 공장 주인들은 아주 싼 임금으로 이들을 고용할 수 있게 되었습니다.

공장 노동자들은 임금이 매우 적었기 때문에 매일 12~16시간씩 일을 해도 생계를 제대로 유지하기 힘든 경우가 많았습니다. 노동자들은 비참한 생활을 하고 있음에도 불구하고, 공장 주인들은 물건을 팔아 큰 이익을 얻을 수 있었고 그렇게 벌어들은 돈으로 호화로운 생활을 할 수 있었습니다.

'빈익빈 부익부' 라는 말을 들어본 적이 있을 것입니다. 가난한 사람은 더욱 가난해지고, 부자인 사람은 더욱 부자가 되는 현실이 18세기 산업혁명 이후 영국을 비롯한 유럽에서 심각하게 진행되고 있었던 것입니다. 당연히 사회적인 불만과 갈등이 고조되지 않을 수 없었습니다.

인클로저(Enclosure) 운동

인클로저 운동이란 미개간지나 공유지와 같이 공동 이용이 가능한 토지에 담이나 울타리 등의 경계선을 쳐서 사유지로 만드는 일을 말합니다. 주로 영국에서 활발하게 진행된 이 운동은 이미 중세 때부터 시작되긴 했지만, 모직물 공업이 발전하기 시작한 15~16세기에 이르러 사회적 문제로 대두되었습니다. 급격히 증가하고 있는 양털의 수요를 충족시키기 위해 농경지를 양치는 목장으로 전환하는 경우가 많아지게 되었고, 이로 인해 농민들은 자신이 경작할 토지를 잃어버리게 되었기 때문입니다. 이를 1차 인클로저 운동이라 합니다. 농민들에게서 밭을 빼앗음으로 농가를 황폐화시키고 농민들의 이농을 가속화 시키는 등 많은 사회문제를 초래하게 됩니다. 이를 두고 토마스 모어는 "양이 사람을 잡아먹는다"라는 말로 풍자했습니다. 또한 17~18세기에 이르러서는 대규모 농업이 시행되면서 거대 농장을 만들기 위한 인클로저 운동이 다시 활발하게 일어났습니다. 이를 2차 인클로저 운동이라 하는데 이와 같은 과정으로 농사지을 곳을 잃어버린 농민들은 점차 농촌을 떠나 도시로 몰려들어 공업 노동자로 생계를 유지하게 되었습니다. 이 운동은 산업혁명으로 새로이 일어난 공업이 필요로 하는 노동력을 제공함과 동시에 기계의 발명으로 농업 자체가 기계화 되어 인클로저 운동을 더욱 촉진하게 됩니다.

2) 마르크스의 사상

① 노동과 소외

여러분은 '노동' 이라는 단어를 들으면 어떤 느낌이 드나요? 대부분은 '힘들다', '하기 싫다', '안 하면 좋다' 와 같은 생각이 떠오를 것입니다. 이러한 생각은 어른들도 다르지 않을 것입니다. 부모님께 직장 일이나 집안일을 하시는 것이 어떠한가 물어본다면 어른들도 여러분과 비슷한 대답을 하실 것입니다.

그렇다면 왜 아버지와 어머니는 이렇게 힘들고 하기 싫은 일을 매일매일 하시는 것일까요? 부모님께 다시 물어본다면 '먹고 살기 위해 어쩔 수 없이 해야지' 라고 대답하실 것입니다.

그렇습니다. 인간은 의식주와 같은 필수적인 요소들이 갖추어지지 않는다면 생명을 유지할 수 없습니다. 옷이나 음식, 집과 같은 것들은 저절로 생겨나는 것이 아닙니다.

우리에게 필요한 모든 것들을 만들어내기 위해 인간이 하는 활동을 바로 '노동' 이라고 부릅니다. 노동이란 인간이 자신에게 필요한 것을 만드는 활동인데, 왜 우리는 이러한 활동을 힘들고, 하기 싫은 일로 여기게 되는 것일까요? 바로 여기에 현대사회 노동의 비밀이 숨겨져 있습니다.

인간의 노동

마르크스에 의하면 노동이란 본래 인간에게 대단히 중요한 행위입니다. 인간의 생존에 필수적인 것들을 노동을 통해서 얻을 수 있기 때문입니다.

그러나 노동을 통해 인간이 얻을 수 있는 것이 단순히 생존에 필요한 것만은 아닙니다. 그렇다고 한다면 인간의 노동은 다른 동물들의 노동과 다를 바 없을 것입니다. 동물들도 생존하기 위해서 사냥을 하고 꿀을 채취하고 열매를 따기 때문입니다. 인간의 노동에는 그 이상의 의미가 있다는 것이 바로 마르크스의 생각입니다.

예를 들어, 철수가 식탁 의자가 망가져서 새로 의자를 만들어야 한다고 가정해 봅시다. 철수는 가장 먼저 무엇을 하게 될까요? 어떤 디자인의 의자를 만들지, 재료는 무엇으로 할지, 어떤 색으로 칠하고, 어떤 장식을 달지 등등 여러 가지 고민을 하게 될 것입니다.

이 점이 바로 인간의 노동이 동물의 노동과 다른 점입니다. 꿀벌은 꿀을 얻으며 노란 꽃인지 빨간 꽃인지 구분하지 않습니다. 단지 꿀을 얻을 수 있으면 되는 것이지요. 하지만 인간은 그렇게 단순한 방식으로 노동을 하지 않습니다. 어떻게 만들면 더 편하게 앉을 수 있을까, 어떻게 만들면 더 예쁘게 만들 수 있을까를 고민하면서 의자를 만들게 됩니다.

이처럼 인간의 노동은 물건을 만드는 사람의 창조성과 개성을 드러낼 수 있는 활동이기도 합니다. 다시 말해, 인간의 노동이란 자신의 창조성과 개성을 드러냄으로써 만족감과 즐거움을 얻을 수 있는 활동인 것입니다.

그 뿐만이 아닙니다. 철수가 만든 의자를 부모님과 형제들이 유용하게 사용하는 것을 본다면 여러분은 어떤 생각이 들까요? 나도 다른 사람에게 도움을 줄 수 있는 사람이구나 하는 생각이 들겠지요?

이렇게 인간의 노동은 자신의 생존을 유지하는데 필요한 것일 뿐만 아니라, 자신의 개성을 드러내는 데에도 중요한 역할을 하며, 스스로가 공동체나 사회의 한 일원이라는 사실을 깨닫게 해 주는 대단히 중요한 활동인 것입니다.

소외된 노동

그렇다면 이렇게 중요한 활동을 왜 우리는 싫어하고 기피하게 되었을까요? 마르크스는 그 이유가 오늘날의 노동은 '소외된 노동'이기 때문이라고 설명합니다. '소외(疏外)'란 '어떤 것으로부터 멀어져 있음'을 의미합니다. 그럼 소외된 노동은 노동이 무엇으로부터 멀어진 것일까요? 바로 '본래적 의미의 노동'으로부터 멀어졌다는 뜻입니다. 원래 인간의 노동은 인간에게 유용하고 즐거움을 주며, 공동체 속에서 자신의 역할을 깨닫게 해 주는 활동입니다. 그러나 우리가 살고 있는 사회에서는 이러한 의미의 노동을 찾아보기 힘듭니다.

예를 들어, 철수의 아버지께서 가구 공장에서 의자를 만드는 일을 하신다고 생각해 봅시다. 철수 아버지께서는 회사에서 열심히 만드신 의자를 집에 가져오실 수 있을까요? 그럴 수 없습니다. 왜냐하면 그 의자는 아버지께서 만드신 것이긴 하지만 아버지의 의자가 아니기 때문입니다. 아버지께서 만드신 의자는 가구 회사의 물건입니다. 회사의 물건을 마음대로 집에 가져올 수는 없습니다. 아무리 자신이 만들었다고 해도 말입니다. 즉, 자신이 한 노동의 결과를 본인이 가질 수 없다는 것입니다.

또한 철수 아버지께서는 철수처럼 의자를 만들 때 어떤 모양이나 어떤 색으로 만들지 고민하지도 않습니다. 회사에서 시키는 대로, 만들어야 합니다. 다시 말해, 기계처럼 일해야만 합니다. 철수 아버지의 창조성이나 개성이 의자를 만드는 동안 전혀 드러날 수 없습니다.

이러한 노동의 대가로 철수 아버지는 임금을 받게 됩니다. 이렇게 받은 임금을 가지고 맛있는 음식과 멋진 옷을 사고, 휴가도 가서 즐겁게 지낼 수 있게 될 것입니다. 하지만 이러한 즐거움은 노동의 대가로 번 돈을 갖는 데 얻어지는 것이지 노동을 하는 과정에서 느낀 즐거움이 아닙니다. 다시 말해 그 자체로 즐거움을 주는 행위였던 노동이 즐거움을 얻기 위한 하나의 수단이 되어 버린 것입니다. 이제 노동은 생존과 즐거움을 위해 억지로 해야만 하는 일이 되어 버린 것입니다.

소비사회
현대 사회는 노동을 하여 무언가를 만들어내는 과정을 통해 자신의 개성과 창조성을 드러내기 어렵습니다. 그렇기 때문에 오늘날 사람들은 소비를 통해 자신의 개성을 표현하려 합니다. 남들에게 뒤지지 않는 혹은 남들과 다른 물건을 가짐으로써 자신만의 특성을 찾으려 합니다. 서로 앞 다퉈 유명 브랜드의 옷과 신발을 사고, 새로 나온 MP3 플레이어나 휴대전화를 구입하고, 유명한 음식점이나 놀이 공원에 가는 것은 이처럼 자신만의 개성을 찾으려는 행위에서 비롯된 것입니다. 이처럼 물건을 사거나 돈을 쓰는 행위가 많은 사람들의 중요한 생활 습관이 되어 버린 사회를 바로 '소비사회' 라고 부릅니다.

여러분은 공부하는 것이 즐거워서 책을 볼 때와 시험을 위해 마지못해 책을 읽어야 할 때의 차이를 잘 알고 있을 것입니다. 일하는 것 자체가 즐거울 때와 즐거움을 위해 억지로 일을 해야 할 때의 차이도 이와 마찬가지입니다.

노동에 대한 질문에 대부분의 사람들이 '힘들다', '하기 싫다', '안 하면 좋다' 와 같은 생각을 떠올리는지 이제 이해가 되지요? 마르크스는 이처럼 달라진 의미의 노동을 '소외된 노동' 이라고 부른 것입니다. 그렇다면 현대 사회의 노동은 왜 '소외된 노동' 이 되었을까요? 이에 대해 마르크스는 우리가 '자본주의사회' 라는 특별한 사회 속에 살고 있기 때문이라고 지적합니다.

② 자본주의

오늘날 우리가 살고 있는 사회를 '자본주의사회' 라고 부릅니다. 자본주의를 국어사전에서 찾아 보면 '생산 수단을 자본으로서 소유한 자본가가 이윤 획득을 위하여 생산 활동을 하도록 보장하는 사회 경제 체제' 라고 정의하고 있습니다.

다소 어렵게 느껴지나요? 좀 더 쉽게 풀어서 설명하자면, 땅이나 공장 혹은 기계와 같은 물건을 만들 수 있는 수단(생산수단)을 가진 사람(자본가)이 돈을 벌기 위해(이윤 획득) 물건을 만들어 파는 활동(생산 활동)을 할 수 있도록 보장해 주는 사회라는 것입니다.

그렇다면 이런 사회에서는 어떤 문제가 발생하길래 인간의 노동을 소외된 노동으로 만드는 것일까요? 마르크스는 자본주의사회를 매우 자세하게 분석함으로 자본주의사회가 가진 문제점을 밝혀내고 있습니다.

사회적 분업과 시장의 발달

다른 사람과 물건을 교환하는 행위는 아주 오래 전에 시작되었습니다. 자신에게 필요한 모든 물건을 혼자 힘으로 다 만들 수는 없기 때문입니다.

그래서 사람들은 자신이 만든 것 중에서 필요한 만큼을 뺀 나머지를 다른 사람과 교환해서 자신에게 필요한 물건을 구할 수 있었던 것입니다. 농사를 짓는 사람은 자신이 먹을 만큼보다 더 많은 쌀을 수확하고, 과수원을 경작하는 사람은 자신이 먹을 수 있는 것 이상의 과일을 수확해서 서로 교환을 하는 것입니다. 이렇게 특정한 사람이 특정한 물건만을 생산하는 것을 '사회적 분업' 이라고 부릅니다.

'분업' 은 물건을 만드는 데 있어 매우 효율적인 제도입니다. 예를 들어 열 명의 학생이 교실 청소를 한다고 생각해 봅시다. 칠판도 닦아야 하고 유리창도 닦아야 하고 바닥도 쓸어야 하고 쓰레기도 버려야 하는데, 열 명이 각자 조금씩 칠판과 유리창을 닦고 바닥을 쓸고 쓰레기를 버린다면 교실 청소는 오래 걸릴 것입니다.

그러나 역할을 나누어 청소를 한다면 빠른 시간 내에 깨끗한 교실을 만들 수 있을 것입니다.

사회에서도 사람들이 자신의 기술을 살려 물건을 만든다면 자신에게 필요한 모든 것을 만들 때보다 더 빠른 시간 내에 좋은 물건을 만들 수 있게 될 것입니다. 이렇게 만든 물건을 다른 사람과 교환할 수 있는 곳이 '시장'

입니다.

자본주의사회가 발달하기 전에도 시장은 있었지만 지금과 같은 형태는 아니었습니다. 지금은 어디에나 가게가 있어 필요한 물건을 언제든지 살 수 있습니다. 그러나 과거에는 5일장과 같이 특정한 날에만 시장이 열리거나 상인이 물건을 들고 여기저기 돌아다니며 장사를 했습니다. 당시에는 필요한 물건은 스스로 만들어 쓰는 경우가 많아서 시장의 필요성이 크지 않았기 때문입니다. 그러나 스스로 만들어 쓰기보다는 다른 사람과 교환하는 것이 더 효율적이라는 것을 알게 되면서 시장은 점차 커지게 되었습니다.

모든 것이 돈으로 환산되는 사회

사회적 분업과 시장이 점차 발달하면서 사람들은 대부분의 물건을 시장에서 교환하게 되었습니다. 그런데 문제가 있었습니다.

옷과 신발을 교환하고자 하는 사람은 자신의 물건을 쉽게 시장에 가지고 나올 수 있었습니다. 하지만 쌀을 교환하고자 하는 사람은 무거운 쌀가마니를 들고 시장까지 나와야 합니다. 교통수단이 없었던 과거에는 쌀가마니를 들고 시장에 나온다는 것은 굉장히 힘든 일이었습니다.

그래서 사람들은 작고 가볍지만 가치는 큰 금과 같은 물건을 기준으로 삼고 교환을 하게 되었습니다. 금화나 은화와 같은 '화폐'가 출현하게 된 것입니다. 화폐는 작고 가볍기 때문에 휴대하는 데도 편하지만 보관도 용이하여, 자신의 물건을 화폐로 바꾸어서 필요한 물건이 생기면 언제든 다른 물건으로 교환할 수 있게 되었습니다. 이 화폐가 바로 지금 우리들이 사용하는 돈의 기원입니다.

돈이 가진 여러 편리한 점 때문에 시장은 돈을 중심으로 바뀌게 됩니다. 자신이 가진 물건을 다른 물건과 교환하는 행위가 아니라, 돈을 받고 물건을 사고파는 행위가 주를 이루게 된 것입니다. 즉, '교환' 중심의 시장이 '매매' 중심의 시장으로 변한 것이죠.

사실 두 행위 사이에는 본질적으로 큰 차이는 없습니다. 물건을 교환하는 과정에서 교환의 편리함을 위해 돈이라는 매개체가 이용된 것뿐이니까요. 그러나 교환 과정에서 돈의 개입이 사람들의 생각과 생활 방식을 크게 바꾸었습니다.

과거에는 자신이 필요한 물건을 교환하기 위해 물건을 만들었다면 이제는 돈을 벌기 위해 물건을 만들게 되었습니다. 돈을 가지고 있다면 언제든 필요한 물건과 쉽게 바꿀 수 있기 때문입니다. 그런데 돈을 벌기 위해서는 자신이 가진 물건을 다른 사람에게 팔아야만 합니다. 그래서 다른 사람에게 팔기 위해 물건을 만드는 것이 생산 활동의 중요한 목적이 됐습니다. 이전까지는 자신에게 필요한 물건을 만든 후 남는 것을 다른 사람과 교환했다면, 이제는 다른 사람에게 필요한 물건을 만들고 나서 이것을 팔아 얻게 된 돈으로 자신에게 필요한 물건을 구입하게 된 것입니다. 생산 활동의 목적이 뒤바뀌게 된 것입니다.

또한 돈으로 언제든 자신이 필요한 물건을 구입할 수 있게 되었기 때문에, 돈이 많다는 것은 더 편리한 생활을 할 수 있다는 것을 의미하게 되었습니다. 다시 말해 돈을 얼마나 많이 가지고 있는가가 그 사람의 생활수준을 좌우하는 중요한 기준이 된 것입니다. 어떤 사람을 평가할 때 그 사람의 개성이나 성격보다는 그 사람이 가진 재산이 얼마인가를 보는 경우가 많아지게 된 것입니다.

이처럼 모든 것이 돈을 기준으로 평가되는 사회, 생활의 수단이었던 돈이 생활의 목적이 되어 버린 풍조를 마르크스는 '물신주의(物神主義)' 라고 불렀습니다. 이러한 사회에서 인간의 노동은 자신의 창조성이나 개성을 드러내는 활동이 아니라 돈을 벌기 위해 어쩔 수 없이 해야만 하는 활동이 된 것입니다. 이제 마르크스가 자본주의사회에서 인간의 노동은 왜 '소외된 노동' 이라고 설명했는지 이해가 될 것입니다. 마르크스는 《자본론》에서 애덤 스미스의 고전 경제학이 물신주의를 유발한다고 비판했습니다. 자본주의사회 속에서 노동자는 자신이 생산한 물건에 대해 주인으로서 지위를 가지지 못하고 소외감을 느낀다고 했습니다. 시장경제 속에서는 노동자가 자본가 소유의 기계를 이용하여 물건을 만들고 그 물건을 시장에 팔아서 이익의 대부분을 자본가가 가져가기 때문입니다. 그래서 노동자는 자신이 만들고 싶은 물건을 마음대로 만들 수 있는 것이 아니라 자본가가 원하는 물건을 타율적으로 만들 수밖에 없기 때문입니다.

'빈익빈 부익부' 의 사회

앞에서 설명했던 자본주의의 사전적 정의를 다시 한 번 떠올려 봅시다. 자본주의란 '생산수단을 자본으로 소유한 자본가가 이윤 획득을 위하여 생산 활동을 하도록 보장하는 사회 경제체제' 라고 하였습니다. 여기서 생산수단이란 땅이나 공장, 기계와 같이 물건을 만드는데 필요한 기본적인 수단을 의미합니다.

그렇다면 이러한 생산수단 즉, 자본은 어떻게 가질 수 있을까요? 돈을 많이 가진 사람은 생산수단을 구입할 수 있고, 생산수단이 갖추어져 있기 때문에 물건을 쉽게 만들어 판매할 수 있습니다. 이런 사람을 우리는 '자본가' 라고 부릅니다.

그렇다면 돈이 없어서 생산수단을 구입할 수 없는 사람, 그렇기 때문에 스스로 물건을 만들 수 없는 사람은 어떻게 될까요? 이들은 물건을 팔 수 없기 때문에 자신의 '노동력' 을 팔게 됩니다. 다시 말해 자신이 가진 물건을 만들어낼 수 있는 능력을 공장이나 회사에 팔아 월급 즉, 돈을 얻게 되는 것입니다. 이런 사람들을 '노동자' 혹은, '임금 노동자' 라고 부릅니다.

노동자는 자본가에게 고용되어 일을 합니다. 노동자들은 회사에 취직하여 자동차도 만들고 의자도 만들고 텔레비전도 만들게 되는 것이죠.

그러나 그가 만든 상품은 누구의 것일까요? 바로 자본가의 것입니다. 왜냐하면 노동자는 일을 할 수 있는 능력을 자본가에게 판 것이고, 그 일을 한 대가로 월급을 받았기 때문입니다. 노동자가 만들어낸 물건은 결국 그 일을 시킨 자본가의 물건이 되는 것입니다.

자본주의사회는 이처럼 자본가와 노동자가 서로 물건을 사고파는 활동을 하는 사회입니다. 그렇다면 누가 자본가가 되고 누가 노동자가 되는 것일까요?

자본가가 되기 위해서는 공장이나 기계와 같은 생산수단을 구입할 수 있는 돈이 많아야 합니다. 이런 사람들은 공장과 기계 그리고 노동자들을 고용하여 물건을 쉽게 만들 수 있는 것이죠. 이렇게 만든 물건을 시장에서 팔아 많은 돈을 벌 수 있게 됩니다. 더 많은 돈을 번 자본가는 더 큰 공장과 더 좋은 기계를 구입하여 훨씬 더 많은 물건을 만들어 판매할 수 있습니다.

그러나 돈이 없는 사람은 자신의 노동력을 팔아서 번 돈으로 생활을 유지하게 됩니다. 생활을 계속 유지하기 위해서는 끊임없이 노동력을 팔아야만 하는 처지가 되는 것이죠. '힘들고, 하기 싫은' 노동을 계속해야만 하는 이유, '먹고 살기 위해 어쩔 수 없이 일을 해야 하는 상황' 이 계속되는 것입니다.

이러한 상황이 지속된다면 부자인 사람은 더 큰 부자가 되고, 가난한 사람은 계속 가난한 상태를 유지하게 되는 즉, '빈익빈 부익부' 혹은 '부의 양극화' 현상이 나타나게 되는 것입니다. 마르크스는 자본주의사회에서 생산 활동이 어떠한 방식으로 이루어지는가를 자세하게 분석하여 자본주의사회에서는 부의 양극화가 심화될 수밖에 없다는 사실을 밝혀냈습니다.

③ 자유로운 인간의 공동체

우리는 이런 상태에서 벗어날 수 없는 것일까요? 힘들고 하기 싫은 소외된 노동을 계속해야만 하고, 부자인 사람은 더 큰 부자가 되고 가난한 사람은 계속 가난하게 되는 사회에서 살아야만 할까요? 마르크스는 우리가 노력한다면 얼마든지 더 좋은 세상을 만들 수 있다고 설명합니다.

역사의 발전

마르크스는 인간이 물건을 만드는 방법에 따라 인간의 역사가 다음과 같이 발전했다고 설명합니다.

가장 첫 번째 단계는 '원시공산제 사회'입니다. 이 시기에는 사냥을 해서 동물을 잡거나 나무의 열매를 따서 생존을 할 수 있었습니다. 이러한 방식을 수렵, 채집이라고 부릅니다.

수렵, 채집이 주요한 생산 방식일 때에는 먹을 것이 흔하지 않기 때문에 사람들이 서로 협력해서 먹을 것을 구했습니다. 그렇기 때문에 서로 공평하게 나누어 갖는 사회였습니다. 즉, 공동 생산과 공동 분배가 이루어지던 시기입니다.

그러다 청동기, 철기 등을 거쳐 기술이 발달하면서 점차 사회가 커지고 국가가 만들어지게 됩니다. 국가는 더 좋은 자원을 얻기 위해 서로 전쟁을 하고, 전쟁에서 승리한 국가는 패배한 국가의 국민을 노예로 부리게 됩니다. 이 시기가 바로 '고대노예제 사회' 입니다.

즉, 노동은 모두 노예에게 시키고 지배층은 생산물을 가지고 편하게 살 수 있었던 시기입니다. 당연히 노예의 불만은 쌓일 수밖에 없었고, '노예 반란' 으로 불만이 표출되었습니다.

노예의 불만과 그 표출이 심각해지자 지배자들은 지배 방식을 바꿀 수밖에 없었습니다. 노예 신분을 해방시키고 그들이 스스로 농사를 짓거나 물건을 만들게 하는 대신 세금을 거두는 것입니다. 이 시기를 '중세봉건제 사회' 라고 부릅니다. 노예의 신분에서 벗어나 스스로 자신의 일을 할 수 있게 되었지만, 사람들의 생활은 크게 달라지지 않았습니다. 귀족들은 농민들이 낸 세금으로 편안하게 생활할 수 있었고, 농민들은 귀족들이 부과하는 높은 세금을 내기 위해 힘들게 일하지 않을 수 없었기 때문입니다. 주인과 노예는 아니었지만 귀족과 평민이라는 신분의 차이가 여전히 존재하고 있었던 것입니다. 그래서 사람들은 프랑스 혁명과 같은 시민혁명을 통해 신분제도의 철폐를 주장하게 되었던 것입니다.

신분제도가 철폐되면서 등장한 사회가 바로 '자본주의사회' 입니다. 그러나 지금까지 보았듯이 이 자본주의사회도 많은 문제를 가지고 있습니다.

모두가 평등한 사회

마르크스는 자본주의사회의 문제도 노예제 사회와 봉건제 사회의 문제와 크게 다르지 않다고 생각했습니다. 노예제 사회가 주인과 노예로 서로 구분되고, 봉건제사회가 귀족(영주)와 평민(농노)로 구분되었듯이, 자본주의도 자본가와 노동자로 구분되기 때문에 문제가 생겨난다고 생각한 것입니다. 마르크스는 이러한 구분을 '계급(階級)' 이라고 부릅니다.

그가 보기에 사회적 불만과 갈등은 계급이 존재하기 때문에 생기는 것이었습니다. 계급이 존재하기 때문에 차별이 생겨나고, 차별이 있기 때문에 갈등이 생기는 것입니다. 그러므로 계급을 없앤다면 사회의 불만과 갈등은 사라진다는 것입니다.

그렇다면 계급을 어떻게 없앨 수 있을까요? 노예제와 봉건제 사회에서 알 수 있듯이 지배층은 계급을 없애려 하지 않을 것입니다. 계급 구분으로 자신들이 편하게 생활할 수 있으니까요. 마르크스는 노예와 평민이 불만을 표출하여 사회를 바꾸었듯이, 자본주의사회에서는 노동자들이 노력하여 사회를 바꿔야 한다고 생각했습니다. 마르크스가 노동 운동에 헌신한 것은 바로 이러한 이유 때문입니다.

노동자들이 노력하여 계급을 없애고 차별없는 사회를 만든다면 모두가 평등한 사회가 될 수 있다는 것입니다. 모두가 평등한 사회에서는 같이 힘을 합쳐 일을 하고, 일의 성과물을 함께 나누는 사회가 될 것이라고 생각했습니다. '원시공산제 사회'와 같이 공동으로 생산을 하고 공동으로 분배를 하게 되는 사회가 다시 만들어진다는 것입니다. 마르크스는 이러한 사회는 '공산주의 사회'라고 불렀습니다.

마르크스는 공산주의 사회에서는 소외된 노동은 사라지고 본래적 의미의 노동이 다시 자리를 잡게 되리라고 생각했습니다. 노동을 함으로써 누구나 자신의 개성과 창조성을 드러낼 수 있고, 이를 통해 즐거움을 얻을 수 있으며, 공동체 속에서 서로 어울려 살아간다는 것을 느낄 수 있다는 것입니다. 마르크스는 이러한 사회를 다음과 같이 표현합니다.

> 공산주의 사회에서는 어느 누구도 배타적인 활동 영역을 가지지 않고, 각자가 원하는 어떤 분야에서 스스로를 도야할 수 있으며, 사회가 전반적 생산을 조절하게 되어, 이를 통해 오늘은 이 일을 내일은 저 일을 하며, 사냥꾼이나 어부, 목동이나 비평가가 되지 않고서도, 마음 내키는 대로, 아침에는 사냥을 하고, 오후에는 물고기를 잡고, 저녁에는 소를 치고, 저녁 식사 후에는 토론을 하는 것이 가능하게 된다.
>
> — 칼 마르크스, 《독일 이데올로기》 중에서

이와 같은 마르크스의 생각은 그가 살아 있던 시대뿐만 아니라 현재에 이르기까지 많은 사람들의 공감을 얻고 있습니다. 이 때문에 20세기 위대한 사상가를 꼽을 때, 마르크스가 항상 빠지지 않는 것입니다.

물론 마르크스의 사상에 대한 비판도 많습니다. 그의 생각이 유토피아적이고 비현실적이라는 것입니다. 실제로 과거의 소련이나 동유럽의 국가들, 그리고 지금도 존재하고 있는 중국이나 북한 등의 공산주의 국가들을 본다면, 마르크스가 바랐던 대로 이루어지지 않는 것도 사실입니다.

그러나 마르크스의 사상에 대한 논란은 잠시 접어두더라도, 그가 말한 '모두가 평등한 세상', '모든 인간이 자유롭게 어울려 살 수 있는 세상'의 희망에 대해서는 누구도 반대하지 않을 것입니다. 이런 사회를 만들기 위해 우리가 끊임없이 노력해야 한다는 것이 마르크스가 오늘날 우리에게 주는 교훈입니다.

2. 기출문제 속에서 만난 마르크스

2003년 서강대학교 정시 논술에서는 노동에 대한 여러 가지 관점을 제시하고 미래의 노동의 모습에 대한 자신의 견해를 논술하라고 요구했습니다.

낙원에서는 노동을 한다는 것이 고된 것이라기보다는 그저 즐겁기만 하였을 것이다. 인간의 노동 덕분에, 하느님이 창조하신 바는 자라나고 성숙하여 풍부한 결실을 맺게 되는 것이었다.

(……)

하느님이 인간을 낙원에 들여보내신 것은 일하게 하기 위함이었다. 노동하는 사람은 한 그루의 나무를 바라보면서 그의 시선을 창조계 전체로 옮겨간다. 정말 세계는 한 그루 나무와 같다. 세계에는 섭리가 이중으로 작용한다. 자연에 맡겨진 부분과 의지에 맡겨진 부분이 이중으로 작용한다. 그 모두가 인간이 교육을 받는 표지이고, 교양을 쌓는 밭이며, 인간이 발휘할 기술인 것이다. 이제 의미가 밝혀진다. 하느님이 인간을 낙원에 들여보내신 것은 일하게 하기 위함이었다. 거기서 농사를 지으라는 뜻에서였다. 그것은 노예가 하는 강제 노역이 아니라 자유의지에서 우러난 지성인의 작업이었다. 이런 일에 종사하는 것처럼 순진무구한 일이 또 어디 있겠는가? 인간이 그것을 지혜롭고 현명하게 수행한다면 노동보다 고상하고 그보다 성취적인 일이 또 있겠는가?

— 아우구스티누스, 《창세기 축자 해석》 중에서

오늘날 생산물만이 중시되고 그것을 만들어낸 노동이 등한시된다는 것은 단지 상점이나 시장, 무역의 경우에 한하는 것은 아니다. 근대적인 공장 안에서도 노동자의 경우에는 사정이 전적으로 동일하다. 작업상의 협력이나 이해, 상호 평가란 그야말로 고위층의 권한에 속할 뿐이다. 노동자 계층에 있어서 여러 부서와 여러 직무 사이에 형성된 관계란 다만 사물간의 관계일 뿐 인간 상호간의 관계는 아니다. 부품은 명칭과 형태, 원료가 기입된 쪽지가 붙여져 유통된다. 이 부품이야말로 바로 인간이며, 노동자는 다만 교환 가능한 부품이라고 생각될 수도 있을 것이다. 부품은 제조 명세서를 갖는다. 또 몇 개의 큰 공장의 경우처럼 노동자가 출근 시에 죄수 같이 가슴에 번호를 단 사진이 붙어 있는 신분증을 제시하지 않으면 안 될 경우, 그 신분 확인 절차는 가슴을 찌르며 고통을 주는 하나의 상징이 되는 것이다. 사물이 인간의 역할을 하고 인간이 사물의 역할을 하는 것이야말로 악의 근원이다. (……) 큰 공장은 물론이고 조그만 공장에서까지도 많은 남녀 노동자들은 명령에 의해 있는 힘을 다해서 대충 1초마다 한 번씩 행하는 대여섯 개의 단순한 동작을 끊임없이 되풀이할 따름이다. (……) 기계 작업은 마치 시계의 똑딱 소리처럼 끊임없이 계속된다. 이 경우 하나의 일이 끝나고 다른 일이 시작된다는 것을 알려 주는 것은 아무 것도 없다. 저 똑딱거리는 시계 소리의 기운 빠지는 듯한 단조로운 소리를 오랫동안 듣는다는 것은 참을 수 없는 노릇이지만, 노동자는 자기 몸으로 그것을 감당하지 않으면 안 된다.

— 시몬느 베이유, 《노동일기》 중에서

위에 인용한 첫 번째 글에서 아우구스티누스는 마르크스가 말한 노동의 본래적 의미를 강조하고 있습니다. 즉, 인간은 본래 노동을 통해 성취감을 얻을 수 있고, 노동은 자신과 세계를 연결하는 과정이며, 이러한 과정을 통해 자기 자신을 발견할 수 있는 매우 중요한 활동이라는 것입니다.

두 번째 글은 마르크스가 지적한 소외된 노동의 모습을 잘 묘사하고 있습니다. 즉, 현대사회는 기계처럼 단조롭게 반복되는 육체노동이 계속되면서 인간은 기계에 종속된 하나의 교체 가능한 부속품으로 전락하게 되었고, 인간 사이의 관계는 사물들 간의 관계로 격하되었다는 것입니다.

미래에는 자동화 시스템이 보편화되면서 인간은 이전과 같이 힘든 육체노동을 하지 않게 될 것입니다. 또한 이렇게 육체노동의 중요성이 감소하게 되면 자연히 창조적인 정신 활동이 중요해질 것입니다. 만일 이러한 사회가 된다면 본래적인 노동의 의미가 회복될 것인지, 아니면 여전히 소외된 노동이 계속될 것인지에 대한 여러분의 의견을 묻는 질문입니다.

마르크스에 의하면 노동이 소외된 노동으로 되는 것은 불평등한 사회에서 노동이 이루어지기 때문입니다. 자신이 만든 물건이 자신의 것이 되지 못하고, 노동이란 단지 돈을 벌기 위한 수단이 되어 버리기 때문입니다. 그러므로 마르크스는 이러한 사회 구조 아래에서는 육체노동이 정신노동으로 바뀐다고 해도 소외된 노동은 여전히 존재할 수밖에 없다고 말할 것입니다. 본래적 의미의 노동을 회복하기 위해서는 소외된 노동이 생기는 사회의 조건들을 없애야 한다고 말할 수 있을 것입니다.

2008년 실시한 경북대학교의 모의 문제에서는 인간의 역사를 바라보는 여러 가지 관점을 제시하고 이를 정리하도록 요구하고 있습니다. 그 중 하나가 바로 마르크스의 역사관입니다.

법률이나 국가의 형태는 그 자체로부터도, 인간 정신의 일반적 발전으로부터도 파악될 수 없으며 물질적 생산 활동으로부터 파악되어야 한다. 한 사회를 이해하기 위해서는 그 사회의 경제를 분석해야 한다. 생산관계가 사회의 경제적 구조 즉, 물질적 토대를 이루며, 그것에 상응하여 상부구조 즉, 법적, 정치적 형태와 사회적 의식의 형태들이 형성된다. 물질적 생활의 형태가 사회적, 정치적, 정신적 생활의 형태를 결정하는 것이다. 인간의 의식이 그의 존재를 규정하는 것이 아니라, 사회적 존재가 인간의 의식을 규정한다. 사회 혁명기가 시작되면 경제적 토대의 변화와 더불어 거대한 상부구조도 조만간 변화한다. 그런 변혁을 고찰할 때는 물질적 토대인 경제적 생산 조건의 변혁과, 상부구조에 속하는 법률적, 정치적, 종교적, 예술적, 철학적 형태들의 변혁을 구분해야 한다. 사회 갈등은 의식의 갈등이 아니라 물질적, 경제적 갈등으로부터 설명되어야 한다. 대체로 사회구성체는 아시아적 생산양식, 고대적 생산양식, 봉건적 생산양식, 근대 부르주아적 생산양식으로 진보한다.

— 칼 마르크스, 《정치경제학 비판》 중에서

마르크스의 역사관을 보통 '유물론적 역사관' 이라고 부릅니다. 유물론적 역사관은 말 그대로 역사와 사회를 유물론적 관점에서 이해하는 것이다. 마르크스 시대 이전의 철학자이자 마르크스에게 큰 영향을 끼치기도 했던 헤겔은 정신이 역사를 발전시키는 원동력이라고 보는 '관념론적 역사관' 을 주장했습니다.

마르크스는 이와는 반대로 물질적 생산 활동이 역사를 발전시키는 원동력이라고 생각했습니다. 인간은 생존하기 위해서 물질적 생산 활동을 해야 하며, 이러한 물질적 생산 활동이 경제적 토대가 되어 정치나 법, 종교, 사상과 같은 상부구조를 결정한다는 것입니다. 즉, 경제적 활동이 사회 구조나 사상의 유형을 결정한다는 것입니다.

마르크스는 인간이 물건을 만들어내는 방식에 따라 인간의 역사가 원시공산제 → 고대노예제 → 중세봉건제 → 근대자본주의와 같은 방식으로 발전했다고 설명했습니다. 이것이 바로 그의 유물론적 역사관에 따른 역사 발전 단계인 것입니다. 그는 인간의 역사가 이러한 단계를 거쳐 모두가 평등한 사회인 공산주의 사회에 도달할 것이라고 생각했습니다.

실 전 논 술

논술 문제

case 1 제시문 (가)를 읽고 국가와 국가 간에 무역이 필요한 이유에 대해 설명하시오. (200자 이내)

가 '우리나라와 중국 간의 무역 증대'

신문을 보던 영우는 무역이 왜 필요한지 궁금하여 선생님께 여쭈어 보았다.

선생님께서는 다음 두 나라의 이야기를 들려 주시고, 무역이 필요한 까닭을 생각해 보라고 하셨다.

★ 천연 자원이 풍부한 나라

기온이 높고 비가 많이 내려 국토의 반 이상이 밀림인 ○○나라는 도로 가에도 야자나무, 고무나무가 줄지어 늘어서 있다. 이 나라에서는 볍씨를 뿌려 놓기만 해도 저절로 잘 자라 1년에 벼농사를 두 번 이상 지을 수 있으며, 바나나도 많이 생산된다. 또, 바다에서는 석유와 천연 가스가 난다.

하지만, 천연 자원이 풍부한 ○○나라도 사회가 발전하고 사람들이 필요로 하는 물건의 종류가 다양해지면서, 필요한 물건을 자기 나라에서 모두 구할 수 없게 되었다.

★ 천연 자원이 부족한 나라

△△ 나라는 천연 자원이 부족하다. 집을 짓거나 가구를 만들 때 필요한 원목도 부족하고, 각종 산업의 에너지원인 석유도 전혀 나지 않는다.

△△ 나라 사람들은 생활에 필요한 천연 자원을 구할 수 없어 불편함을 느끼고 있다.

— 초등학교 5-2, 《사회》 중에서

생각 쓰기

생각 쓰기

생각 쓰기

case 2 다음 두 제시문의 차이점을 설명하고, 이에 대한 자신의 견해를 논술하시오. (600자 내외)

(가) 소연이는 새 문방구점이 생긴 뒤에 달라진 점을 알아보았다. 원래 있던 문방구점 주인은 새 문방구점이 생기기 전보다 친절해졌다. 또, 새 문방구점이 생기면서 물건 값도 싸졌다. (……) 선생님께서는 자유와 경쟁이 우리 경제생활에 어떤 도움을 주는지 자세히 알아보자고 하셨다.

★ 기업은 소비자를 통해 새로운 상품을 기획한다.

★ 기업은 저마다 다른 기업보다 더 좋은 물건을 만들기 위해 연구한다.

★ 기업은 물건을 많이 팔기 위해 가격을 내리기도 한다.

★ 기업은 소비자에게 더 좋은 서비스를 제공하기 위해 노력한다.

소연이네 반 친구들은 기업 간의 공정한 경쟁이 소비자들에게 좋은 물건을 싸게 살 수 있도록 해 준다는 것을 알았다.

— 초등학교 5-2, 《사회》 중에서

(나) 마르크스는 양에 상관없이 자신의 자본을 가지고 자유롭게 경제활동을 할 수 있는 자본주의사회는 체급이 없는 씨름 경기와 비슷하다고 하였습니다. 왜냐하면 많은 자본을 가진 사람이 적은 자본을 가진 사람들보다 절대적으로 유리하기 때문

입니다.

이러한 이치는 오늘날 국가 간의 관계에 있어서도 마찬가지랍니다. 자본이 많은 국가는 자국의 자본을 이용하여 다른 나라보다 싼값에 물건을 팔 수 있답니다. 반면 가난한 나라는 기술력이 떨어지기 때문에 싼값으로 물건을 만들 수 없을 뿐더러 상품의 질도 떨어지기 마련이랍니다. 그래서 가난한 나라는 자국의 기업이 강대국의 경쟁력 있는 제품에 밀리는 것을 막기 위해서 수입을 제한하려 합니다.

하지만 몇몇 강대국은 자국의 산업을 보호하기 위해서 수입을 제한하는 것은 악법이고 공정하지 못한 행위라고 비난합니다. 세계화는 이렇게 약소한 국가들이 자국을 보호하는 정책을 사용하지 못하게 하는 방향으로 전개됩니다. 상대적으로 경제적 규모가 작고 가난한 우리나라가 미국과 마찰을 빚는 것도 이러한 이유 때문이랍니다.

—《마르크스가 들려주는 자본론 이야기》 중에서

생각 쓰기

생각 쓰기

case 3 제시문 (가)를 참고하여 제시문 (나)의 어머니가 파업한 이유를 설명하고, 이에 대한 자신의 견해를 논술하시오. (600자 이내)

가 23. ① 사람은 누구나 일하고, 직업을 자유롭게 선택하고, 공정하고 유리한 노동 조건을 누리고, 실업에 대해 보호받을 권리를 가진다.

② 사람은 누구나, 어떤 차별도 받지 않고, 동일한 노동에 대해 동일한 보수를 받을 권리를 가진다.

③ 일하는 사람은 누구나, 자기 자신과 자기 가족에게 인간의 존엄성에 알맞은 생활을 보장해 주는, 그리고 필요한 경우에는 다른 사회적 보호 수단으로 보충되는, 공정하고 유리한 보수를 받을 권리를 가진다.

④ 사람은 누구나 자신의 이익을 보호하기 위하여 노동조합을 조직하고, 또 이에 가입할 권리를 가진다.

24. 사람은 누구나, 합리적인 노동 시간 제한 및 정기적인 유급휴가를 포함한, 휴식과 여가를 가질 권리를 가진다.

— 1948년 제3차 유엔 총회, '세계 인권선언' 중에서

나 오늘, 학교 갔다 돌아와 보니 어머니께서 보이지 않으셨어요. 동생들은 마당에서 훌쩍이고 있고요. 나는 깜짝 놀라 물었지요.

"예지야, 무슨 일이니? 엄마는 어디 가시고?"

예지가 손가락으로 나무 위를 가리켰어요. 얼른 버즘나무를 올려다보았어요. 엎드려서 나를 내려다보고 계시는 어머니가 보였지요. 한쪽에 있는 푯말도 눈에 들어왔어요.

"엄마 파업 중. 청소, 요리, 빨래 등 집안일은 모두 안 함."

사실 어머니께서 파업하실 만한 이유는 충분하였어요.

우리 가족은 모두 다섯 명이지요. 어머니와 회사에서 늦게 돌아와 집안일은 거의 하지 못하시는 아버지, 나와 나보다 세 살 어린 예지, 유치원에 다니는 수지, 그런데 어머니를 도와주는 사람은 아무도 없어요. 물론 내가 큰언니니까 당연히 어머니를 도와 드려야 하죠. 하지만, 학교 갔다 오면 학원에 가랴, 텔레비전 보랴, 숙제하랴……. 이렇게 이 일 저 일 하다 보면 하루가 꼴딱 지나가 버려요.

그런데 오늘 어머니께서 파업을 하신 거예요.

— 초등학교 5-2, 《국어 읽기》 중에서

생각 쓰기

생각 쓰기

case 4 제시문 (가)를 참고하여 제시문 (나)에서 제기하고 있는 문제를 요약하고, 이를 해결할 수 있는 구체적인 방안을 제시하시오. (1000자 이내)

가 사람들이 처음 만날 때 흔히 묻는 말이 있습니다. "고향이 어디예요?", "학교는 어딜 나왔죠?", "종교는 있나요?", "나이는 어떻게 돼요?" 등과 같은 질문들인데, 간단해 보이는 이런 질문 하나하나가 차별의 요소가 될 수 있는 것이 현실 생활입니다.

모든 사람은 "권리에 있어 평등하다"라고 하지만, 성별, 나이, 출신 지역, 종교, 피부색, 빈부 등과 같은 차이를 이유로 갖가지 차별이 행해지고 있습니다. 차별이 끼치는 해악 중의 하나는 차별받는 사람이 사회 참여의 기회를 빼앗기거나 사회에 온전하게 참여할 수가 없게 된다는 점입니다. 예를 들자면, 여성이라고 해서 해고의 우선순위가 된다든지, 또는 승진의 기회가 제한된다든지 하는 경우입니다.

차별에는 남녀 차별, 장애인 차별, 인종차별 등 우리가 인식하고 있는 유형만 있는 게 아닙니다. 사회의 변화에 따라 새로운 유형의 차별은 언제든지 등장할 수 있습니다. 예를 들어, 최근에는 에이즈 환자에 대한 차별이나 외국인 노동자에 대한 차별 등에 주목을 하기 시작했습니다.

인권을 지키기 위해서는 이미 있는 차별에 대해서나 새롭게 등장하는 불평등 요소에 대해서 촉각을 세우고 적극적으로 고치려는 자세가 필요합니다.

— 초등학교 6-2, 《국어 읽기》 중에서

나 오늘날 왼손잡이에 대하여 연구한 학자들 대부분은, 왼손잡이는 유전적인 요인에 의하여 결정되고 형성되며, 특히 뇌의 발달이나 구조와 밀접한 관계가 있다고 말하고 있습니다. 그리고 어느 한쪽을 선호하는 현상은 인간에게만 나타나는 현상이 아니며, 식물이나 동물에서도 찾아볼 수 있는 일반적인 현상이라고 설명하고 있습니다. 예를 들어, 나팔꽃 중에는 시계 방향으로 줄기를 꼬는 것도 있고, 반시계 방향으로 줄기를 꼬는 것도 있으며, 침팬지 등의 유인원도 그들 몸의 한쪽을 다른 쪽보다 더 선호한다고 합니다. 왼손잡이는 단지 그 수가 오른손잡이에 비하여 적을 뿐이지, 그 자체가 기이한 것은 아닙니다.

그럼에도 불구하고 인류의 역사에서 오랫동안 '왼손잡이'라는 말에는 부정적인 의미가 부여되어 왔습니다. 왼손잡이에 대한 관습화된 생각이나 표현은 왼손잡이를 억압하는 굴레로 작용하고 있습니다. 이러한 현상은 어느 시대, 어느 지역을 막론하고 보편적인 현상이었습니다. 특히, 우리나라는 오른쪽과 오른손잡이를 선호하는 문화가 더욱 강해서, 왼손잡이는 오른손잡이가 되도록 사회로부터 무언의 압력을 받아 왔습니다.

(……) 무조건 왼손잡이를 오른손잡이로 바꾸려고 하는 사회 풍조는 왼손잡이들에게 많은 스트레스를 줄 뿐 아니라, 자신감을 잃게 하고, 우울한 정서를 갖게 할 수 있습니다. 왼손잡이를 있는 그대로 인정해 주지 않는 사회 분위기는 왼손잡이들의 자아 정체성 형성을 가로막고 사회 구성원으로서 소외감을 느끼게 합니다.

— 초등학교 6-1, 《국어 읽기》 중에서

생각 쓰기

생각 쓰기

실전 논술

예시 답안

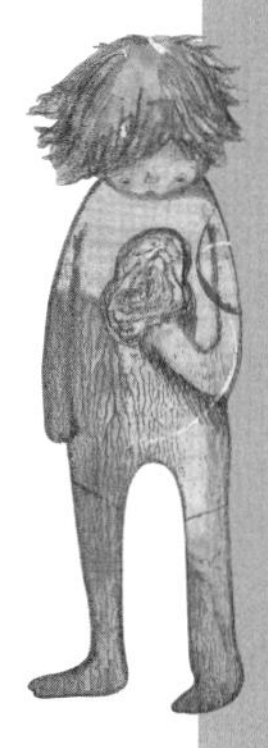

case 1

나라마다 가지고 있는 자원의 종류나 양이 다르고 기술 수준이나 자본에도 차이가 있다. 그래서 어떤 나라도 자국에서 필요로 하는 물건을 모두 만들어낼 수 없다. 이 때문에 각 나라는 필요한 것을 얻기 위해 다른 나라와 물건이나 기술을 서로 바꾸어 쓰는 무역을 하게 되는 것이다.

case 2

제시문 (가)는 자유경쟁에 대한 긍정적인 입장이다. 왜냐하면 자유경쟁은 경쟁에 참여한 구성원 모두에게 이익을 주는 결과를 낳기 때문이다. 즉, 기업들은 서로 새로운 상품과 더 좋은 물건을 만들기 위해 노력하여 기술의 발전을 가져올 것이다. 또한 소비자들은 이렇게 만들어진 새로운 상품과 좋은 물건을 더 싼 가격에 더 좋은 서비스를 받으며 구입할 수 있게 된다.

이에 반해 제시문 (나)는 자유경쟁에 대한 부정적인 입장이다. 왜냐하면 자유경쟁은 서로의 조건을 고려하지 않음으로써 강했던 자가 그렇지 못한 자를 이기는 결과를 낳기 때문이다. 만약 서로 다른 조건을 가진 나라들이 경쟁을 한다면, 부유한 나라가 가난한 나라를 이기는 것은 너무나 당연하다.

경쟁은 서로 동등한 조건에서 이루어질 때 공정한 경쟁이 될 수 있다. 예를 들어, 다리가 불편한 학생과 그렇지 않은 학생이 동일한 출발선에서 달리기 시합을 한다면 다리가 성한 학생이 이기는 것은 너무나 당연한 일이기 때문이다. 그러므로 경쟁이 주는 긍정적인 효과를 얻기 위해서는 경쟁이 최대한 공정한 상황에서 이루어질 수 있도록 해야 한다.

case 3

제시문 (가)의 '세계인권선언'에 의하면, 일하는 사람은 누구나 존엄하게 대우받을 권리가 있으며, 그에 걸맞는 대가를 받을 권리도 있다. 또한 휴식과 여가를 가질 권리도 있다. 그러나 제시문 (나)의 어머니는 집안일을 하면서도 이러한 권리를 제대로 보장받지 못하고 있었다. 아버지나 아이들은 청소, 요리, 빨래 등 가족 모두에게 필요한 일을 어머니에게만 떠맡기고 있었다. 또한 자신들의 일에 바빠 어머니가 하시는 집안일을 도와주지 않았다. 이런 상황에서 어머니는 자신의 권리를 보장받기 위해 나무 위로 올라가서 파업을 하게 된 것이다.

이와 같은 어머니의 파업은 정당하다. 집안일은 단순히 어머니 혼자만의 일이 아니다. 청소, 요리, 빨래 등은 가족 모두에게 반드시 필요한 일이고, 그 혜택 또한 가족 모두가 누리는 일이다. 그런데 이를

노동삼권

노동삼권이란 현대 헌법에서 일반적으로 기본권으로 인정되고 있는 단결권 · 단체교섭권 · 단체행동권을 말합니다.

먼저 단결권은 노동 조건을 개선하기 위해 고용자와 협상할 수 있는 단체를 조직할 수 있는 권리입니다. 노동조합이 바로 이 단결권에 의해 보장된 단체인 것입니다.

다음으로 단체교섭권이란 노동조합과 같은 노동자 단체가 노동 조건의 개선을 위해서 고용자와 교섭할 수 있는 권리입니다. '노사 협상'은 바로 이 권리에 의해 이루어지게 됩니다.

마지막으로 단체행동권이란 노동자들이 자신의 요구를 관철하기 위하여 파업 등과 같은 압력 수단을 행사할 권리입니다. 다만 단체행동권은 사회 경제에 대단히 큰 영향을 미치기 때문에 이를 행사하기 위해서는 다소 까다로운 요건을 갖추어야 합니다.

모두 어머니에게만 맡기고 가족 모두 가정일에 무관심했다는 것은 어머니의 인권을 무시하는 일이다.

그러므로 가족들은 자신들의 잘못된 행동을 반성하고 집안일을 나누어 맡아야 한다. 가족 모두가 집안일에 참여해야만 어머니의 파업은 끝나게 되고, 다시 화목한 가정이 이루어질 것이다.

case 4 우리 사회는 왼손잡이에 대한 부정적인 인식을 가지고 있다. 그래서 왼손잡이를 오른손잡이가 되도록 강요하는 경우가 많다. 그러나 사람들마다 서로 생김새가 다르듯이, 왼손잡이는 주로 사용하는 손이 다른 것일 뿐이다. 여러 과학자들도 밝히고 있듯이 왼손잡이는 인간뿐만 아니라 모든 생물에게 나타날 수 있는 자연스러운 현상인 것이다.

왼손잡이에 대한 잘못된 인식은 부당한 차별일 뿐이다. 이러한 차별로 인해 왼손잡이들은 스트레스와 우울한 기분을 가지게 되고, 그들이 자아 정체성을 형성하는 것을 가로막고 소외감을 느끼게 될 수밖에 없다. 차별로 인해 사회에 온전하게 참여할 수 없게 되는 것이다. 그러므로 하루 빨리 왼손잡이에 대한 차별을 없애야 한다.

이러한 차별을 없애기 위해서 먼저 사람들이 왼손잡이에 대한 편견과 고정관념을 버려야 한다. 자신과는 다른 손을 쓰는 사람들을 열린 마음으로 대할 수 있어야 한다. 이를 위해 학교에서는 왼손잡이에 대한 편견이 잘못된 생각이고, 부당한 차별이라는 사실을 가르쳐야만 한다. 부모도 왼손잡이에게 억지로 오른손을 쓰도록 강요하지 말아야 한다.

또한 사회 곳곳에서 나타나는 왼손잡이에 대한 차별도 고쳐나가야 한다. 현재 우리 사회에서는 왼손잡이에 대한 사회적 배려가 턱없이 부족하다. 대부분의 물건이 오른손잡이용으로 만들어지고 있기 때문이다. 그러므로 왼손잡이용 가위나 책상, 야구 글로브, 시계 등을 많이 만들어 왼손잡이가 아무런 불편 없이 생활을 할 수 있도록 도와야 한다.

이렇게 왼손잡이에 대한 사회적 인식과 제도가 이렇게 변화한다면 왼손잡이와 오른손잡이가 함께 어우러져 사는, 아름답고 명랑한 사회가 이룩될 것이다.

논술 답안 쓰기

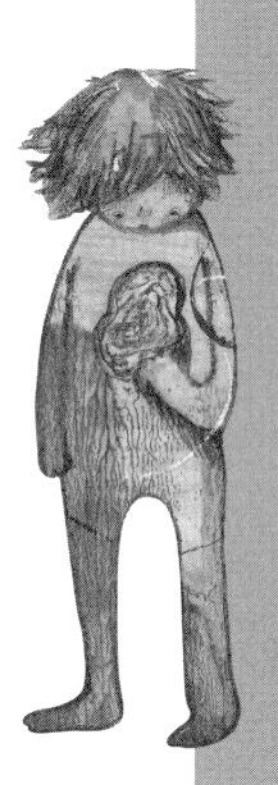